炼铁设备

王　平　主编

北　京
冶金工业出版社
2006

内 容 简 介

全书共分10章，内容包括高炉炼铁生产与设计概述、高炉本体、高炉冷却、高炉车间原料系统、炉顶装料设备、送风系统、煤气处理系统、喷吹系统、渣铁处理系统、能源回收利用与环境保护等，系统介绍了主要工艺流程，设备基本结构、工作原理与设计原则，设备工艺参数的计算与选择等，较全面地反映了目前国内外高炉炼铁的发展动向、新设备、新技术与新工艺。

本书可作为钢铁冶金企业培训技师、高级技师的教材，也可作为高校冶金工程专业本科和专科教学参考书。

图书在版编目(CIP)数据

炼铁设备/王平主编．—北京：冶金工业出版社，2006.2
ISBN 7-5024-3923-4

Ⅰ.炼…　Ⅱ.王…　Ⅲ.高炉炼铁—炼铁设备—技术培训—教材　Ⅳ.TF57

中国版本图书馆CIP数据核字(2006)第009756号

出版人　曹胜利(北京沙滩嵩祝院北巷39号，邮编100009)
责任编辑　张　卫(联系电话：010-64027930；电子信箱：bull2820@sina.com)
　　　　　李培禄(联系电话：010-64027930)
美术编辑　李　心　责任校对　侯　瑂　李文彦　责任印制　牛晓波
北京兴华印刷厂印刷；冶金工业出版社发行；各地新华书店经销
2006年2月第1版，2006年2月第1次印刷
787mm×1092mm　1/16；12.75印张；306千字；191页；1-3000册
33.00元
冶金工业出版社发行部　电话：(010)64044283　传真：(010)64027893
冶金书店　地址：北京东四西大街46号(100711)　电话：(010)65289081
(本社图书如有印装质量问题，本社发行部负责退换)

前　言

本书是根据冶金行业高等职业技术教育的需要编写的，可作为钢铁企业培训技师、高级技师教学用书。

本书共分10章，内容包括高炉炼铁生产与设计概述、高炉本体、高炉冷却、高炉车间原料系统、炉顶装料设备、送风系统、煤气处理系统、喷吹系统、渣铁处理系统、能源回收利用与环境保护等，系统介绍了主要工艺流程，设备基本结构、工作原理与设计原则，设备工艺参数的计算与选择等。编写时着重从工艺角度论述设备的基本结构与工作原理，从技术发展的历史回顾去认识理论和实践的关系，阐明今日技术的过去、现在和将来。与掌握的知识量相比，本书更重视创造能力的开发。本书亦可供钢铁企业有关专业技术人员参考，或作为高校冶金工程专业本科和专科的教学参考书。

本书由安徽工业大学王平主编；其中第1～6章、第9章由王平编著，第7～8章由王平和安徽马钢高级技工学校谢文编著，第10章由安徽工业大学周莉英编著。

由于时间紧，加之编著水平所限，书中存在的不足之处，敬请读者批评指正。

编　者

2005年12月

目　录

1　高炉炼铁生产与设计概述

1.1　高炉生产工艺过程及产品

高炉炼铁工艺过程就是在高温下用还原剂(焦炭、煤等)将铁矿石或含铁原料还原成液态生铁的过程。高炉生产工艺过程是由一个高炉本体和六个附属系统来完成的,其生产工艺流程如图 1-1 所示。

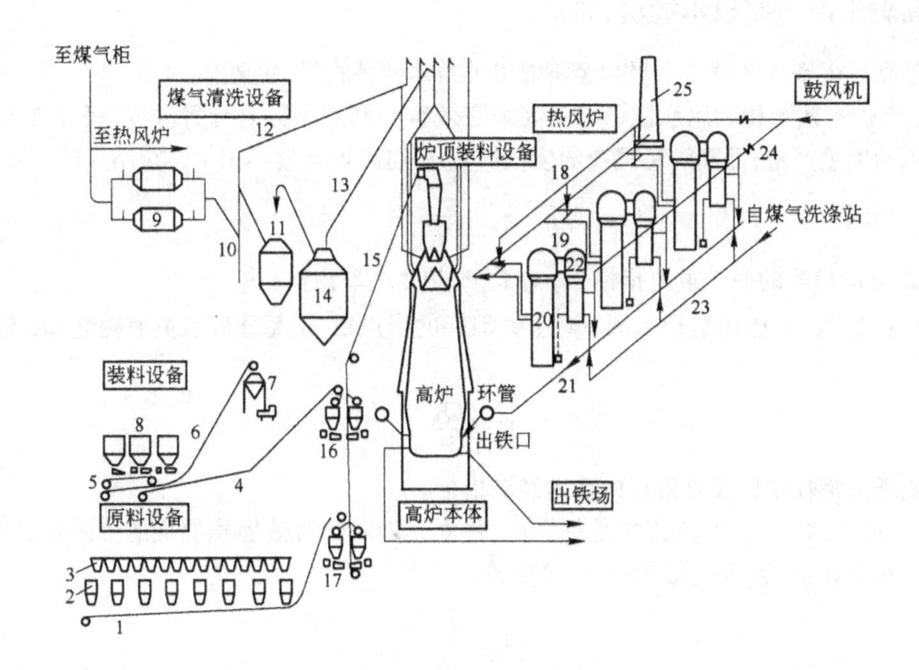

图 1-1　高炉炼铁生产工艺流程

1—矿石输送皮带机;2—称量漏斗;3—贮矿槽;4—焦炭输送皮带机;5—给料机;6—粉焦输送皮带机;7—粉焦仓;8—贮焦槽;9—电除尘器;10—顶压调节阀;11—文氏管除尘器;12—净煤气放散管;13—下降管;14—重力除尘器;15—上料皮带机;16—焦炭称量漏斗;17—矿石称量漏斗;18—冷风管;19—烟道;20—蓄热室;21—热风主管;22—燃烧室;23—煤气主管;24—混风管;25—烟囱

高炉本体及六个附属系统设备的主要结构和作用是:

(1) 高炉本体是冶炼生铁的主体设备,它是由耐火材料砌筑的竖立式圆筒形炉体,最外层是由钢板制成的炉壳,在炉壳和耐火材料之间有冷却设备。

(2) 供料系统:包括贮矿槽、贮焦槽、筛分、称量与运输等一系列设备,主要任务是及时、准确、稳定地将合格原料送入高炉炉顶装料系统。

(3) 炉顶装料系统:钟式炉顶包括受料漏斗、旋转布料器、大小料钟和大小料斗等一系列设备,无料钟炉顶有料罐、密封阀与旋转溜槽等一系列设备,主要任务是将炉料装入高炉并使之合理分布,同时防止炉顶煤气外逸。

(4) 送风系统:包括鼓风机、热风炉及一系列管道和阀门等,主要任务是连续可靠地供给高炉冶炼所需热风。

(5) 煤气除尘系统:包括煤气管道、重力除尘器、洗涤塔、文氏管、脱水器等,主要任务是回收高炉煤气,使其含尘量降至 10 mg/m^3 以下,以满足用户对煤气质量的要求。

(6) 渣铁处理系统:包括出铁场、开铁口机、泥炮、堵渣口机、炉前吊车、铁水罐车及水冲渣设备等,主要任务是及时处理高炉排放出的渣、铁,保证高炉生产正常进行。

(7) 喷吹系统:包括原煤的储存、运输、煤粉的制备、收集及煤粉喷吹等系统,主要任务是均匀稳定地向高炉喷吹大量煤粉,以煤代焦,降低焦炭消耗。

1.2　高炉生产主要技术经济指标

衡量高炉炼铁生产技术水平和经济效果的技术经济指标,主要有:

(1) 高炉有效容积利用系数(η_v)。高炉有效容积利用系数是指每昼夜、每立方米高炉有效容积的生铁产量,即高炉每昼夜的生铁产量 P 与高炉有效容积 V_u 之比:

$$\eta_v = \frac{P}{V_u} \tag{1-1}$$

η_v 是高炉冶炼的一个重要指标,η_v 愈大,高炉生产率愈高。

(2) 焦比(K)。焦比是指冶炼每吨生铁消耗的干焦量,即每昼夜焦炭消耗量 Q_k 与每昼夜生铁产量 P 之比:

$$K = \frac{Q_k}{P} \tag{1-2}$$

焦比既是消耗指标又是重要的技术经济指标。

(3) 冶炼强度(I)。冶炼强度是每昼夜、每立方米高炉有效容积燃烧的焦炭量,即高炉一昼夜焦炭消耗量 Q_k 与有效容积 V_u 的比值:

$$I = \frac{Q_k}{V_u} \tag{1-3}$$

冶炼强度表示高炉的作业强度,它与鼓入高炉的风量成正比,在焦比不变的情况下,冶炼强度越高,高炉产量越大。

(4) 煤比(Y)。煤比是冶炼每吨生铁消耗的煤粉量,即每昼夜煤粉的消耗量 Q_Y 与每昼夜生铁产量 P 之比:

$$Y = \frac{Q_Y}{P} \tag{1-4}$$

喷吹其他辅助燃料时的计算方法类同,但气体燃料应以体积(m^3)计量。

单位质量的煤粉所替代的焦炭的质量称为煤焦置换比,它表示煤粉利用率的高低,一般煤粉的置换比为 0.7~0.9。

(5) 生铁合格率。生铁化学成分符合国家标准的总量占生铁总产量的百分数。它是衡量产品质量的指标。

(6) 休风率。休风率是指高炉休风时间(不包括计划中的大、中修)占高炉规定作业时间的百分数。休风率反映高炉设备维护及高炉操作水平,先进高炉休风率小于1%。实践证明,休风率降低1%,产量可提高2%。

(7) 生铁成本。生产1 t合格生铁所消耗的所有原料、燃料、材料、水电、人工等一切费用的总和,单位为元/吨。

(8) 高炉一代寿命。高炉一代寿命是从点火开炉到停炉大修之间的冶炼时间,衡量炉龄及一代炉龄中高炉工作效率的另一指标为单位容积的产铁量。大型高炉一代寿命为10~15年。

判断高炉一代寿命结束的准则主要是高炉生产的经济性和安全性。如果高炉的破损程度已使生产陷入效率低、质量差、成本高、故障多、安全差的境地,就应考虑停炉大修或改建。

1.3 高炉座数及容积的确定

建设高炉炼铁车间中高炉的座数,既要考虑尽量增大高炉容积,又要考虑企业的煤气平衡和生铁量的均衡,所以一般应根据车间规模,建设两座或三座高炉为宜。

1.3.1 生铁产量的确定

设计任务书中规定的生铁年产量是确定高炉车间年产量的依据。

如果任务书给出多种品种生铁的年产量如制钢铁与铸造铁,则应换算成同一品种的生铁。一般是将铸造铁乘以折算系数,换算为同一品种的制钢铁,求出总产量。折算系数与铸造铁的硅含量有关,详见表1-1。

表1-1 折算系数与铸造铁含硅量的关系

铸铁代号	Z15	Z20	Z25	Z30	Z35
硅含量/%	1.25~1.75	1.75~2.25	2.25~2.75	2.75~3.25	3.25~3.75
折算系数	1.05	1.10	1.15	1.20	1.25

如果任务书给出钢锭产量,则需要做出金属平衡,确定生铁年产量。首先算出钢液消耗量,这时要考虑浇注方法、喷溅损失和短锭损失等,一般单位钢锭的钢液消耗系数为1.010~1.020,再由钢液消耗量确定生铁年产量。吨钢的铁水消耗取决于炼钢方法、炼钢炉容积大小、废钢消耗等因素,一般为1.050~1.100 t,技术水平较高,炉容较大的选低值;反之,取高值。

1.3.2 高炉炼铁车间总容积的确定

计算得到的高炉炼铁车间生铁年产量除以年工作日,即得出高炉炼铁车间日产量(t),即

$$\text{高炉炼铁车间日产量} = \frac{\text{年产量}}{\text{年工作日}}$$

高炉年工作日一般取日历时间的95%。

根据高炉炼铁车间日产量和高炉有效容积利用系数可以计算出高炉炼铁车间总容

积(m^3)：

$$高炉炼铁车间总容积=\frac{日产量}{高炉有效容积利用系数}$$

高炉有效容积利用系数一般直接选定。大高炉选低值,小高炉选高值。利用系数的选择应该既先进又留有余地,保证投产后短时间内达到设计产量。如果选择过高则达不到预定的生产量,选择过低则使生产能力得不到发挥。

1.3.3 高炉座数的确定

高炉炼铁车间的总容积确定之后就可以确定高炉座数和一座高炉的容积。设计时,一个车间的高炉容积最好相同。这样有利于生产管理和设备管理。

高炉座数要从两方面考虑,一方面从投资、生产效率、管理等方面考虑,数目越少越好;另一方面从铁水供应、高炉煤气供应的角度考虑,则希望数目多些。确定高炉座数的原则应保证在1座高炉停产时,铁水和煤气的供应不致间断。过去钢铁联合企业中高炉数目较多,如鞍钢10座以上。近年来随着管理水平的提高、新建企业一般只有2～4座高炉,如宝钢现有4座高炉。

1.4 高炉炼铁车间平面布置

高炉炼铁车间平面布置的合理性,关系到相邻车间和公用设施是否合理,也关系到原料和产品的运输能否正常连续进行,设施的共用性及运输线、管网线的长短,对产品成本及单位产品投资有一定影响。因此规划车间平面布置时一定要考虑周到。

1.4.1 高炉炼铁车间平面布置应遵循的原则

合理的平面布置应符合下列原则:

(1) 在工艺合理、操作安全、满足生产的条件下,应尽量紧凑,并合理地共用一些设备与建筑物,以求少占土地和缩短运输线、管网线的距离。

(2) 有足够的运输能力,保证原料及时入厂和产品(副产品)及时运出。

(3) 车间内部铁路、道路布置要畅通。

(4) 要考虑扩建的可能性,在可能条件下留一座高炉的位置。在高炉大修、扩建时施工安装作业及材料设备堆放等不得影响其他高炉正常生产。

1.4.2 高炉炼铁车间平面布置形式

高炉炼铁车间平面布置形式根据铁路线的布置可分为以下4种:

(1) 一列式布置。一列式高炉平面布置如图1-2所示,其主要特点是:高炉与热风炉在同一列线,出铁场也布置在高炉同一列线上成为一列,并且与车间铁路线平行。这种布置可以共用出铁场和炉前起重机,共用热风炉值班室和烟囱,节省投资;热风炉距高炉近,热损失少。但是运输能力低,在高炉数目多,产量高时,运输不方便,特别是在一座高炉检修时车间调度复杂。

(2) 并列式布置。并列式高炉平面布置如图1-3所示,其主要特点是:高炉与热风炉分设于两列线上,出铁场布置在高炉同一列线上,车间铁路线与高炉列线平行。这种布置可以共用一些设备和建筑物，节省投资；高炉间距离近。但是热风炉距高炉远，热风炉靠近重力除尘器，劳动条件不好。

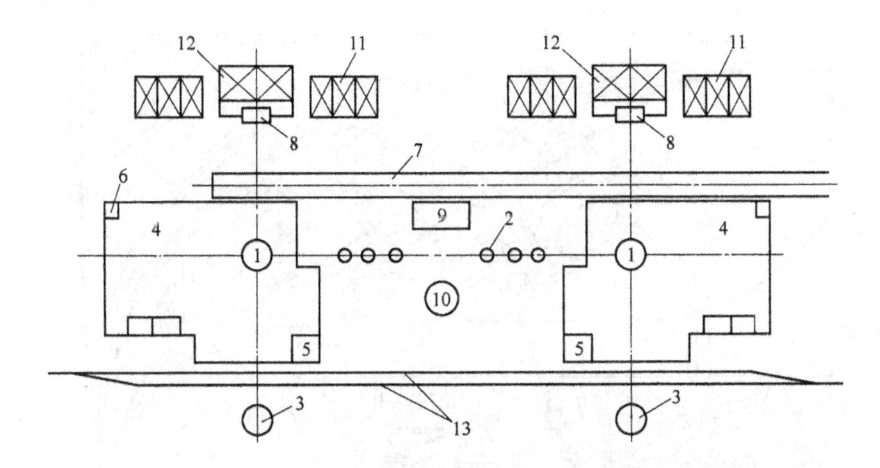

图 1-2　一列式高炉平面布置图

1—高炉；2—热风炉；3—重力除尘器；4—出铁场；5—高炉计器室；6—休息室；
7—水渣沟；8—卷扬机室；9—热风炉计器室；10—烟囱；
11—贮矿槽；12—贮焦槽；13—铁水罐停放线

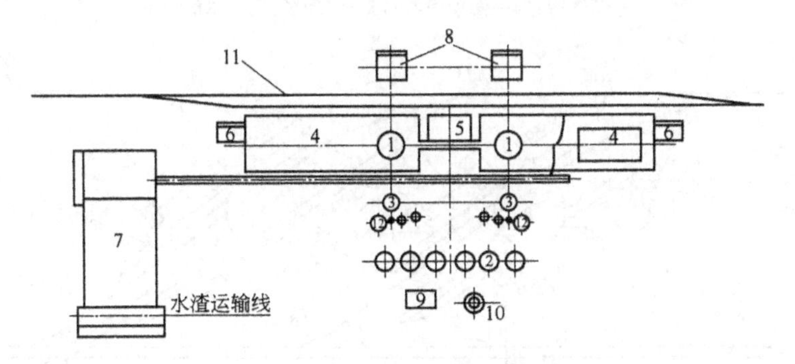

图 1-3　并列式高炉平面布置图

1—高炉；2—热风炉；3—重力除尘器；4—出铁场；5—高炉计器室；
6—休息室；7—水渣沟；8—卷扬机室；9—热风炉计器室；
10—烟囱；11—铁水罐车停放线；12—洗涤塔

(3) 岛式布置。岛式高炉平面布置如图 1-4 所示，每座高炉和它的热风炉、出铁场、铁水罐车停放线等组成一个独立的体系，并且铁水罐车停放线与车间两侧的调度线成一定的交角，角度一般为 11°～13°。岛式布置的铁路线为贯通式，空铁水罐车从一端进入炉旁，装满铁水的铁水罐车从另一端驶出，运输量大，并且设有专用辅助材料运输线。但是高炉间距大，管线长；设备不能共用，投资高。

现代高炉炼铁车间的特点是高炉数目少，容积大。为了适应这种大型高炉的需要，岛式布置又有新的发展，如图 1-5 所示。这种布置采用皮带机上料、圆形出铁场，高炉两侧各有两条铁水罐车停放线，配用大型混铁炉式铁水罐车和摆动流嘴。在炉子两侧还各有一套炉前水冲渣设施，水渣外运用皮带机。苏联新里别斯克的 3200 m^3 高炉和我国武钢 4 号高炉的布置均与此相似。

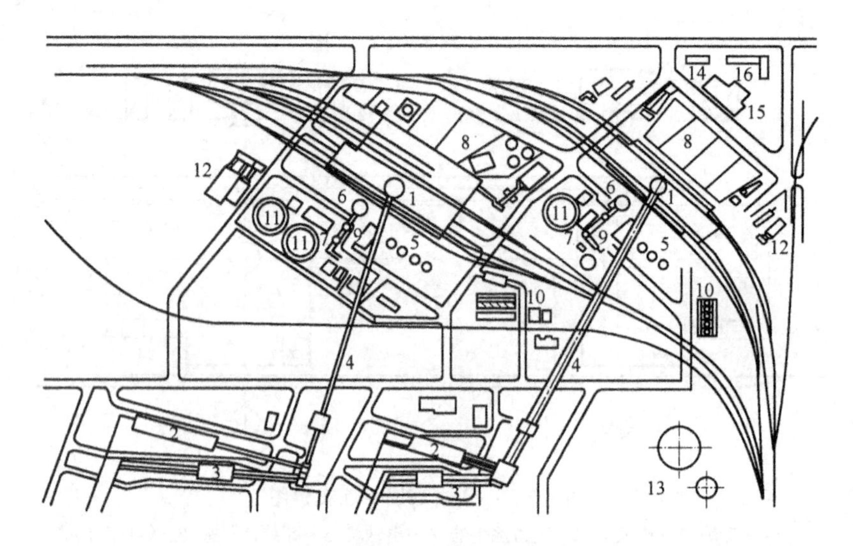

图 1-4　岛式高炉平面布置图

1—高炉及出铁场；2—贮焦槽；3—贮矿槽；4—上料皮带机；5—热风炉；6—重力除尘器；7—文氏管；8—干渣坑；9—计器室；10—循环水设施；11—浓缩池；12—出铁场除尘设施；13—煤气罐；14—修理中心；15—修理场；16—总值班室

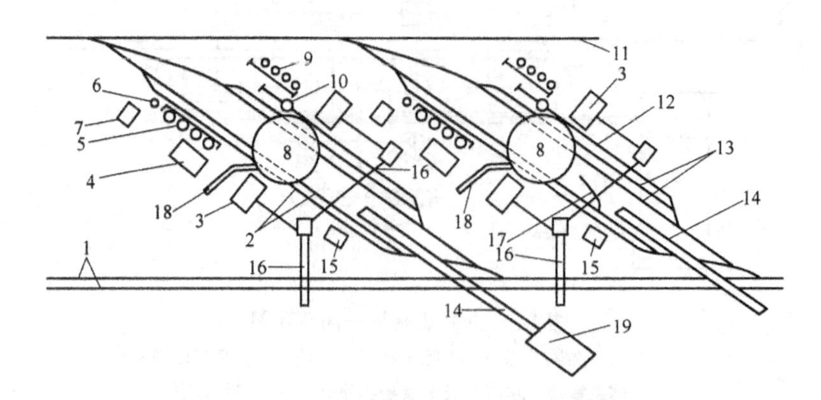

图 1-5　圆形出铁场的高炉平面布置图

1、11—铁水罐车走行线；2、13—铁水罐车停放线；3—炉前水冲渣设施；4—高炉计器室；5—热风炉；6—烟囱；7—热风炉风机站；8—圆形出铁场；9—煤气除尘设备；10—干式除尘设备；12—清灰铁路线；14—上料皮带机；15—炉渣粒化用压缩空气站；16—运出水渣皮带机；17—辅助材料运输线；18—上炉台的公路；19—矿槽栈桥

(4) 半岛式布置。半岛式布置是岛式布置与并列式布置的过渡，高炉和热风炉列线与车间调度线间的交角增大到 45°，因此高炉距离近，并且在高炉两侧各有三条独立的有尽头的铁水罐车停放线和一条辅助材料运输线，如图 1-6 所示。出铁场和铁水罐车停放线垂直，缩短了出铁场长度，设有摆动流嘴，出一次铁可放置多个铁水罐车，近年来新建的大型高炉多采用这种布置形式。

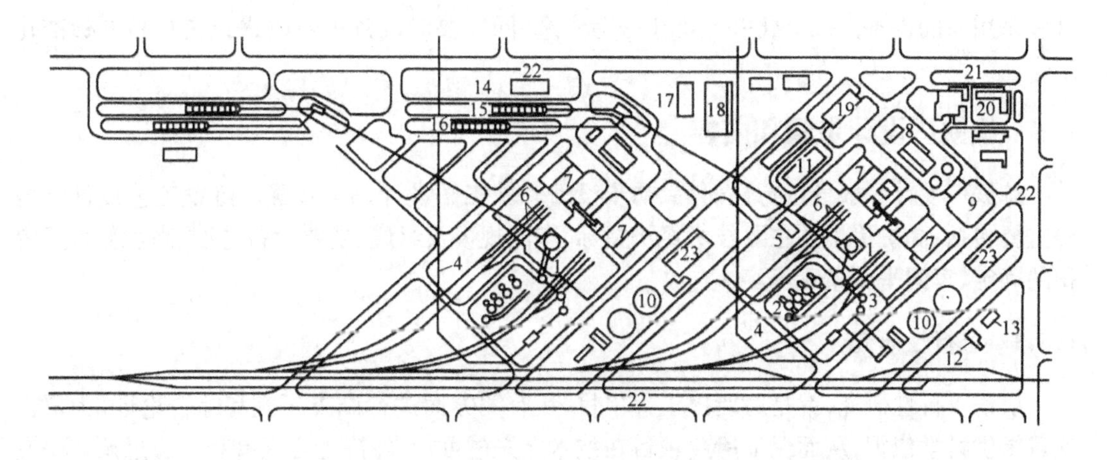

图 1-6 半岛式高炉平面布置示意图

1—高炉;2—热风炉;3—除尘器;4—净煤气管道;5—高炉计器室;6—铁水罐车停放线;
7—干渣坑;8—水渣电器室;9—水渣设备;10—沉淀室;11—炉前除尘器;12—脱水机室;
13—炉底循环水槽;14—原料除尘器;15—贮焦槽;16—贮矿槽;17—备品库;
18—机修间;19—碾泥机室;20—厂部;21—生活区;22—公路;23—水站

1.5 高炉生产对机械设备的要求

高炉生产是一个相当庞大而复杂的系统。它所使用的机械设备种类繁多,五花八门,并且在繁重的条件下工作,不仅要承受巨大的载荷,往往还伴随着高温、高压和多灰尘等不利因素,设备零件容易磨损和侵蚀。为了确保高炉生产的顺利进行,它对机械设备提出了越来越高的要求。

(1) 满足生产工艺要求。工艺上的革新都是和设备的改进分不开的。例如炉顶装料设备不仅要把大量的原料燃料装入高炉,还要符合高炉布料和炉顶密封等工艺要求。当高炉采用高压操作以后,对炉壳和管道以及炉顶设备提出了新的要求。又如现代高炉都要喷吹燃料,必须有相应的新设备需要研制。

(2) 要有高度的可靠性。高炉生产线上的机器一般是有固定的、单一的用途的。如果一台机器(不论是上料皮带机或炉顶装料设备或堵铁口的泥炮)发生事故,就会引起整个高炉的休风甚至停炉。因此要求各种机械设备必须安全可靠,动作灵活准确,有足够的强度、刚度和稳定性等。

(3) 要提高寿命并易于维修。冶金设备的许多零件往往不是因为强度不够,而是由于磨损而报废。特别是高炉生产,各种原燃料对金属的磨损作用很大,加上高温高压煤气的冲刷作用,零件的磨损和寿命问题更加突出。机械设备不仅要耐磨,并且损坏后要容易修理,在平时要易于检查和维护。

(4) 要易于实现自动化。所设计的机器都要考虑到易于自动化操作。例如整个上料系统,各种原料按照不同配比从料仓出来,进行筛分和称量,组成料批,经上料皮带机运到炉顶,再由炉顶装料设备进行布料入炉,全部都自动操作,别的系统也是如此。

(5) 设备的定型化和标准化。设备的定型化和标准化对于设计、制造和维修管理有很大的好处。对于已经试验成功的设备,都应该搞标准设计。标准化并不妨碍对设备进行改进和采用新的设备。标准化并不等于一劳永逸，同样要对设备不断改进或进行新的标准化工作。

1.6　炼铁厂设计步骤和内容

炼铁厂设计一般分可行性研究、初步设计和施工图设计三个步骤。炼铁工艺设计的内容主要包括：高炉冶炼的主要技术经济指标、车间规模及组成、主要设备选型、高炉数目及容积的确定、车间平面布置等。

1.6.1　可行性研究

所谓可行性研究，就是对所提工程项目，从有关方面进行调查研究和综合论证，为拟建项目提供科学依据，从而保证所建项目在技术上先进可行，经济上合理有利。通过调查研究和综合论证，做出明确的结论，作为投资决策的依据。

可行性研究的内容主要是：研究的依据和范围，建厂条件和厂址选择，拟定规模和产品方案，原料结构和技术路线的研究，炼铁的技术方案，环境保护措施，职工定员和劳动生产率，成本估算，实施方案和进度预测，投资估算及经济评价。

可行性研究的建设投资和成本估算的精确度，应为±10%。可行性研究所需费用，对于中小型项目，约占投资的1%～3%，对于大型的复杂工程，约占投资的0.2%～1.0%。

1.6.2　初步设计

初步设计是在可行性研究的基础上进行的，且要遵循下列原则：

(1) 必须遵照国家规定的建设程序进行编制，必须有上级下达的设计任务书，大型和特大型项目还应有批准的厂址选择报告。

(2) 应具备必要的基础资料和条件，如水文地质资料，工程地质资料，地形图及气象地震等资料，矿石加工实验资料，水、电、交通、机修、燃料供应、征地拆迁等协作协议书，产品方案与用户等。

(3) 扩建工程设计要有该厂总平面图、车间及构筑物的现状实测图、隐蔽工程竣工图、现有设备的技术资料和生产技术经济指标。

(4) 受委托工程需有建设单位的委托书。

(5) 设计内容与深度应满足的要求：提供可比选择方案，主要设备和材料的订货依据，征购土地和基建投资的依据，据此指导和编制施工图设计，据此进行施工准备和为生产提供依据。

(6) 设计必须贯彻执行国家有关方针、政策及标准规范。包括考虑矿产资源的综合利用，选用的生产工艺和设备应当可靠及能耗低，环境保护措施落实，安全生产及改善劳动条件措施落实，厂址选择和工程布置要因地制宜，紧凑合理，充分利用荒地、劣地，以节约耕地。

(7) 建设项目和辅助生产设备、公用设施、运输设施及生活设施等，都尽可能同邻近有关单位密切协作。

(8) 在改建、扩建的设计中，在经济合理的情况下，尽可能利用原有设施。

(9) 积极采用适合我国需要的、先进的新技术和科研成果，努力提高经济效益。

炼铁厂初步设计的内容包括：总论，原燃料来源，生产规模和配套工程，炼铁工艺部分，机械化贮运设施,机修和检验设施,热力设施,供排水设施,电力设施,自动化仪表与微机控制,通讯设施,通风除尘设施,工业建筑及生活设施,总图运输,环境保护和生产安全,综合概算,职工定员和劳动生产率,生铁成本估算,经济效益评价分析。

1.6.3 施工图设计

初步设计批准后才能做施工图设计。施工图设计就是要绘制出建设施工所必需的一切图纸和文件,包括工艺布置、建筑物、设备制造、安装、试车等所必需的所有施工图纸和施工说明,各种钢材用量、原材料消耗等等。

在施工过程中,发现设计错误应由设计单位及时修改,修改后给施工单位发变更通知单,然后按照变更内容进行施工。

1. 高炉炼铁的工艺流程由哪几部分组成?
2. 高炉炼铁有哪些技术经济指标?
3. 高炉炼铁车间平面布置有哪几种形式?
4. 高炉生产对机械设备有哪些要求?
5. 什么叫可行性研究? 炼铁厂初步设计包括哪些内容?

2 高炉本体

高炉本体包括高炉基础、钢结构、炉衬、冷却设备以及高炉炉型设计等。高炉的大小以高炉有效容积表示，高炉有效容积和高炉座数表明高炉车间的规模，高炉炉型设计是高炉本体设计的基础。近代高炉炉型向着大型横向发展，目前，世界高炉有效容积最大的是5580 m^3，高径比2.0左右。高炉本体结构设计以及是否先进、合理是实现优质、低耗、高产、长寿的先决条件，也是高炉辅助系统设计和选型的依据。

2.1 高炉炉型

高炉是竖炉，高炉内部工作空间剖面的形状称为高炉炉型或高炉内型。高炉冶炼的实质是上升的煤气流和下降的炉料之间进行传热传质的过程，因此，必须提供燃料燃烧的空间，提供高温煤气流与炉料进行传热传质的空间。

现代高炉炉型由炉缸、炉腹、炉腰、炉身和炉喉五段组成，其名称和符号如图2-1所示，其中炉缸、炉腰和炉喉呈圆筒形，炉腹呈倒锥台形，炉身呈截锥台形。

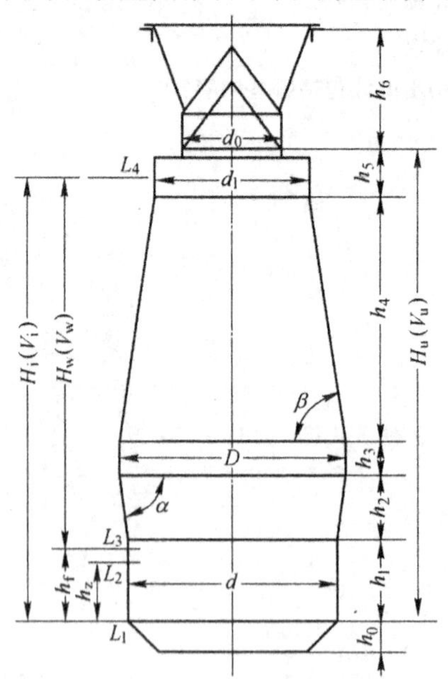

图2-1 高炉内型尺寸表示法

d—炉缸直径；D—炉腰直径；d_1—炉喉直径；d_0—大钟直径；h_f—铁口中心线至风口中心线距离；h_z—铁口中心线至渣口中心线距离；V_i—高炉内容积；V_w—高炉工作容积；V_u—高炉有效容积；H_u—高炉有效高度；h_1—炉缸高度；h_2—炉腹高度；h_3—炉腰高度；h_4—炉身高度；h_5—炉喉高度；h_6—炉顶法兰盘至大钟下降位置底面（无钟顶旋转溜槽垂直位置底端）即零料线（中）的高度；h_0—死铁层高度；α—炉腹角；β—炉身角；L_1—铁口中心线；L_2—渣口中心线；L_3—风口中心线；L_4（零料线）—大钟下降位置底面以下1000 mm（日）或915 mm（美）的水平面；

单位：直径、高度、距离均为mm，体积均为m^3

2.1.1 对内型设计的要求

我国的料线零位定在大钟开启时下底位置的底面标高；无料钟高炉的料线零位一般定在旋转溜槽最低位置以下一定距离，武钢新3号高炉为1500 mm，或高炉炉喉上沿。有效高度H_u是从出铁口中心线到零料线的距离，有效容积(V_u)是指有效高度H_u范围内炉型所包括的容积，它常用于中国、俄罗斯等。

美国、西欧国家高炉料线零位是取大钟开启时底面下915 mm处，料线零位至铁口中心线之间的容积为内容积，料线零位至风口中心线之间的容积为工作容积(V_w)。大量的统计表明$V_w \approx 0.8V_u$。

日本高炉料线零位是取大钟开启时底面下1000 mm处，料线零位至铁口中心线之间的容积为内容积，料线零位至风口中心线之间的容积为有效容积。

我国曾对炉容做过系列设计，并习惯地规定，$V_u < 300\ m^3$为小型高炉，$V_u = 300 \sim 999\ m^3$为中型高炉，$V_u \geqslant 1000\ m^3$为大型高炉。在国际上$V_u < 1000\ m^3$为小型高炉，$1000 \sim 2000\ m^3$为中型高炉，$V_u \geqslant 2000\ m^3$为大型高炉。把高炉分为大、中、小型是因为在设计炉型时，每种类型的高炉某些参数的选取有共同之处，近代$V_u > 4000\ m^3$的高炉称为巨型高炉，其设计参数的选取与一般大型高炉也有差别。

对内型设计的要求是：

(1) 能燃烧较多数量的燃料，在炉缸形成环形循环区，有利于活跃炉缸和疏松料柱，能贮存一定量的渣和铁。

(2) 适应炉料下降和煤气上升的规律，减少炉料下降和煤气上升的阻力，为顺行创造条件，有效地利用煤气的热能和化学能，降低燃料消耗。

(3) 易于生成保护性的渣皮，有利于延长炉衬寿命，特别是炉身下部的炉衬寿命。

要达到上述要求，在设计炉型时就必须掌握所用原燃料的理化性质，合理确定配矿方案；明确规定可能采用的最高热风温度和炉顶压力，这不仅与设计和选用设备有关，而且直接影响到高炉操作条件；喷吹燃料的种类、性能、数量以及富氧率等也要在设计前基本确定；冷却介质与方法、各部分所用耐火材料的选择，直接影响到高炉的一代寿命，亦应在设计前考虑确定，鼓风机是高炉生产的关键设备，也应在设计时选定。

2.1.2 高炉各部分尺寸的确定

2.1.2.1 高炉的有效高度(H_u)

高炉的有效高度，对高炉内煤气与炉料之间传热传质过程有很大影响。在相同炉容和冶炼强度条件下，增大有效高度，炉料与煤气流接触机会增多，有利于改善传热传质过程、降低燃料消耗；但过分增加有效高度，料柱对煤气的阻力增大，容易形成料拱，对炉料下降不利甚至破坏高炉顺行。高炉有效高度应适应原燃料条件，如原燃料强度、粒度及均匀性等。生产实践证明，高炉有效高度与有效容积有一定关系，但不是直线关系，当有效容积增加到一定值后，有效高度的增加则不显著。

有效高度与炉腰直径的比值称为高径比(H_u/D)，是表示高炉“矮胖”或“细长”的一个重要设计指标。随着高炉有效容积的增加，H_u/D在逐渐降低，如表2-1所示。

表 2-1　不同炉容的 H_u/D 取值

小型高炉	中型高炉	大型高炉	巨型高炉
3.7~4.5	2.9~3.5	2.5~3.1	约2.0

2.1.2.2　炉缸

高炉炉型下部的圆筒部分为炉缸，炉缸的上、中、下部位分别设有风口、渣口与铁口，现代大型高炉多不设渣口。炉缸下部容积盛装液态渣铁，上部空间为风口的燃烧带。

A　炉缸直径(d)

炉缸直径过大和过小都直接影响高炉生产。直径过大将导致炉腹角过大，边缘气流过分发展，中心气流不活跃而引起炉缸堆积，同时加速对炉衬的侵蚀；炉缸直径过小限制焦炭的燃烧，影响产量的提高。炉缸截面积(A)应保证一定数量的焦炭和喷吹燃料的燃烧，炉缸截面燃烧强度是高炉冶炼的一个重要指标，它是指每小时每平方米炉缸截面积所燃烧的焦炭的数量，一般为 1.00～1.30 t/(m²·h)，强化高炉达到 1.5 t/(m²·h)。炉缸截面燃烧强度的选择，应与风机能力和原燃料条件相适应，风机能力大、原料透气性好、燃料可燃性好的燃烧强度可选大些，否则选低值。

根据高炉每天燃烧的焦炭量得到下列关系式：

$$\frac{\pi}{4}d^2 i_{燃}\cdot 24 = IV_u$$

得出

$$d = 0.23\sqrt{\frac{IV_u}{i_{燃}}} \tag{2-1}$$

式中　I——冶炼强度；

$i_{燃}$——燃烧强度，t/(m²·h)；

V_u——高炉有效容积，m³；

d——高炉炉缸直径，m。

计算得到的炉缸直径应该再用 V_u/A 进行校核，不同炉容的 V_u/A 取值如表 2-2 所示。

表 2-2　不同炉容的 V_u/A 取值

炉　型	小型高炉	中型高炉	大型高炉
V_u/A	10～13	15～22	22～28

B　炉缸高度(h_1)

炉缸高度的确定，包括渣口高度、风口高度以及风口安装尺寸的确定。

a　铁口、渣口的数目

铁口位于炉缸下水平面，铁口数目根据高炉炉容或高炉产量而定，一般 1000 m³ 以下高炉设一个铁口，1500～3000 m³ 高炉设 2～3 个铁口，3000 m³ 以上高炉设 3～4 个铁口，或以每个铁口日出铁量 1500～3000 t 设铁口数目。原则上出铁口数目取上限，有利于强化高炉冶炼。

小型高炉设一个渣口，大中型高炉设两个渣口，两个渣口高度差为 100～200 mm，也可在同一水平面上。渣口直径一般为 $\phi 50\sim60$ mm。由于高炉向大型化发展，采用精料方针，渣比在 350～380 kg/t 铁以下，采用多铁口交替连续出铁，故大型高炉不设置渣口。

b 渣口高度(h_z)的确定

炉缸高度首先决定于渣口高度，渣口中心线与铁口中心线间距离称为渣口高度(h_z)，它取决于原料条件，即渣量的大小。渣口过高，下渣量增加，对铁口的维护不利；渣口过低，易出现渣中带铁事故，从而损坏渣口，大、中型高炉渣口高度多为 1.5～1.7 m。

渣口高度的确定，还可以参照下式计算：

$$h_z = h_{铁}\frac{b}{c}$$

根据

$$P = h_{铁} A \rho_{铁} N$$

$$A = \frac{\pi}{4} d^2$$

得出

$$h_z = \frac{4bP}{\pi N c \rho_{铁} d^2} \quad (2\text{-}2)$$

式中 $h_{铁}$——两次出铁之间铁水面最大高度，m；

b——生铁产量波动系数，一般取 1.2；

c——渣口以下炉缸容积利用系数，一般取 0.55～0.60，炉容大、渣量大时取低值；

P——日产生铁量，t；

N——昼夜出铁次数，一般 2 小时出一次铁；

$\rho_{铁}$——铁水密度，7.1 t/m^3；

A——炉缸截面积，m^2；

d——炉缸直径，m。

c 风口高度(h_f)与风口结构尺寸(a)的确定

风口中心线与铁口中心线间距离称为风口高度(h_f)，风口与渣口的高度差应能容纳上渣量和提供一定的燃烧空间。

风口高度可参照下式计算：

$$h_f = \frac{h_z}{k} \quad (2\text{-}3)$$

式中 k——渣口高度与风口高度之比，一般取 0.5～0.6，渣量大取低值，目前大高炉有取消渣口趋势，k 值取值较低。

风口结构尺寸 a，根据经验直接选定，一般为 0.35～0.50 m，见表 2-3。

表 2-3 不同容积高炉的风口结构尺寸 a

高炉容积/m^3	250	600	1000	1500	2000	2560
风口结构尺寸 a/mm	350	350	400	400	500	500

d 炉缸高度 h_1

$$h_1 = h_f + a \quad (2\text{-}4)$$

e 风口数目 n

风口数目主要取决于炉容大小，与炉缸直径成正比，还与预定的冶炼强度有关。风口数目多有利于减小风口间的“死料区”,有利于煤气圆周均匀分布,能增加燃料喷吹量。在结构允许的情况下,应多设风口。

风口数目多少受风口间距和操作空间的限制,操作空间是指更换风口所必需的风口大套里面和直吹管外面的间隙,风口间距是指能够支撑风口以上重量所必需的两个相邻风口法兰间距离,以及确保高炉在该部位能安装下炉体冷却水管所需要的距离,一般在 0.3 m 左右。风口数目 n 用相邻风口之间的中心距计算较好,即

$$n=\frac{\pi d}{S} \tag{2-5}$$

式中　d——炉缸直径,m。

S——相邻风口中心线在炉缸圆周上的距离,一般为 1.0～1.6 m,大多数取 1.1～1.2 m。

表 2-4 为国内外不同容积的高炉风口数目与风口间距。风口数目 n 一般多采用偶数。

表 2-4　国内外不同容积的高炉风口数目与风口间距

炉容/m^3	鞍钢 1002	首钢 1200	包钢 1800	日本福山 2004	唐钢 2560	日本水岛 3363	日本福山 4197
炉缸直径/mm	7200	8080	9700	9800	11000	12400	13800
风口数目/个	14	18	20	27	30	36	40
风口距离/mm	1620	1410	1520	1140	1152	1080	1080

2.1.2.3　炉腹

炉腹在炉缸上部,呈倒截圆锥形。炉腹的形状适应了炉料熔化滴落后体积的收缩,稳定了下料速度。同时,可使高温煤气流离开炉墙,既不烧坏炉墙又有利于渣皮的稳定,对上部料柱而言,使燃烧带处于炉喉边缘的下方,有利于炉料松动,促进冶炼顺行。燃烧带产生的煤气量为鼓风量的 1.4 倍左右,理论燃烧温度 1900～2300℃,气体体积剧烈膨胀,另外溶损反应 $CO_2+C=2CO$ 在炉腹区大量发生,加剧煤气体积膨胀,炉腹的存在适应了这一变化。

炉腹的结构尺寸是炉腹高度 h_2 和炉腹角 α。炉腹过高,有可能炉料尚未熔融就进入收缩段,易造成难行和悬料;炉腹过低则减弱炉腹的作用,在冶炼铸造生铁和使用难还原的矿石时,炉腹高度高一些好,近年来由于加强了矿石的整粒和增加了熟料比,一般来说高度可以降低些。炉腹高度也可以由下式计算:

$$h_2=\frac{D-d}{2}\tan\alpha \tag{2-6}$$

炉腹角一般为 79°～83°,过大不利于煤气分布并破坏稳定的渣皮保护层,过小使得炉腹部位对下降炉料阻力增加,不利于顺行。

2.1.2.4　炉腰

炉腹上部的圆柱形空间为炉腰,是高炉炉型中直径最大的部位。炉腰处恰是软熔带所处部位,透气性变差,炉腰的存在扩大了该部位的横向空间,改善了透气条件。

在炉型结构上,炉腰起着承上启下的作用,使炉腹向炉身的过渡变得平缓,减小死角。经验表明,炉腰高度(h_3)对高炉冶炼的影响不太显著,一般取 1～3 m,炉容大取上限,设计时可通过调整炉腰高度修定炉容。

炉腰直径(D)与炉缸直径(d)和炉腹角(α)、炉腹高度(h_2)几何相关,并决定了炉型的下部结构特点。一般炉腰直径(D)与炉缸直径(d)有一定比例关系,大型高炉 D/d 取值1.09~1.15,中型高炉1.15~1.25,小型高炉1.25~1.5。

2.1.2.5 炉身

炉身呈正截锥台形,其形状适应炉料受热后体积的膨胀和煤气流冷却后体积的收缩,利于减小炉料下降的摩擦阻力,避免形成料拱。炉身角对高炉煤气流的合理分布和炉料顺行影响较大。炉身角小,有利于炉料下降,但易发展边缘煤气流,过小时会导致边缘煤气流过分发展,使焦比升高。炉身角大有利于抑制边缘煤气流,但不利于炉料下降,对高炉顺行不利。

设计炉身角时要考虑原燃料条件,原燃料条件好,炉身角可取大值,相反,原料粉末多,燃料强度差,炉身角取小值;高炉冶炼强度高,炉身角取小值,同时也要适应高炉容积,一般大高炉由于径向尺寸大,所以径向膨胀量也大,这就要求 β 角小些,相反中小型高炉 β 角大些。炉身角一般取值为80.5°~85.5°之间。4000~5000 m³ 高炉 β 角取值为81.5°左右,前苏联5580 m³ 高炉 β 角取值79°42′17″。

炉身高度 h_4 占高炉有效高度的50%~60%,保障了煤气与炉料之间传热和传质过程的进行。可按下式计算:

$$h_4=\frac{D-d_1}{2}\tan\beta \tag{2-7}$$

2.1.2.6 炉喉

炉喉呈圆柱形,它的作用是承接炉料,稳定料面,保证炉料合理分布。炉喉直径(d_1)与炉腰直径(D)、炉身角(β)、炉身高度(h_4)几何相关,并决定了高炉炉型的上部结构特点。d_1/D 取值在0.64~0.73之间。

钟式炉顶装料设备大钟与炉喉的间隙$(d_1-d_0)/2$,对炉料堆尖在炉喉内的位置有较大影响。间隙小,炉料堆尖靠近炉墙,抑制边缘煤气流;间隙大,炉料堆尖远离炉墙,发展边缘煤气流。炉喉间隙大小应考虑原料条件,矿石粉末多时,应适当扩大炉喉间隙;同时还应考虑 β 角大小,β 角大,炉喉间隙可大些,β 角小,炉喉间隙要小一些。我国钟式炉顶炉喉间隙大小见表2-5。

表2-5 我国部分高炉炉型尺寸

符号	单位	凌钢3号	楚雄2号	鞍钢3号	首钢	包钢	马钢1号	武钢5号	宝钢原1号
V_u	m³	306	450	831	1200	1800	2545	3200	4063
d	mm	4700	5550	6500	8080	9700	11100	12200	13400
D	mm	5450	6400	7500	9120	10500	12000	13400	14600
d_1	mm	3750	4400	5500	5900	6800	8300	9000	9500
d_0	mm	2600		4000	4200	4800			7300
H	mm	19700		27165	—	30750			
H_u	mm	17600	18700	24100	25500	28320	29400	30600	32600
h_0	mm	616	1000	450	571	922		1900	1800

续表 2-5

符 号	单位	凌钢3号	楚雄2号	鞍钢3号	首钢	包钢	马钢1号	武钢5号	宝钢原1号
h_z	mm	1200	1200	1500/1400	1550/1550	1700/1500			
h_f	mm	2300	2650	2800	2750	3000			4270
h_1	mm	2700	3000	3200	3200	3400	4300	4800	4900
h_2	mm	2800	3000	3200	3300	3200	3400	3500	4000
h_3	mm	1300	1400	2250	1800	2120	1700	2000	3100
h_4	mm	9200	9500	12950	14900	17200	18000	17900	18100
h_5	mm	1600	1800	2500	2300	2400	2000	2400	2500
α		82°22′18″	83°59′28″	81°07′	81°02′40″	82°52′30″	82°28′	80°16′20″	81°28′09″
β		84°43′07″	81°56′12″	85°35′	83°50′	83°51′39″	84°08′	84°16′20″	81°58′50″
$(d_1-d_0)/2$	mm			750	850	1000			1100
A	m^2	17.35	23.76	33.2	51.2	73.9	96.77	116.90	141.03
V_u/A		17.63	18.94	25.0	23.4	24.4	26.30	27.37	28.81
H_u/D		3.22	2.922	3.26	2.799	2.7	2.45	2.28	2.23
D/d		1.15	1.153	1.15	1.13	1.08	1.09	1.098	1.09
d_1/D		0.688	0.688	0.733	0.649	0.64	0.692	0.67	0.65
d_1/d		0.797	0.793	0.843	0.731	0.7	0.747	0.74	0.71
风口	个	12	14	14	18	20	30		36
铁口	个	1	1	1	1		3	4	4
渣口	个	1	1	2	2	2	0	0	0

炉喉高度(h_5)应能保证炉喉布料及其调节需要,一般为 2~3 m。

2.1.2.7 死铁层

死铁层高度(h_0)是铁口中心线到炉底砌砖表面之间的距离。死铁层是不可缺少的,其内残留的铁水可隔绝铁水和煤气对炉底的侵蚀,其铁水的热容也有利于炉底温度的均匀稳定,消除热应力的影响。由于高炉冶炼不断强化,故死铁层高度关系到炉底寿命的长短,趋向于加深。目前国外新设计的高炉的死铁层为 $h_0=0.2d$。增加死铁层厚度,可以有效地保护炉底。

2.1.3 炉型设计与计算

有关炉型的名词概念有:

设计炉型——按照设计尺寸砌筑的炉型;

操作炉型——高炉投产后工作一段时间,炉衬被侵蚀,高炉内型发生变化后的炉型;

合理炉型——指冶炼效果较好,可以获得优质、低耗、高产和长寿的炉型,它具有时间性和相对性。

2.1.3.1 炉型设计

高炉炼铁是复杂的物理化学过程,设计的炉型必须适应冶炼过程的需要,保证高炉一代寿命获得稳定的较高的产量,优质的产品,较低的能耗和长寿。高炉在一代炉役中,炉衬不断被侵蚀,炉型不断发生变化。炉型变化的程度和趋势与冶炼原料条件、操作制度有关,与炉衬结构和耐火材料的性能有关,还与冷却系统结构及冷却制度有关。高炉冶炼实际上是长时间在操作炉型内进行。因此,掌握冶炼过程中炉型的变化及其趋势,对设计合理的炉型非常重要。

高炉炉型设计的依据是单座高炉的生铁产量,由产量确定高炉有效容积,再以有效容积为基础,计算其他尺寸。

高炉炉型设计一般都采用经验数据和经验公式,它具有一定的局限性,不能生硬套用,应做具体分析和修正。下面介绍两种炉型设计的方法。

A 比较法

由给定的产量确定炉容,根据建厂的冶炼条件,寻找条件相似,炉容相近,各项生产技术指标较好的合理炉型作为设计的基础。首先确定几个主要设计参数,然后,选择各部位的比例关系做容积计算,并与已确定的炉型进行比较,经过几次修订参数和计算,确定较为合理的炉型。目前,设计高炉多采用这种方法。表 2-5 为我国部分高炉炉型尺寸,表 2-6 为国外部分高炉炉型尺寸,设计高炉时可作参考。

表 2-6 国外部分高炉炉型尺寸

符 号	单位	前苏联	日本鹿岛	日本君津	新利佩茨克	德国克虏伯	荷兰灵威尔	美国共和南厂
V_u	m^3	5580	5050	4063	3200	2625	2652	2054
d	mm	15100	15000	13400	12000	11500	11200	9700
D	mm	16500	16300	14600	13300	12500	12270	10600
d_1	mm	11200	10900	9500	8900	8400	8070	7300
H_u	mm	34800	31800	32600	32200	27800	29300	31800
h_0	mm	1500	1500	1800		2300	1400	1100
h_z	mm	1500		2800		2050	2200	2243
h_f	mm			4270		3200	3670	3000
h_1	mm	5700	5100	4900	4600	3850	4300	3900
h_2	mm	3700	4000	4000	3400	3300	3300	3650
h_3	mm	2000	2800	3100	1900	2300	2800	3750
h_4	mm	20700	16900	18100	20000	16500	17900	16700
h_5	mm	3000	3000	2500	2300	1850	1000	3800
α		82°42′17″	82°25′	81°28′	79°10′57″	81°35′	80°32′	83°
β		79°13′17″	81°24′	81°59′	83°43′22″	82°55′	83°18′	84°28′
A	m^2	179	176.63	140.95	113.04	103.82	98.47	73.86
V_u/A		31		28.83	28.31	25.28	26.93	27.80
H_u/D		2.1	1.92	2.24	2.42	2.22	2.39	3.00
风口	个		40	35	32	28	28	26
铁口	个		4	4	4	3	2	2
渣口	个		0	2	0	2	1	2

B 计算法

炉型的计算法即经验数据的统计法,对一些经济技术指标比较先进的高炉炉型进行分析和统计,得到炉型中某些主要尺寸与有效容积的关系式,以及各部位尺寸间的关系。计算时可选定某一关系式,算出某一主要尺寸,再根据炉型中各部位尺寸间的关系式做炉型计算,最后校核炉容,修订后确定设计炉型。

2.1.3.2 炉型计算举例

设计年产生铁350万t的高炉车间。

冶炼条件:综合冶强 $I=1.00\ \mathrm{t/(m^3\cdot d)}$,利用系数为 $2.0\ \mathrm{t/(m^3\cdot d)}$,年作业率95%;昼夜出铁次数 $N=9$,取消渣口。

A 年工作日的确定

$$365\times95\%=347\ \mathrm{d}$$

日产量

$$P_{总}=\frac{3500000}{347}=10086.4\ \mathrm{t}$$

B 容积的确定

选定高炉座数为两座,利用系数为 $2.0\ \mathrm{t/(m^3\cdot d)}$;

每座高炉日产量 P

$$P=\frac{P_{总}}{2}\approx5044\ \mathrm{t}$$

每座高炉容积为

$$V'_{\mathrm{u}}=\frac{P}{\eta_{\mathrm{v}}}=\frac{5044}{2.0}=2522\ \mathrm{m^3}$$

C 炉缸尺寸

a 炉缸直径

选定燃烧强度 $i_{燃}=1.10\ \mathrm{t/(m^2\cdot h)}$,冶炼强度 $I=1.00\ \mathrm{t/(m^3\cdot d)}$

则 $d=0.23\sqrt{\dfrac{IV_{\mathrm{u}}}{i_{燃}}}=0.23\sqrt{\dfrac{1.00\times2522}{1.10}}=11.01\ \mathrm{m}$ 取 $d=11.00\ \mathrm{m}$

校核

$$\frac{V_{\mathrm{u}}}{A}=\frac{2522}{\frac{\pi}{4}\times11.00^2}=26.54 \quad 合适$$

b 渣口高度

$$h_{\mathrm{z}}=\frac{4bP}{\pi Nc\rho_{铁}d^2}=\frac{4\times1.2\times5044}{\pi\times9\times0.55\times7.1\times11.00^2}=1.81\ \mathrm{m}$$

c 风口高度

因取消渣口,选定 $k=0.50$

$$h_{\mathrm{f}}=\frac{h_{\mathrm{z}}}{k}=\frac{1.81}{0.50}=3.62\ \mathrm{m} \quad 取\ h_{\mathrm{f}}=3.70\ \mathrm{m}$$

选取风口结构尺寸 $a=0.5\ \mathrm{m}$

d 炉缸高度

$$h_1 = h_f + a = 3.7 + 0.5 = 4.2\ \text{m}$$

D 风、铁口的数目

确定风口数目 n 前，选定相邻风口中心线距离 $S = 1.17$ m，

$$n = \frac{\pi d}{S} = \frac{\pi \times 11.00}{1.17} = 29.54 \quad 取\ n = 30(个)$$

参考同类型高炉采用 3 个铁口。

E 死铁层厚度 h_0

选取 $h_0 = 1.7$ m，该值在同类型高炉中偏大，目的是延长炉底寿命。

F 炉腰直径、炉腹角、炉腹高度

选取 $$D/d = 1.11$$

则 $$D = 1.11 \times 11.00 = 12.21\ \text{m} \quad 取\ D = 12.20\ \text{m}$$

选取 $$\alpha = 80°30'$$

则 $$h_2 = \frac{D-d}{2}\tan\alpha = \frac{12.20 - 11.00}{2}\tan 80°30' = 3.59\ \text{m} \quad 取\ h_2 = 3.60\ \text{m}$$

校核 $$\tan\alpha = \frac{2h_2}{D-d} = \frac{2 \times 3.60}{12.20 - 11.00} = 6.0 \quad \alpha = 80°32'15''$$

G 炉喉直径、炉喉高度

选取 $$d_1/D = 0.68$$

则 $$d_1 = 0.68 \times 12.2 = 8.30\ \text{m}$$

选取 $$h_5 = 2.0\ \text{m}$$

H 炉身角、炉身高度

选取 $$\beta = 83.8°$$

则 $$h_4 = \frac{D-d}{2}\tan\beta = \frac{12.20 - 8.30}{2}\tan 83.8° = 17.95 \quad 取\ h_4 = 18.00\ \text{m}$$

校核 $$\tan\beta = \frac{2 \times 18.00}{12.2 - 8.3} = 9.23 \quad \beta = 83°49'$$

I 炉腰高度

a 炉缸体积

$$V_1 = \frac{\pi}{4}d^2 h_1 = \frac{\pi}{4} \times 11.00^2 \times 3.6 = 342.12\ \text{m}^3$$

b 炉腹体积

$$V_2 = \frac{\pi}{12}h_2(D^2 + Dd + d^2) = \frac{\pi}{12} \times 3.6 \times (12.20^2 + 12.20 \times 11.00 + 11.00^2)$$
$$= 380.80\ \text{m}^3$$

c 炉腰体积

$$V_3 = \frac{\pi}{4}D^2 h_3 = \frac{\pi}{4} \times 12.20^2 h_3$$

d 炉身体积

$$V_4 = \frac{\pi}{12}h_4(D^2 + Dd_1 + d_1^2) = \frac{\pi}{12} \times 18.00 \times (12.20^2 + 12.20 \times 8.30 + 8.30^2)$$
$$= 1503.20\ \text{m}^3$$

e 炉喉体积

$$V_5=\frac{\pi}{4}d_1^2h_5=\frac{\pi}{4}\times 8.30^2\times 2.0=108.21\ \mathrm{m}^3$$

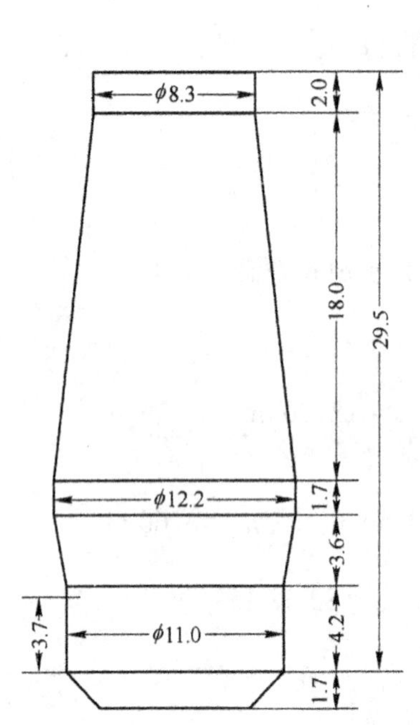

图 2-2　2533 m³ 高炉炉型图

$$h_3=\frac{V'_u-V_1-V_2-V_4-V_5}{\frac{\pi}{4}D^2}=\frac{2522-342.12-380.80-1503.20-108.21}{\frac{\pi}{4}\times 12.2^2}=\frac{189.67}{116.90}=1.62\ \mathrm{m}$$

取 $h_3=1.70$ m　则 $V_3=198.73\ \mathrm{m}^3$

$$V_u=V_1+V_2+V_3+V_4+V_5=342.12+380.80+198.73+1503.20+108.21=2533\ \mathrm{m}^3$$

误差

$$\Delta V=\frac{V_u-V'_u}{V'_u}=\frac{2533-2522}{2522}=0.4\%<1\%$$

$$H_u=h_1+h_2+h_3+h_4+h_5=29.50\ \mathrm{m}$$

$$H_u/D=2.42$$

炉型设计合理，符合要求。

J　高炉炉型图的绘制

高炉炉型见图 2-2。

2.2 高炉炉衬

按照设计炉型用耐火材料砌筑的实体称为高炉炉衬。耐火材料直接承受高温作用、化学侵蚀、炉料和煤气运动的磨损等多种因素的破坏，因此，高炉炉衬的作用在于构成高炉的工作空间，减少热损失，并保护炉壳和其他金属结构免受热应力和化学侵蚀的作用。炉缸炉底部位炉衬和其他部位冷却器破损到一定程度就需要中修或大修，停炉大修便是高炉一代寿命的终止。

高炉炉衬设计的内容是选择各部位炉衬的材质、确定炉衬的厚度、说明砌筑方法以及计算材料的用量。炉衬设计得合理可以延长高炉寿命，并获得良好的技术经济指标。

做炉衬设计时要考虑到以下 3 点：

(1) 高炉各部位的工作条件及其破损机理。

(2) 冷却设备形式及对砖衬所起的作用。

(3) 要预测侵蚀后的炉型是否合理。

2.2.1 炉衬破损机理与抗破损对策

2.2.1.1 炉底和炉缸

A　炉底部位内衬破损的主要原因

炉底部位内衬破损的主要原因有以下几方面：

(1) 在 1400～1600℃液态渣铁的高温热力作用下，由于炉底砌体温度分布不均，导致砌体开裂，特别是采用不同材质的耐火砖时，由于膨胀系数不同，更会导致砌体开裂。由于炉缸铁水温度不同，造成铁水对流，冲刷炉底。

(2) 在高温下，渣铁、碱金属会对砖衬产生化学侵蚀。铁水在冷却到 1150℃ 的过程中，析出石墨碳，炭砖与铁水作用可生成碳化铁，炭砖与碱金属反应生成碱性碳化物，引起体积膨胀，砖缝扩大，强度降低，损坏炭砖。炉底如采用黏土砖、高铝砖时砌体中 SiO_2 被铁水中的碳还原成 Si，并被铁水吸收。

(3) 炉料重量的 10%～20% 和液态渣铁、煤气的静压力作用。高温铁水和其他液态金属（如 Pb）在压力的作用下渗入砌砖砖缝和裂缝，铁水可以渗入很深，造成砌体上浮。

(4) 铁水和炉渣在出铁时的流动对炉底产生冲刷作用。在铁口中心线以下炉底周壁越往下，受侵蚀越严重，形成大蒜头形状，这个部位是炉底最薄弱环节，与高温铁水沿炉底周壁环流流向铁口有关。

(5) 开炉初期铁水与炉渣中氧化物、煤气中 CO_2、H_2O 对炭砖的氧化。

炉底也有自我保护作用，如黏土砖、高铝砖炉底在后期被侵蚀的速度会减慢。这是因为长期处在高温高压下，部分砖衬软化重新熔结，形成紫灰色熔结层，气孔串显著降低，体积密度显著提高，能抵抗铁水的渗入，同时由于炉底变薄，铁水凝固等温线会上移。

B 炉缸部位内衬破损的主要原因

炉缸部位内衬破损的主要原因有以下几方面：

(1) 炉缸下部是盛渣铁液的地方，周期地进行聚积和排出，所以渣铁的流动、炉内渣铁液面的升降，大量的煤气流等高温流体对炉衬的冲刷是主要的破坏因素，特别是渣口、铁口附近的炉衬是冲刷最厉害的部位。而且在开铁口和堵铁口时，承受开口机和泥炮的作用力，易使耐火砖松动，砖缝裂开，造成煤气泄漏。使用有水炮泥，含有水分 13%～17%，水分蒸发时如系炭砖则会被氧化。另外，堵口前后温度剧变，也会造成耐火砖的剥落。特别当炉缸冻结时用氧气烧铁口，更会使炭砖氧化。喷出的高压高速煤气夹带碎焦等固体粒子，对铁口的损坏也很严重。

(2) 高炉炉渣偏碱性而常用的耐火砖偏酸性，故在高温下化学性渣化，对炉缸砖衬是一个重要的破坏因素。

(3) 风口带是炉内最高温度区域，炉衬经常承受 1800～2400℃ 的高温作用，发生蠕变，加上碱金属、锌侵蚀和渣铁冲刷，砖衬很易损坏，砖缝增大。从热风炉来的高温高压气体，由此送入高炉，当此处砌体不稳定时，会使风口设备变形和漏风。

炉缸部位砖衬比炉底薄，故在强烈冷却条件下，可生成渣皮和由铁水中析出的并不很厚的石墨保护层。

C 炉底炉缸部位炉衬抗破损的对策

炉底炉缸部位炉衬抗破损的对策有以下几点：

(1) 采用抗铁水渗入和导热性好的耐火砖，优化炉底炉缸炉衬结构，改善炉底炉缸冷却。

20 世纪 50 年代，高炉炉缸烧穿是对我国高炉生产的主要威胁，也是影响高炉寿命的主要环节，高炉寿命只有 3～5 年。当时，炉底、炉缸的砌筑材料是导热性极差的高铝砖和黏土砖，砖衬很厚，不重视散热和冷却条件，抗不住渣铁的侵蚀和机械冲刷，属典型缓蚀设计思想或“耐火材料法”。

近数十年来大中型高炉广为采用炭砖砌筑。1964 年，鞍钢 7 号高炉首次采用综合炉底

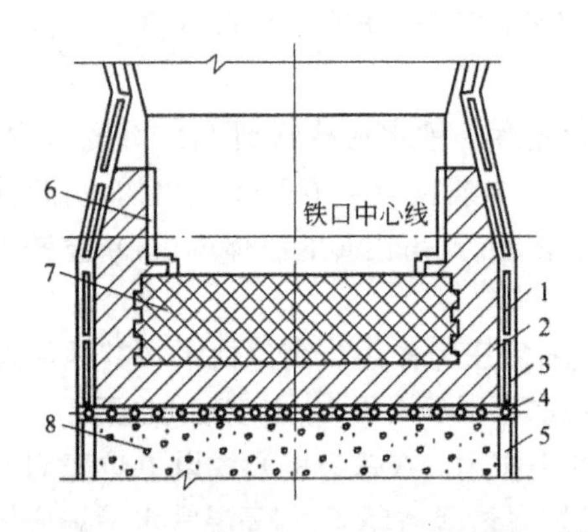

图 2-3 综合炉底结构示意图
1—冷却壁；2—炭砖；3—碳素填料；4—水冷管；
5—黏土砖；6—保护砖；7—高铝砖；8—耐热混凝土

结构，它是在风冷管炭捣层上满铺 3 层400 mm 炭砖，上面环形炭砖砌至风口中心线，中心部位砌 6 层 400 mm 高铝砖，环形炭砖与中心部位高铝砖相互错台咬合，其寿命达到了 12.4 年，每立方米高炉容积产铁 6471 t。以后又在鞍钢多座高炉使用，不过在高铝砖和炭砖的厚度上有所调整，总的趋势是炉底减薄了。在使用综合炉底之前，高炉黏土砖炉底厚度要大于炉缸直径的 6/10，综合炉底厚度可以降到炉缸直径的 3/10。综合炉底结构如图 2-3 所示。

武钢也曾采用综合炉底结构，生产中发现在高铝砖和炭砖咬砌部位产生环形裂缝，经分析认为是由于高铝砖和炭砖膨胀系数不同造成的，所以后来采用全炭砖炉底。宝钢 1 号 4063 m^3 高炉在大修前采用全炭砖炉底，全炭砖水冷炉底厚度可以进一步减薄。目前大型高炉普遍采用全炭砖炉底。包钢实践证明，冶炼含氟矿石宜采用全炭砖炉底。

全炭砖水冷炉底设计思想属“导热法”，炭砖抗铁水性和导热性好，与炉底冷却相配合，向炉底传递更多的热量，将 1150℃ 的铁水凝固等温线上移，在炉底及早形成一道挡铁墙，铁水渗入减少了；同时炭砖温度降低了，热应力破坏、碱金属、锌侵蚀速度就降低了。

常规大尺寸炭砖是以煅烧无烟煤、焦炭为骨料，以沥青焦油为结合剂，经热混合、挤压成型、800～1400 ℃烧成及机械加工而成。烧成中结合剂炭化，将炭颗粒黏结并部分挥发逸散，使炭砖形成孔隙，这些孔隙正是高炉内碱金属入侵的途径。通常碱金属沿气孔进入炭砖，在 750～900 ℃与碳反应生成层状混合物，使炭砖体积膨胀而裂散。炉缸常规大炭砖损坏的特征，是在单环环形炭砖内形成环状裂缝。环状裂缝形成的机理，除碱金属侵蚀外，还与大炭砖热导率较低（小于 10 W/(m·K)）引起的冷热面温度差太大有关，它使炭砖在炉缸厚度方向产生不易缓冲的差热膨胀。工作热面与冷面的体积膨胀差值在同一大炭砖中产生巨大的应力，导致距炭砖热面一定尺寸处形成环状裂缝。由于充满气体的炭砖环状裂缝降低了传热效果，炭砖热面不容易形成保护性“渣皮”，已形成的“渣皮”也会脱落。没有“渣皮”保护的炭砖，必将受到铁水及碱金属的剧烈侵蚀。因此，在炉缸、炉底设计中，除了合理的结构外，还应正确选择耐火材料，这是延长高炉炉缸、炉底寿命的关键。

基于上述观点，美国 UCAR 公司提出了选用高热导率（大于 19 W/(m·K)）、低渗透度和优良抗碱侵蚀性能的炭质材料，采用小块热压成型炭砖砌筑，以减小单块砖的温度梯度，并使用特殊泥浆吸收温度造成的热应力，热量能顺利传递到冷却系统。其结构示意图如图 2-4 所示。

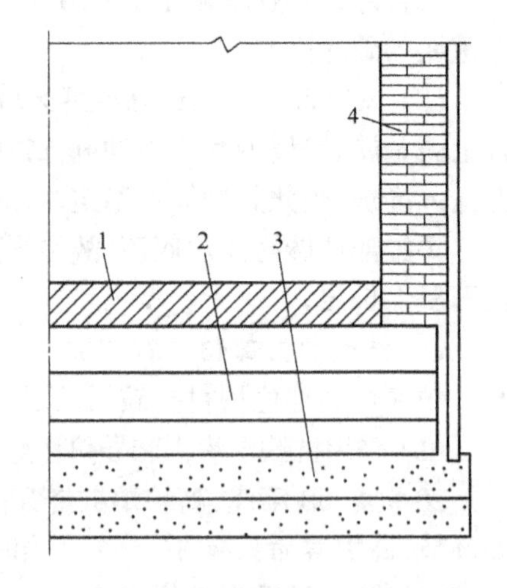

图 2-4 美国 UCAR 热压小炭砖炉缸结构
1—高铝质耐火砖；2—大炭砖；3—混凝土；
4—热压小炭砖

热压炭砖已在世界上数百座高炉应用，使用寿命都在10年以上。

20世纪80年代初，法国Savoie耐火材料公司在蒂森钢铁公司高炉上开发并安装了一种新型复合式炉衬，由于其形状类似一个杯子，故称为“陶瓷杯”。陶瓷杯炉底炉缸结构如图2-5所示。炉底砌砖的下部为垂直或水平砌筑的炭砖，炭砖上部为1～2层刚玉莫来石砖。炉缸壁内是通过一厚度灰缝(60 mm)分隔的两个独立的圆环组成，外环为炭砖，内环是刚玉质预制块。炉底下端为循环水冷却系统，冷却管埋入炭捣层内，当冷却管安装在炉底封板上面时，为防止水泄漏后损坏炭砖，有的高炉炉底冷却介质采用油；而当冷却管安装在炉底封板下面时，冷却介质一般采用水或空气。

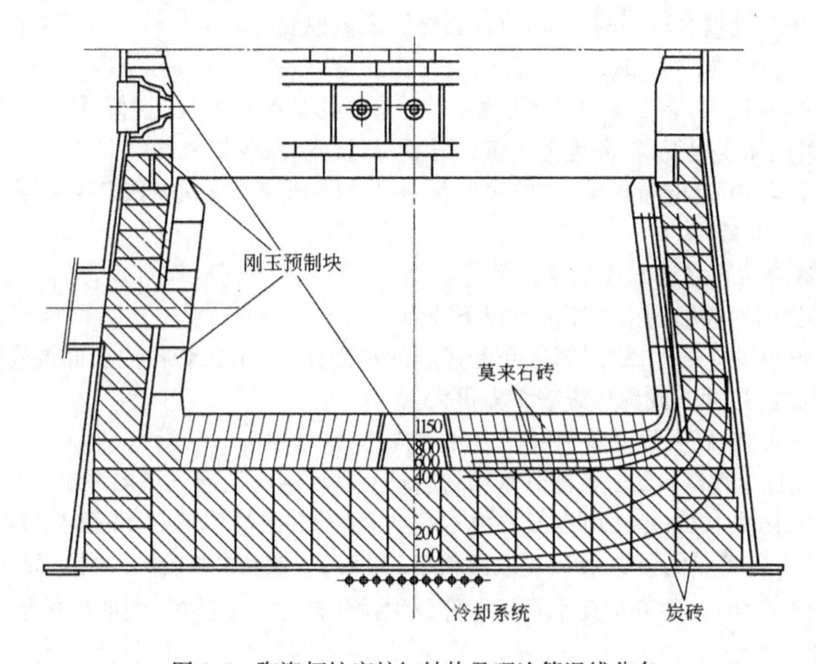

图2-5 陶瓷杯炉底炉缸结构及理论等温线分布

陶瓷杯是利用刚玉砖或刚玉莫来石炉衬的高荷重软化温度和较强的抗渣铁侵蚀性能以及低导热性，使高温等温线集中在刚玉或刚玉莫来石砖炉衬内。陶瓷杯起保温和保护炭砖的作用。炭砖的高导热性又可以将陶瓷杯输入的热量很快传导出去，从而达到提高炉衬寿命的目的。

陶瓷杯炉底炉缸结构的优越性概括起来有以下几点：

1) 提高铁水温度。由于陶瓷杯的隔热保温作用，减少了通过炉底炉缸的热损失，因此，铁水可保持较高的温度，给炼钢生产创造了良好的节能条件；

2) 易于复风操作。由于陶瓷杯的保温作用，在高炉休风期间，炉子冷却速度慢，热损失减少，这有利于复风时恢复正常操作。

3) 防止铁水渗漏。由于1150℃等温线紧靠炉衬的内表面，并且由于耐火材料的膨胀缩小了砖缝，因而铁水的渗透是有限的，降低了炉缸烧穿的危险性。

(2) 加大死铁层高度。

(3) 高炉风口、渣口、出铁口区域采用大块异形组合砖砌筑。高炉风口、渣口、出铁口周围工作条件恶劣，故大中型高炉设计风口、渣口、出铁口时应提高砌体的稳定性、密闭性，在开口处的砖型宜设计为大块异形组合砖。风口部位采用刚玉莫来石砖、棕刚玉砖或硅线石砖,或者采用热压炭砖 NMA 或 NMD 砖,耐火砖与风口法兰、大套之间留有间隙,填充缓冲泥浆与砂浆。

(4) 在炭砖炉底、炉缸的内表面设有保护层,以防开炉时被氧化,一般都砌一层高铝砖。为了节省工时和降低投资,近来有用涂料代替高铝砖的,涂料层厚 5~8 mm。

(5) 强化冷却,完善监测。宜优选水冷,尤其在内衬侵蚀最厉害的部位,应清洗冷却壁,提高水压,并采用软水冷却。在炉缸和炉底相关部位,特别是“象脚”处设置测温点,以便掌握其侵蚀情况,建立炉缸炉底侵蚀预报模型。冷却壁设置热负荷仪,了解冷却壁水温差变动情况。对采用炉壳喷水冷却的炉缸,宜设置炉壳表面温度计。

(6) 搞好操作维护。加强出铁管理,及时出净渣铁,提高铁口合格率,杜绝连续浅铁口事故发生,堵铁口的功能不单单是封住铁口,更重要的是维护好泥包,修补已遭严重损坏的炉衬;尽量采用无水炮泥,提高炮泥质量,采用埋棒技术,减少烧氧气。

(7) 冶炼含 Pb 高的特种矿,在炉底设置专门的排 Pb 口,或提高铁口角度等。

2.2.1.2 炉腹

A 炉腹部位内衬破损的主要原因

炉腹部位内衬破损的主要原因有以下几点:

(1) 炉腹距风口最近,故此部位受着强烈的热力作用,不仅炉衬内表面温度高,而且由温度波动引起的热冲击或称热震破坏力很大。

(2) 由于炉腹倾斜,故受着料柱压力和崩料、坐料时冲击力的影响。

(3) 承受由上部落入炉缸的渣铁水和高速向上运动的高温煤气流的冲刷、化学侵蚀和氧化作用。由于初渣中 FeO、MnO 以及自由 CaO 含量较高,故渣中 FeO、MnO、CaO 与炉衬中的 SiO_2 反应,生产低熔点化合物,使砖衬表面软熔,在液态渣铁和煤气流的冲刷下而脱落。

在实际生产中,往往开炉几个月后这部分炉衬便被完全侵蚀掉,增加炉衬厚度也无济于事,而是靠冷却壁上的渣皮(熔铁、熔渣、焦炭混合物)维持生产。即使炭质内衬,在开炉后 1~1.5 年也被消耗了。

B 炉腹部位炉衬抗破损对策

炉腹部位炉衬抗破损对策,就是容易挂渣皮和稳得住渣皮。一般砌一层高铝砖或黏土砖,厚度为 345 mm。

(1) 稳定造渣制度,减小炉腹角,抑制边缘气流过分发展。

(2) 加大冷却,现代大高炉有采用镶砖铜质冷却壁或插入式铜冷却板趋势。

2.2.1.3 炉腰、炉身中下部

A 炉腰、炉身下部内衬破损的主要原因

炉腰、炉身下部内衬破损的主要原因有以下几点:

(1) 高温煤气流冲刷和热冲击。

(2) 碱金属、锌蒸气和沉积炭的侵蚀。

(3) 初渣 FeO、MnO 侵蚀,炉腰部位比炉腹初渣中 FeO、MnO 更高。

B 炉腰、炉身下部炉衬抗破损对策有以下几点

(1) 选用导热性好、高温时耐磨性好、抗渣铁熔蚀能力强、特别是抗碱金属侵蚀能力强的耐火砖,如半石墨化炭-碳化硅砖、氮结合的碳化硅砖或烧成铝炭砖。不宜采用炭砖(包

钢含 F 炉料冶炼时例外），这一部位正好是碳对 CO_2、O_2、H_2O 等的反应温度区。

(2) 加强冷却，迫使砖衬中的反应温度向热端移动，越靠近内表面越好。

炉腰有 3 种结构形式，即厚壁炉腰、薄壁炉腰和过渡式炉腰，如图 2-6 所示。高炉冶炼过程中部分煤气流沿炉腹斜面上升，在炉腹与炉腰交界处转弯，对炉腰下部冲刷严重，这部分炉衬侵蚀较快，使炉腹段上升，径向尺寸亦有扩大，使得设计炉型向操作炉型转化。厚壁炉腰的优点是热损失少，但侵蚀后操作炉型与设计炉型变化大，等于炉腹向上延长，这对下料不利。径向尺寸侵蚀过多时，会造成边缘煤气流的过分发展。薄壁炉腰的热损失大些，但操作炉型与设计炉型近似，可避免厚壁炉腰的缺点，过渡式炉腰结构处于两者之间。设计炉型与操作炉型关系复杂，做炉型设计时应全面考虑。

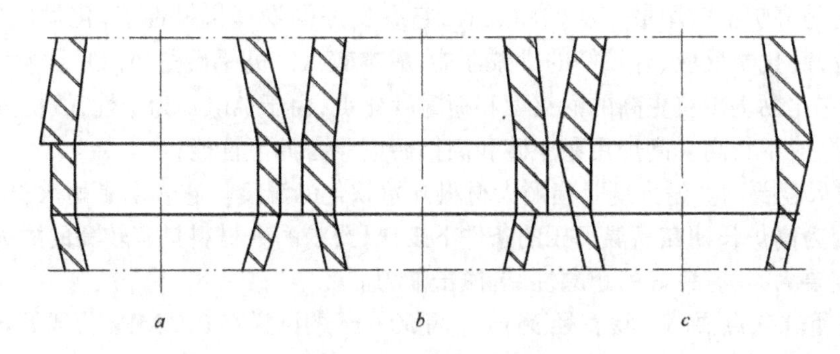

图 2-6 炉腰结构形式

a—薄壁；*b*—厚壁；*c*—过渡式

2.2.1.4 炉身上部

A 炉身上部部位内衬破损的主要原因

炉身上部部位内衬破损的主要原因有以下几点：

(1) 炉料在下降过程中对内衬的冲击和磨损。

(2) 带有大量粉尘高速煤气流在上升过程中的冲刷。

(3) 碱金属、锌蒸气和沉积碳的侵蚀等。碳素沉积反应($2CO = CO_2 + C$)在 400～700℃之间进行最快，炉身上部正好处于这一温度范围。炉身中下部炉墙内表面温度虽然高于 700℃，但在炉衬内部却有着碳素沉积的适当温度点。

B 炉身上部部位炉衬抗破损对策

由于此部分温度较低，一般采用黏土砖是可以的，但要求机械强度好，气孔串低，能防止外来物侵入，可选择高致密度的黏土砖或浸磷酸黏土砖或高铝砖。

2.2.1.5 炉喉

炉喉受到炉料落下时的撞击作用，故用金属保护板加以保护，又称炉喉钢砖，一般以铸铁、铸钢件制成，如图 2-7所示。

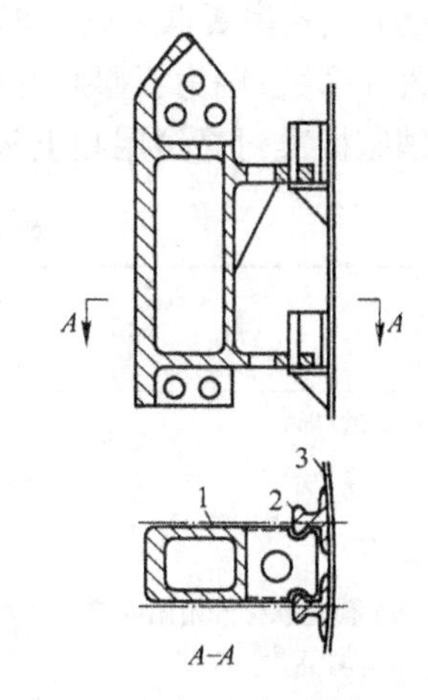

图 2-7 炉喉钢砖

1—炉喉钢砖；2—钢轨形吊挂；3—炉壳

炉喉有几十块保护板，在炉喉的钢壳上装有吊链座，座下装有横的挡板，板之间留 20 mm 间隙，保证保护板受热膨胀时不相互碰挤，条状保护板是较为合理的炉喉装置。即使如此，它仍会在高温下失去强度和由于温度分布不均匀而产生热变形，炉内煤气流频繁变化时损坏更为严重。

2.2.2　高炉用耐火材料

高炉常用的耐火材料主要有陶瓷质材料和炭质材料两大类。陶瓷质材料包括黏土砖、高铝砖、刚玉砖和不定形耐火材料等；炭质材料包括炭砖、石墨炭砖、石墨碳化硅砖、氮结合碳化硅砖等。

2.2.2.1　黏土砖、高铝砖

黏土砖是高炉上应用最广泛的耐火砖，它有良好的物理机械性能，化学成分与炉渣相近，不易和渣起化学反应，有较好的机械性能，成本较低。高铝砖是 Al_2O_3 含量大于 48% 的耐火制品，它比黏土砖有更高的耐火度和荷重软化点，由于 Al_2O_3 为中性，故抗渣性较好，但是加工困难，成本较高。高炉用黏土砖和高铝砖应具备如下性能：

(1) 耐火度要高。耐火度是指耐火材料开始软化的温度。它表示了耐火材料承受高温的能力。因为高炉长期在高温高压的条件下工作，要求耐火材料具有较高的耐火度，并且高温机械强度要大，具有良好的耐磨性，抗撞击能力。

(2) 荷重软化点要高。将直径 36 mm，高 50 mm 的试样在 0.2 MPa 荷载下升温，当温度达到某一值时，试样高度突然降低，这个温度就是荷重软化点。荷重软化点能够更确切地评价耐火材料的性能。

(3) 化学成分。Al_2O_3 含量要高，Fe_2O_3 含量要低。Al_2O_3 含量是保证黏土质耐火材料具有较高耐火度的主要因素，耐火材料中的 Fe_2O_3 和 SiO_2 在高温下相互作用生成低熔点化合物，降低耐火材料的耐火度；在高炉内，耐火材料中的 Fe_2O_3 有可能被渗入砖衬中的 CO 还原生成海绵铁，而海绵铁又促进 CO 分解产生石墨炭沉积，构成对砖衬的破坏作用。

(4) 重烧收缩要小。重烧收缩也称残余收缩，是表示耐火材料升至高温后产生裂纹可能性大小的一种尺度。

(5) 气孔率要低。气孔率是耐火材料的重要指标之一，在高炉冶炼条件下，如果砖衬材料的气孔率大，则为石墨炭沉积创造了条件，从而引起炉衬破坏。

国家标准对高炉用黏土砖和高铝砖的理化性能的要求见表 2-7。

表 2-7　高炉用黏土砖和高铝砖的理化性能

指　标	黏土砖			高铝砖	
	XGN—38	GN—41	GN—42	GL—48	GL—55
Al_2O_3 含量/%	≥38	≥41	≥42	48～55	55～65
Fe_2O_3 含量/%	≤2.0	≤1.8	≤1.8	≤2.0	≤2.0
耐火度/℃	≥1700	≥1730	≥1730	≥1750	≥1770
0.2 MPa 荷重软化开始温度/℃	≥1370	≥1380	≥1400	≥1450	≥1480
重烧线收缩/%					
1400℃，3h	≤0.3	≤0.3	≤0.2		
1450℃，3h				≤0.3	

续表 2-7

指标	黏土砖			高铝砖	
	XGN—38	GN—41	GN—42	GL—48	GL—55
1500℃,3h					≤0.3
显气孔率/%	≤20	≤18	≤18	≤18	≤10
常温耐压强度/MPa	≥30.0	≥55.0	≥40.0	≥50.0	≥50.0

2.2.2.2 炭质耐火材料

近代高炉逐渐大型化,冶炼强度也有所提高,炉衬热负荷加重,炭质耐火材料具有独特的性能,因此逐渐应用到高炉上来,尤其是炉缸炉底部位几乎普遍采用炭质材料,其他部位炉衬的使用量也日趋增加。炭质耐火材料主要特性如下:

(1) 耐火度高,碳是不熔化物质,在3500℃升华,在高炉冶炼温度下炭质耐火材料不熔化也不软化;

(2) 炭质耐火材料具有很好的抗渣性,对酸性与碱性炉渣都有很好的抗蚀能力;

(3) 具有高导热性,抵抗热震性好,可以很好地发挥冷却器的作用,有利于延长炉衬寿命;

(4) 线膨胀系数小,热稳定性好;

(5) 致命弱点是易氧化,对氧化性气氛抵抗能力差。一般炭质耐火材料在400℃能被气体中O_2氧化,500℃时开始和H_2O作用,700℃时开始和CO_2作用,FeO高的炉渣也易损坏它,所以使用炭砖时都砌有保护层。碳化硅质耐火材料发生上述反应的温度要高一些。

高炉炭砖的质量改善,主要是提高导热性能和抗强碱、抗CO_2性能。提高导热性能主要取决于制砖材料,即在配料中加入石墨而不是靠进行高温石墨化焙烧,其导热系数由一般的2.9~7.0 W/(m·K)可提高到23.3~58.2 W/(m·K)。提高抗强碱性、抗CO_2性能的途径主要是减小砖的气孔直径,降低气孔率,提高体积密度。焙烧炭砖比热压成型的炭砖气孔率高,故美国目前在使用较小的炭砖时采用热压成型。当然也可用普通炭砖渗入沥青,并再次加热以堵死气孔的方法。高炉采用炭砖的种类应根据不同部位的要求选用不同炭砖。各国炭砖的理化性能见表2-8。

表 2-8 一些国家使用炭砖的理化性能

国别	原料种类	热导率 /W·(m·K)$^{-1}$	体积密度 /t·m^{-3}	真空度 /t·m^{-3}	全气孔率 /%	耐压强度 /MPa	灰分/%
美国	无烟煤	4.309	1.62	2.02	20.3	21.6	7.1
			1.54	2.07	21.7	14.0	6.7
德国	无烟煤	3.475	1.53	1.88	18.6	35.0	8
	无烟煤	4.17	1.58	1.84	15.0	42.5	8
	石墨	98.69	1.56	2.2	29.5	17.5	0.2
日本(标准)	石墨质G11		≥1.50	≥1.90	≤20	≥34	≤8
		200℃			显气孔率		
	石墨碳化硅	≥23.56	≥1.90	≥1.90	≤19	≥34	

续表 2-8

国别	原料种类	热导率 /W·(m·K)$^{-1}$	体积密度 /t·m^{-3}	真空度 /t·m^{-3}	全气孔率 /%	耐压强度 /MPa	灰分/%
中国	普通碳砖	≥6.98	≥1.5		≤20	≥30.0	≤8
	高导热炭砖	≥26.75	≥1.6		≤22	≥22.0	≤1.5
	微孔炭砖	≥5.82	≥1.5		≤20	≥35.0	16

用以 Si_3N_4 结合的碳化硅砖砌筑高炉炉身中下部，可以延长高炉寿命。这种砖的优点是高温性能好(2600℃升华)、耐磨性好、抗渣性好、热膨胀小、热稳定性好、导热性好，其缺点主要是怕氧化。美国等国碳化硅砖性能见表 2-9。

表 2-9 日本、英国和荷兰碳化硅砖的理化性能

国名	日本			英国			荷兰	
砖种	Si_3N_4 结合	直接结合	碳素结合	Si_3N_4 结合	直接结合	碳素结合	Si_2ON_2 结合	直接结合
体积密度/g·cm^{-3}	2.78	2.73	1.98	2.60	2.67	2.55	2.53	2.52
显气孔率/%	12.5	15.0	14.4	13.6	14.6	13.2	20.0	(开口)18.0
常温耐压强度×10^5/Pa	1568	1372	382	1470	>980	1313	1686	1137
高温耐压强度(1400℃)×10^5/Pa	-	-	-	-	-	-	180	421
高温抗折强度(1400℃)×10^5/Pa	559	490		402	323	137 (1500℃)	-	
荷重软化温度(T_2)/℃	>1750	>1750	1450	-	-	-	>1600	>1600
导热系数/W·(m·K)$^{-1}$	16.66	13.40	-	14.02	-	-	-	
抗碱性试验(试样掉2片或以上)	390①	340①	-	无侵蚀	基质受侵蚀	无侵蚀	-	无侵蚀

① 试样于 1400℃加热并保温 2 h，碱处理后的抗折强度(×10^5Pa)。

2.2.2.3 不定形耐火材料

不定形耐火材料主要有捣打料、喷涂料、浇注料、泥浆和填料等。按成分可分炭质不定形耐火材料和黏土质不定形耐火材料。不定形耐火材料与成形耐火材料相比，具有成形工艺简单、能耗低、整体性好、抗热震性强、耐剥落等优点；还可以减小炉衬厚度，改善导热性等。

耐火泥浆的作用是填充砖缝，将砖黏结成整体。砖缝是高炉砌砖的薄弱环节，炉衬的侵蚀和破坏首先从砖缝开始。因此耐火泥浆的质量对炉衬寿命有直接影响。耐火泥浆的粒度组成要与炉衬的砖缝相适应。

耐火泥浆由散状耐火材料调制而成，它应该有良好的筑炉性能，即良好的流动性、塑性及保水性，保证揉砖时间内不干涸，以达到合乎要求的砖缝厚度及砖缝内泥浆饱满。还要有良好的高温性能保证高温下性能稳定及气孔率低。

填料是两层炉衬之间的隔热物质或是黏结物质。一般冷却壁之间用 15 mm 锈接料，冷却壁与炭砖之间用 150～200 mm 炭捣料。冷却壁与炉壳间用 15～20 mm 稀泥浆，炉身砌砖与炉壳之间用 100～150 mm 水渣石棉。炉身部位炉壳内喷涂 30～50 mm 不定形耐火材料，炉喉与钢砖之间用75～150 mm耐火泥，炉底炭砖与高铝砖之间用40 mm炭糊，水冷管中心线以上用150～200 mm炭捣层、水冷管中心线以下用150～200 mm耐热混凝土。高炉砌砖用泥浆、填料的组成配比及应用详见表2-10。

表2-10 高炉砌砖用泥浆、填料和泥料成分

项次	名称	成分和数量	使用部位	备注
1	厚缝糊	质量比：粒度为0～8 mm的热处理无烟煤或干馏无烟煤51%～53%，粒度为0～0.5 mm的冶金焦33%～35%，油沥青13%～15%（油沥青成分：煤沥青69%～71%，蒽油31%～29%）	碳素砌体的厚缝以及炭砖砌体与周围冷却壁之间的缝隙，炉底平行砌筑炭砖的底层	由制造厂制成的
2	黏土火泥-水泥泥浆	体积比：NF—28中粒黏土火泥60%～70%； 400号硅酸盐水泥或矾土水泥30%～40%	高炉炉底、底基、环梁托圈和热风炉炉底铁板找平层	
3	黏土火泥-水泥稀泥浆	体积比：NF—28中粒黏土火泥60%～65%，水泥40%～35%	炉壳与周围冷却壁之间的缝隙	
4	黏土火泥泥浆	NF—40，NF—38，NF—34黏土火泥	高炉炉身无冷却箱区域及其以下各部位和热风炉各部位的黏土砖砌体	
5	黏土火泥-水泥半浓泥浆	体积比：NF—38黏土火泥和外加10%的水泥	高炉炉身无冷却箱区域的黏土砖砌体和热风管的内衬	
6	黏土熟料-矾土-水玻璃半浓泥浆	质量比： 黏土熟料粉55%； 工业用矾土6%； 水玻璃10%； 耐火生黏土（干料）5%； 水24%	高炉炉身砌体和热风管的砖衬	水玻璃的密度为1.3～1.4 g/cm³，模数为2.6～3.0
7	高铝火泥泥浆	高铝火泥	各部位高铝砖砌体	
8	高铝火泥-水玻璃半浓泥浆	体积比：高铝火泥和外加15%的水玻璃	高炉炉身无冷却箱区域的高铝砌体	
9	碳素油	质量比：粒径为0～0.5 mm的冶金焦49%～51%，油沥青51%～49%（其中煤沥青45%，蒽油55%）	炭砖砌体的薄缝以及黏土砖或高铝砖砌体与炭砖砌体的接缝处	由制造厂制成的
10	碳素填料	体积比：粒度在4 mm以下冶金焦80%～84%，煤焦油（脱水）8%～10%，煤沥青8%～10%	炉基黏土砖砌体与炉壳之间，以及黏土砖或高铝砖砌体与周围冷却壁之间的缝隙	
11	黏土火泥-石棉填料	体积比：NF—28粗粒黏土火泥60%，牌号7—370的石棉40%	炉身黏土砖或高铝砖砌体与炉壳之间、炉喉钢砖区域以及热风炉隔热砖与炉墙之间的缝隙	
12	水渣-石棉填料	体积比：干燥的水渣50%，牌号7—370石棉50%	炉身黏土砖或高铝砖砌体与炉壳之间、热风炉下部隔热砖与炉墙之间的缝隙	

续表 2-10

项次	名　称	成分和数量	使用部位	备　注
13	硅藻土填料	粒度为 0～5 mm 的硅藻土粉	热风炉隔热砖与炉墙之间的缝隙	
14	高强磷酸盐泥浆	高铝熟料粉 100；工业磷酸 15～17.5；牛皮胶水 20～24	各部位高铝砖砌体	

2.2.3 高炉炉衬的设计与砌筑

高炉炉衬设计的内容是选择各部位炉衬的材质，确定炉衬的厚度，说明砌筑方法(包括砌缝大小、砌筑方向、膨胀缝及填料等)以及材料用量计算。炉衬设计得合理可以延长高炉寿命，并获得良好的技术经济指标。

2.2.3.1 炉体耐火砖衬标准砖型砌筑

高炉炉体使用的耐火砖分为两种砖型：直形砖和楔形砖，其形状和尺寸见表 2-11。

表 2-11 高炉用砖形状及尺寸

砖　型	砖号	尺寸/mm				体积/cm^3
		a	b	b_1	c	
直形砖 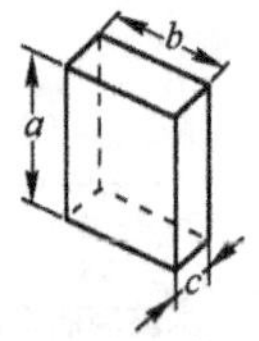	G－1	230	150		75	2588
	G－7	230	115		75	1984
	G－2	345	150		75	3881
	G－8	345	115		75	2776
楔形砖 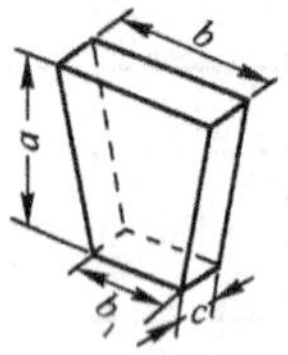	G－3	230	150	135	75	2458
	G－4	345	150	125	75	3557
	G－5	230	150	120	75	2329
	G－6	345	150	110	75	3364

应用两种砖型的配合可砌成不同直径的圆环以适应炉子大小和炉子直径随高度的变化。一般以 G－1 直形砖与 G－3 或 G－5 楔形砖配合，G－2 直形砖与 G－4 或 G－6 楔形砖相配合。由于要求的环圈直径不同，故直形砖和楔形砖的配合数目也不同。

直形砖与楔形砖配合计算如下：

$$n = \frac{\pi D}{b} \tag{2-8}$$

$$n_s = \frac{\pi(D-d)}{b-b_1} = \frac{2\pi a}{b-b_1} \tag{2-9}$$

$$n_p = n - n_s$$

两种楔形砖配合计算如下：

$$n=\frac{\pi D}{b}$$

$$n_2=\frac{nb_1-\pi d}{b_1'-b_1''} \tag{2-10}$$

$$n_1=n-n_2$$

式中 n——该环砌体总砖数；

n_s——楔形砖数；

n_p——直形砖数；

D——该环砌体外径，mm；

d——该环砌体内径，mm；

b——砖大头宽加砌砖砖缝，mm；

b_1——砖小头宽加砌砖砖缝，mm；

a——砖长，mm；

n_1——G-3 或 G-4 砖的砖数；

n_2——G-5 或 G-8 砖的砖数；

b_1'——G-3 或 G-4 砖的小头宽加砌砖砖缝，mm；

b_1''——G-5 或 G-8 砖的小头宽加砌砖砖缝，mm。

例 试用 G-3 与 G-1 砖砌筑外径为 7.5 m 的圆环，求所需楔形砖数及直形砖数。

解 $n=\frac{\pi D}{b}=\frac{3.14\times7500}{150+1.5}=156$（块）

$n_s=\frac{2\pi a}{b-b_1}=\frac{2\times3.14\times230}{(150+1.5)-(135+1.5)}=97$（块）

$n_p=n-n_s=156-97=59$（块）

炉底按砌砖总体积除以每块砖的体积即得砖数，考虑砖的损耗一般增加 2%～5% 的余量。

高炉炉体内衬砌筑，其环缝要求全部错缝砌筑，要求不砍砖，如不得已一定要砍砖，必须将被砍面磨平，砌体的厚度和错缝是通过砖长 230 mm 和 345 mm 的不同砖型组合而成的，通过配合砌体厚度能增减 115 mm 并达到错缝，在厚度变化不足 115 mm 时，可利用砌体与炉壳或砌体与冷却壁间的填料缝来调整。

2.2.3.2 非标准砖型砌筑

表 2-11 所列标准砖以外的砖统称非标准砖，常见的是综合炉底中立砌的陶瓷质砖（400 mm×150 mm×90 mm），不同尺寸的炉底炉缸炭砖。风口、渣口和铁口砖衬用炭砖砌筑时，应设计异型炭砖，见图 2-8 所示。

炭砖尺寸根据设计确定，一般为断面 400 mm×400 mm，长度按需要设计。炉底、炉缸四周环形砖砌筑示于图 2-9。炉底炭砖砌筑有竖砌和平砌两种。在我国普遍采用无水碳素胶泥平砌，图 2-10 示出一种常见的平砌炉底，有厚缝和薄缝两种连接形式，薄缝连接时，各列砖砌缝不大于 1.5 mm，各列间的垂直缝和两层间的水平缝不大于 2.5 mm。厚缝连接时，砖缝为 35～45 mm，缝中以炭素料捣固。目前的砌法是炭砖两端的短缝用薄缝连接，而两侧的长缝用厚缝连接；也有两端短缝用厚缝连接，而两侧的长缝用薄缝连接，这样可减少炭捣工作量。相邻两行炭砖必须错缝 200 mm 以上。炉底炭砖上下两层的厚缝要交错成 90°角，最上层炭砖厚缝应与出铁口中心线交成 90°角。

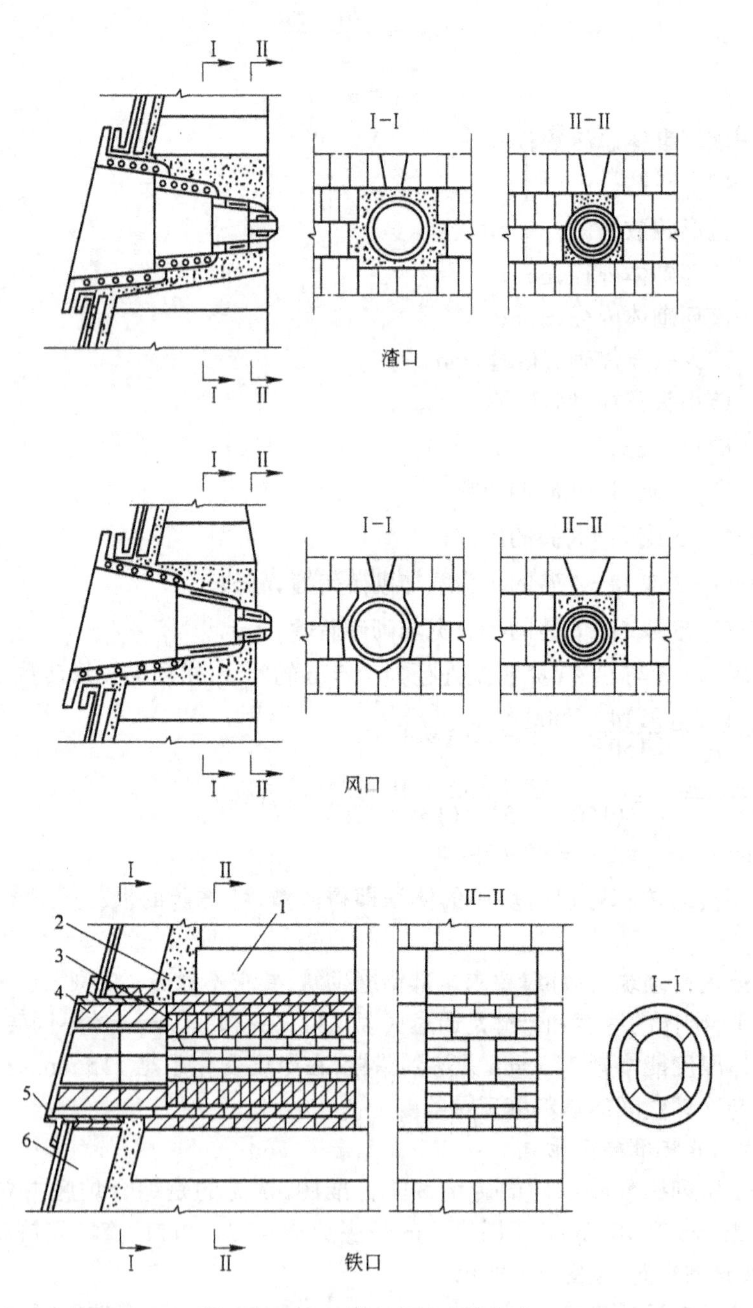

图 2-8　渣口、风口和铁口的砌砖

1—炭砖；2—碳素填料；3—侧砌盖砖；4—异型炭砖；5—出铁口框；6—冷却壁

宝钢原 1 号高炉炉底炉缸砌砖见图 2-11。为了防止炭砖上浮，一方面采用压迫面，即以斜面压紧，另一方面在炭砖切面设有键槽，砌筑时用炭键锁住，炭键材质与炭砖相似，尺寸为 ϕ100 mm，长 400～1700 mm。炭砖砖缝目标值为 0.5 mm，范围不大于 1 mm，相邻两块砖高度差不大于 1 mm。

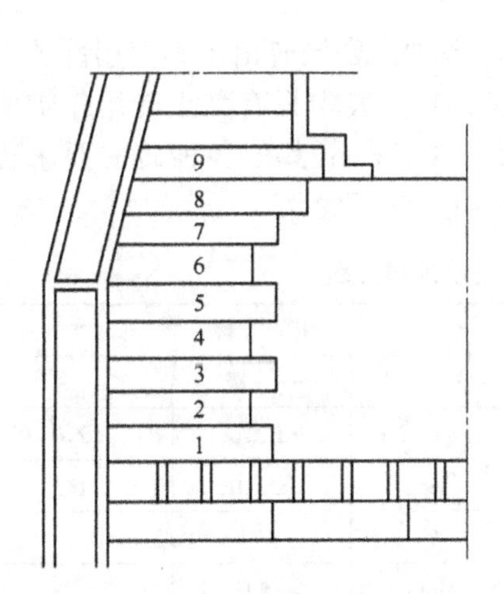

图 2-9 炉底、炉缸环状炭砖图

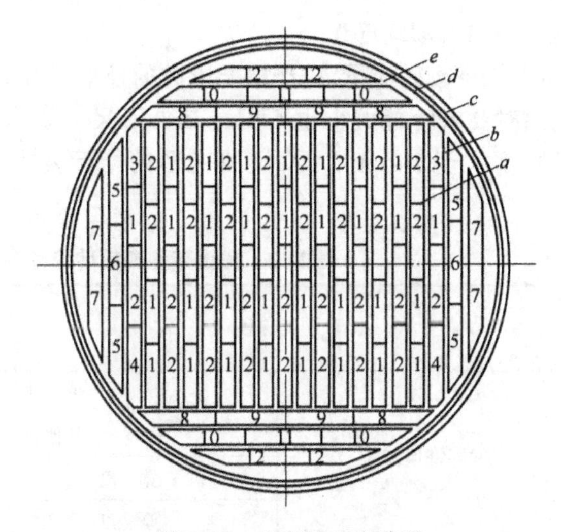

图 2-10 炉底平砌炭砖图

a—薄缝；*b*—厚缝；*c*—炉壳；*d*—冷却壁；*e*—炭砖与冷却壁间填料缝

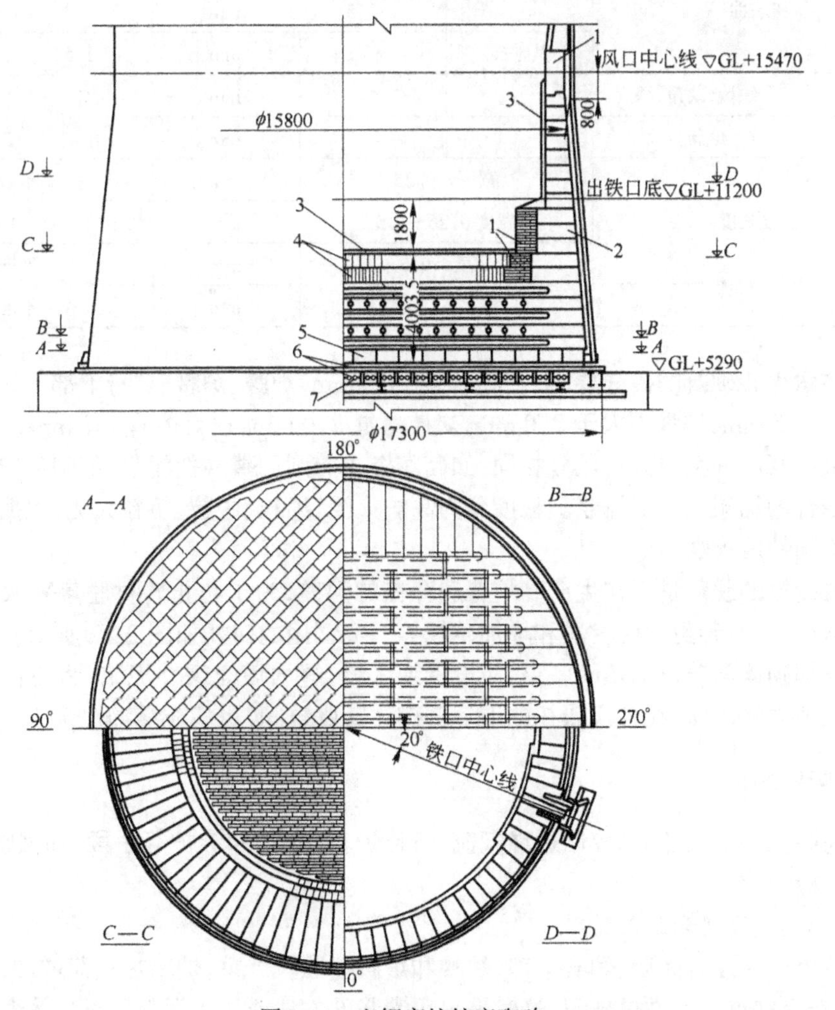

图 2-11 宝钢高炉炉底砌砖

1—高铝砖；2—炭砖；3、4—黏土砖；5—石墨碳化硅砖；6—石墨不定形耐火材料；7—不定形耐火材料

2.2.3.3 *砌筑质量*

为了保证砌砖质量,应严格要求砖的外形尺寸合格。各种陶瓷质砖由于其使用部位不同,砌筑时要求砖缝大小也不同。其外形尺寸要求见表2-12。表中只有黏土砖用作炉底砖,其长度大于345 mm时,扭曲变形的指标要求不大于1.5 mm,其他各种砖的要求都相同。

表2-12 黏土砖和高铝砖尺寸容许偏差及外形分级

项目			指标		
			单位	一级	二级
尺寸容许偏差	长度	炉底砖	mm	±2.0	±2.0
		其他砖	%	±1.0	±1.5
	宽度		%	±2	
	厚度		mm	±1	±2
扭曲	炉底砖	≤345	mm	1	
		>345	mm	1.5	
	其他砖	≤	mm	1.5	2
缺棱、缺角、深度		<	mm	5	
熔洞直径		≤	mm	5	
裂纹长度	宽度≤0.25		mm	不限制	
	宽度0.26~0.5		mm	15	
	宽度>0.5		mm	不准有	
渣蚀			mm	不准有	

炉体耐火砖砌筑的砖缝要求:炉底、炉缸0.5 mm,炉腹、炉腰、炉身下部1.0 mm,炉身上部不大于1.5 mm,炉喉不大于2.0 mm,炭砖薄缝2.0 mm,顶斜接缝1.5 mm。

耐火泥浆的种类与砖衬成分相同,如砌陶瓷质砖则用磷酸盐泥浆,如砌铝碳化硅炭砖则用磷酸结合的铝碳化硅炭泥浆。粒度分为高炉火泥,细粒、中粒、粗粒火泥,根据砖缝大小不同选用不同粒度火泥。

炉身砖衬的脱落是现在生产高炉普遍存在的问题,为了防止砖衬脱落采取的措施有改进冷却器结构、改善耐火砖材质和增加砖托等。宝钢用的砖托如图2-12所示。在砖托下面为吸收下部砌体与砖托的热膨胀差,应设置膨胀缝,缝内填充缓冲泥浆;为使各段砖托所托之砖形成独立的砌体,在各段砖托的上下部砌体膨胀缝间,也填充缓冲泥浆。

2.2.4 炉体维护

目前国内外采用监测、控制边缘气流,喷补炉衬、灌浆和维护等手段,加强炉体维护,实现长寿目标。

2.2.4.1 *灌浆和压入泥料*

高炉投产一段时间后,炉身下部、炉腰和炉腹侵蚀较严重,炉墙热负荷增加,冷却设备破损,炉壳产生红点或者鼓包破裂,这时需采用灌浆的方法或压入泥料延长炉体寿命。

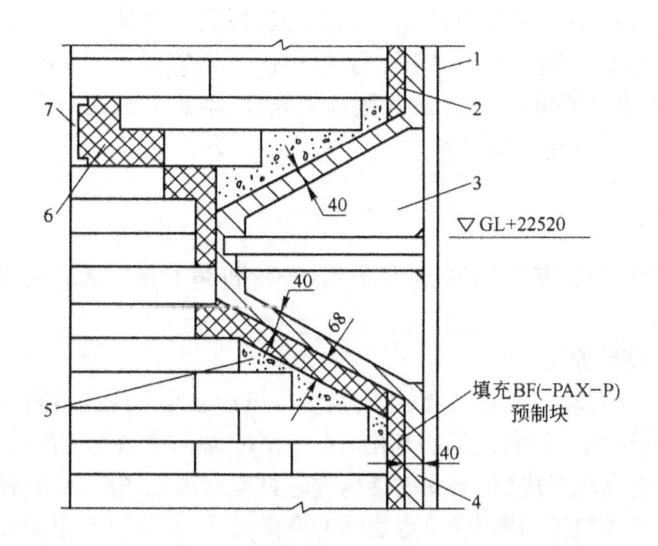

图 2-12 砖托

1—炉壳;2、5—填充料;3—砖托;4—喷涂层;6—缓冲泥浆;7—白铁皮

炉体灌浆是从高炉外通过灌浆孔灌入泥浆造衬,炉体灌浆的方法是:在休风时从炉壳外面钻孔插入喷嘴,用泥浆泵压入膏状耐火泥料。灌浆前在炉壳外部测定应该灌浆的范围、确定喷嘴数及其位置,在喷嘴数目多时应考虑钻孔引起的炉壳应力问题。

柳州钢铁厂于 1989 年 3～11 月在 318 m^3 高炉上灌浆 6 次,灌入高铝耐火材料 125 t,通过灌浆护炉产铁 96532 t。马钢 2500 m^3 高炉,对炉腰、炉腹部位进行了多次灌浆造衬,根据该部位对耐火材料性能的要求,开发了碳化硅为主骨料,以树脂为结合剂(无水结合剂)的压入料,压入造衬还与安装圆柱形小冷却器配合以恢复炉腹等部位破损冷却壁的功能。

2.2.4.2 喷补

喷补是修理炉身内衬的另一项工艺,是在炉内向炉衬损坏处喷补不定型耐火材料。

喷补一般是在残存的炉衬上进行,首先必须仔细清理炉衬表面,打掉渣皮、黏附的炉料,然后安装锚固件,锚固件长度应占喷补厚度的一半(喷补厚度为 200～300 mm)。喷补料是专门用于喷补的不定型耐火材料,按规定要求使用。喷补时将喷补料用搅拌机搅拌好,用喷补机通过压缩空气将喷补料喷涂在受喷面上。

为了提高喷补效率,近年来开发了各种喷补机,其中日本新日铁公司研制的一种热喷补机具有代表性,它是从炉顶伸入炉内向炉衬喷补的热喷补机,可在短时间内安装或拆除,在计划休风时将料面降下,不等炉衬冷却而进行喷补,并且在休风时间不太长的条件下,完成炉身内衬的修补工作。

2.2.4.3 含钛矿护炉

在炉料中加入适量的含钛矿物,可使侵蚀严重的炉底、炉缸转危为安。

生产实践表明,在含钛炉料中起护炉作用的是炉料中的 TiO_2 的还原生成物 Ti 在炉内高温还原气氛条件下,可生成 TiC、TiN 及其连接固溶体 Ti(CN),这些钛的氮化物和碳化物在炉缸炉底生成发育和集结,与铁水及铁水中析出的石墨等凝结在离冷却壁较近的被侵蚀严重的炉缸、炉底的砖缝和内衬表面。由于 Ti 的碳、氮化物的熔化温度很高,纯 TiC 为 3150℃,TiN 为 2950℃,Ti(CN)是固溶体,熔点也很高,从而对炉缸、炉底内衬起到保护作用。

高炉内衬侵蚀情况不同其钒钛铁矿加入量也不同，根据日本君津 4 号高炉经验，平常每吨铁 TiO_2 量维持在 5 kg，炉底侵蚀较严重时每吨铁 TiO_2 增加到 9～10 kg。

TiO_2 护炉底作用比较明显，护炉缸侧壁效果较差，维护炉缸还是采用加长风口或堵风口，提高炉温，减小冶炼强度效果较好。

2.3　高炉钢结构

高炉钢结构包括炉壳、炉体框架、炉顶框架、平台和梯子等。高炉钢结构是保证高炉正常生产的重要设施。

高炉钢结构的设计原则：

(1) 高炉是庞大的竖炉，设备层层叠叠，钢结构设计必须考虑到各种设备安装、检修、更换的可行性，要考虑到大型设备的运进运出，吊上吊下，临时停放等可能性。

(2) 高炉是高温高压反应器，某些钢结构构件应具有耐高温高压、耐磨和可靠的密封性。

(3) 运动装置运动轨迹周围，应留有足够的净空尺寸，并且要考虑到安装偏差和受力变形等因素。

(4) 对于支撑构件，要认真分析荷载条件，做强度计算。主要荷载包括：工作中的静荷载、动荷载、事故荷载(例如崩料、坐料引起的荷载等)，检修、安装时的附加荷载以及外荷载(风载、地震等)。

(5) 露天钢结构和扬尘点附近钢结构应避免积尘积水。

(6) 合理设置走梯、过桥和平台，使操作方便，安全可靠。

2.3.1　高炉本体钢结构

设计高炉本体钢结构，主要是解决炉顶荷载、炉身荷载传递到炉基的方式方法，并且要解决炉壳密封等。目前，高炉本体钢结构主要有以下几种形式，如图 2-13 所示。

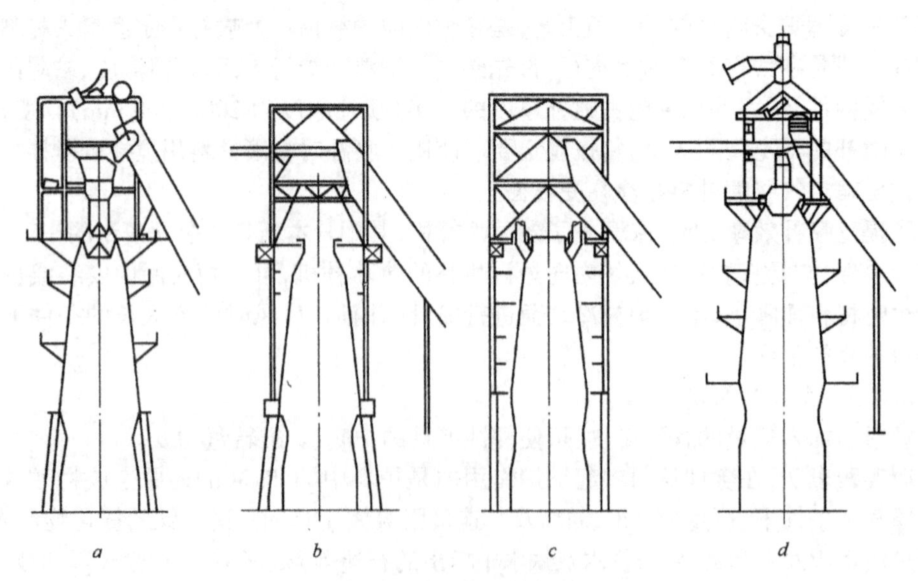

图 2-13　高炉本体钢结构

a—炉缸支柱式；*b*—炉缸炉身支柱式；*c*—炉体框架式；*d*—自立式

2.3.1.1 炉缸支柱式(见图 2-13*a*)

炉顶荷载及炉身荷载由炉身外壳通过炉缸支柱传到基础上。其特点是节省钢材,但风口平台拥挤,炉前操作不方便,并且大修时更换炉壳不方便,高炉生产过程中应注意炉身部位的冷却,特别是炉龄后期,由于受热和承重炉壳有可能变形,这将影响装料设备的准确性。目前我国 255 m^3 以下高炉多用这种结构。

2.3.1.2 炉缸炉身支柱式(见图 2-13*b*)

炉顶装料设备和煤气导出管、上升管等的重量经过炉身炉壳传递到炉腰托圈,炉顶框架、大小钟荷载则通过炉身支柱传递到炉腰托圈,然后再通过炉缸支柱传递到基础上。煤气上升管和炉顶平台分别设有座圈和托座,大修更换炉壳时炉顶煤气导出管和装料设备等荷载可作用在平台上。这种结构降低了炉壳的负荷,安全可靠。但耗费钢材较多、投资高,因此只适用于大型高炉。我国 20 世纪五六十年代所建大型高炉多采用这种结构。

2.3.1.3 炉体框架式(见图 2-13*c*)

近年来,我国新建大型高炉多采用这种结构。其特点是:用 4 根支柱连接成框架,而框架是一个与高炉本体不相连接的独守结构。框架下部固定在高炉基础上,顶端则支撑在炉顶平台。因此,炉顶框架的重量、煤气上升管的重量、各层平台及水管重量,完全由大框架直接传给基础,只有装料设备重量经炉壳传给基础。

这种结构由于取消了炉缸支柱,框架离开高炉一定距离,所以风口平台宽敞,炉前操作方便,还有利于大修时高炉容积的扩大。

2.3.1.4 自立式(见图 2-13*d*)

炉顶全部荷载均由炉壳承受,炉体周围没有框架或支柱,平台走梯也支撑在炉壳上,并通过炉壳传递到基础上。其特点是:结构简单,操作方便,节约钢材,炉前宽敞便于更换风口和炉前操作。设计时应尽量减少炉壳转折点,制造时转折点部位要平缓过渡,减小热应力;高炉生产过程中应加强炉壳冷却,特别是炉龄末期炉壳可能变形,需要增设外部喷水冷却;另外,高炉大修时炉顶设备需要另设支架。我国中小型高炉多采用这种结构。

2.3.2 炉壳

炉壳是高炉的外壳,里面有冷却设备和炉衬,顶部有装料设备和煤气上升管,下部坐落在高炉基础上,是不等截面的圆筒体。

炉壳的主要作用是固定冷却设备、保证高炉砌砖的牢固性、承受炉内压力和起到炉体密封作用,有的还要承受炉顶荷载和起到冷却内衬作用(外部喷水冷却时)。因此,炉壳必须具有一定强度。

炉壳外形与炉衬和冷却设备配置要相适应。存在着转折点,转折点减弱炉壳的强度。由于固定冷却设备,炉壳需要开孔。炉壳转折点和开孔应避开在同一个截面。炉缸下部转折点应在铁口框以下大于 100 mm 处,炉腹转折点应在风口大套法兰边缘以上大于 100 mm 处,炉壳开口处需补焊加强板。

炉壳厚度应与工作条件相适应,各部位厚度可按下式计算:

$$\delta = kD \tag{2-11}$$

式中 δ——计算部位炉壳厚度, mm;

D——计算部位炉壳外弦带直径(对圆锥壳体采用大端直径),m;

k——系数，mm/m，与弦带位置有关（见图 2-14），其值见表 2-13。

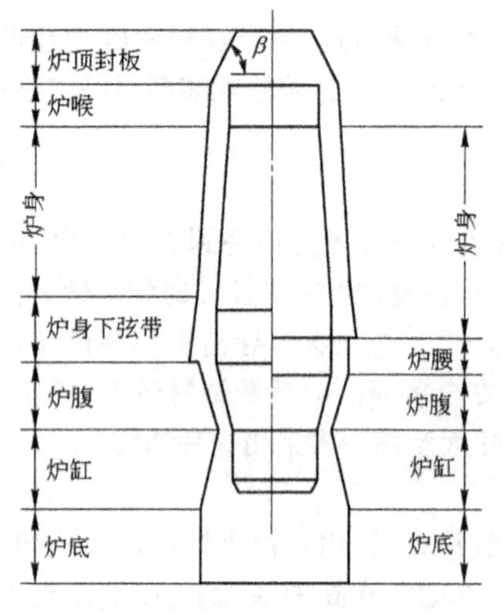

图 2-14　高炉炉体各弦带分界示意图

表 2-13　高炉各弦带 k 的取值

位置	条件	k
炉顶封板与炉喉	50°＜β＜55°	4.0
	＞55°	5.0
高炉炉身		2.0
高炉炉身下弦带		2.2
风口带到炉腹上折点		2.7
炉缸及炉底		3.0

炉身下弦带高度一般不超过炉身高度的 1/4～1/3.5。高炉下部钢壳较厚，是因为这个部位经常受高温的作用，以及安装渣口、铁口和风口、开孔较多的缘故。炉壳一般由碳素钢板或低合金钢板焊成，厚度大于 10 mm 的钢板要铲坡，竖缝采用“V”或“X”坡口焊接，横缝采用斜“V”或“K”坡口焊接。我国某些高炉炉壳厚度见表 2-14。

表 2-14　我国某些高炉炉壳厚度

高炉容积/m³		255	620	620	1000	1513	2025	4063
高炉结构形式		自立式	炉缸支柱	自立式	炉体框架	炉缸支柱	炉体框架	炉体框架
高炉炉壳厚度/mm	炉　底	16	25	28	28/32	36	36	65，铁口区 90
	风口区	16	25	28	32	32	36	90
	炉　腹	16	22	28	28	30	32	60
	炉　腰	16	22	22	28	30	30	60
	托　圈	–	30	–	–	36	–	–
	炉身下部	14	18	20	25	30	28	炉身由下而上依次为 55，50，40，32，40
	炉顶及炉喉	14	25	25	25	36	36	
	炉身其他部位	12	18	18	20	21	24	

2.3.3　炉体框架

炉体框架由四根支柱组成，上至炉顶平台，下至高炉基础，与高炉中心成对称布置，在风口平台以上部分采用钢结构，有“工”字断面，也有圆形断面，圆筒内灌以混凝土。风口平台以下部分可以是钢结构，也可以采用钢筋混凝土结构。一般情况下应保证支柱与热风围管有 250 mm 间距。

2.3.4 炉缸炉身支柱、炉腰支圈和支柱座圈

炉缸支柱是用来承担炉腹或炉腰以上,经炉腰支圈传递下来的全部荷载。它的上端与炉腰支圈连接,下端则伸到高炉基座的座圈上。大中型高炉一般都是用 24～40 mm 的钢板,焊成工字形断面的支柱,为了增加支柱的刚度,常加焊水平筋板。支柱向外倾斜 6°左右,以使炉缸周围宽敞。

支柱的数目常为风口数目的一半或 1/3,并且均匀地分布在炉缸周围,其位置不能影响风口、铁口、渣口的操作,其强度则应考虑到个别支柱损坏时,其他相邻支柱仍能承担全部荷载。为了防止发生炉缸烧穿时,渣铁水烧坏炉缸支柱,应从高炉基座的座圈直到铁口以上 1 m处的支柱表面,用耐火砖衬保护。

炉身支柱的作用是支撑炉顶框架及炉顶平台上的荷载、炉身部分的平台走梯、给排水管道等。一般为 6 根,下端应与炉缸支柱相对应。在确定炉身支柱与高炉中心的距离时,要考虑到炉顶框架的柱脚位置、炉身与炉腰部分冷却设备的布置和更换。

炉腰支圈的作用是把它承托的上部均布荷载(砌砖重量及压力等)变成几个集中载荷传给炉缸支柱,同时也起着密封作用。它是由几块 30～40 mm 厚的钢板铆接式焊接而成的。在它与上下炉壳相接处,两侧都用角钢加固,在外侧边缘也用角钢加固,以加强其刚性,其结构如图 2-15所示。

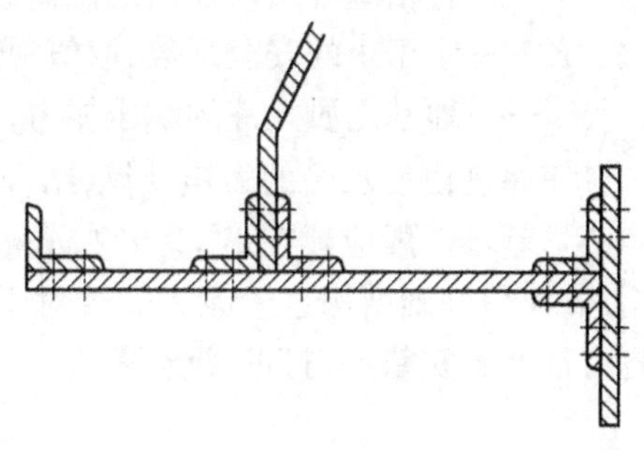

图 2-15 炉腰支圈

支柱座圈是为了使支柱作用于炉基上的力比较均匀,在每个支柱下面都有铸铁或型钢做成的单片垫板,并且彼此用拉杆或整环连接起来,以防止支柱在推力作用下或基础损坏时发生位移。

2.4 高炉基础

高炉基础是高炉下部的承重结构,它的作用是将高炉全部荷载均匀地传递到地基。高炉基础由埋在地下的基座部分和地面上的基墩部分组成,如图 2-16 所示。

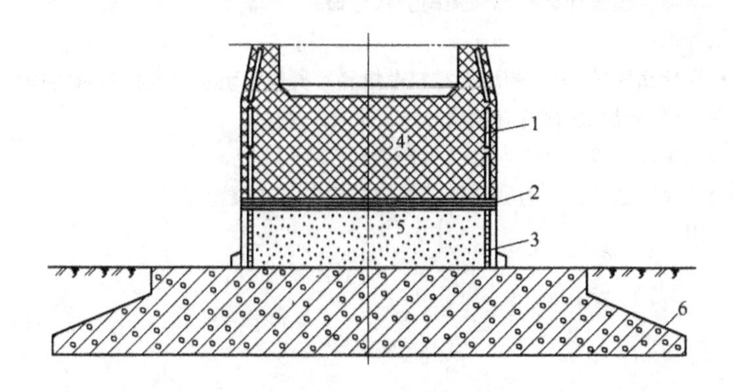

图 2-16 高炉基础

1—冷却壁;2—水冷管或风冷;3—耐火砖;4—炉底砖;5—耐热混凝土基墩;6—钢筋混凝土基座

对高炉基础的要求有以下两点：

(1) 高炉基础应把高炉全部荷载均匀地传给地基，不允许发生沉陷和不均匀的沉陷。高炉基础下沉会引起高炉钢结构变形，管路破裂。不均匀下沉将引起高炉倾斜，破坏炉顶正常布料，严重时不能正常生产。

(2) 具有一定的耐热能力。一般混凝土只能在 150 ℃以下工作，250℃便有开裂，400℃时失去强度，钢筋混凝土 700 ℃时失去强度。过去由于没有耐热混凝土基墩和炉底冷却设施，炉底破损到一定程度后，常引起基础破坏，甚至爆炸。采用水冷炉底及耐热基墩后，可以保证高炉基础很好工作。

基墩断面为圆形，直径与炉底相同，高度一般为 2.5～3.0 m，设计时可以利用基墩高度调节铁口标高。

基座直径与荷载和地基土质有关，基座底表面积可按下式计算：

$$A = P/KS_{允} \tag{2-12}$$

式中 A——基座底表面积，m^2；

P——包括基础质量在内的总荷载，t；

K——小于 1 的安全系数，取值视地基土质而定；

$S_{允}$——地基土质允许的承压能力，MPa。

基座厚度由所承受的力矩计算，结合水文地质条件及冰冻线等综合情况确定。

高炉基础一般应建在 $S_{允}>0.2$ MPa 的土质上，如果 $S_{允}$ 过小，基础面积将过大，厚度也要增加，使得基础结构过于庞大。故对于 $S_{允}<0.2$ MPa 的地基应加以处理，视土层厚度，处理方法有夯实垫层、打桩、沉箱等。

1. 对内型设计的要求有哪些？高炉炉型各部分对高炉生产有何影响？
2. 现代高炉炉型有什么特点？
3. 高炉各部位炉衬破损机理是什么？如何提高炉衬寿命？
4. 炉腰有哪几种结构形式？
5. 高炉对耐火材料有什么要求，常用的耐火材料及填料有哪些？碳质耐火材料有何特点？
6. 试比较综合炉底、全炭砖炉底、陶瓷杯加炭砖炉底的优缺点。
7. 什么叫炉墙喷补和炉体灌浆？什么叫含钛料护炉？
8. 高炉钢结构的设计原则是什么？有哪几种高炉钢结构的基本类型？
9. 炉腰支圈有何作用？

3 高炉冷却设备

3.1 冷却设备的作用

高炉冷却设备是高炉炉体结构的重要组成部分,对炉体寿命可起到如下作用:

(1) 保护炉壳。在正常生产时,高炉炉壳只能在低于80℃的温度下长期工作,炉内传出的高温热量由冷却设备带走85%以上,只有约15%的热量通过炉壳散失。

(2) 对耐火材料进行冷却和支承。在高炉内耐火材料的表面工作温度高达1500℃左右,如果没有冷却设备,在很短的时间内耐火材料就会被侵蚀或磨损。通过冷却设备的冷却可提高耐火材料的抗侵蚀和抗磨损能力。冷却设备还可对高炉内衬起支承作用,增加砌体的稳定性。

(3) 维持合理的操作炉型。使耐火材料的侵蚀内型线接近操作炉型,对高炉内煤气流的合理分布、炉况的顺行起到良好的作用。

(4) 当耐火材料大部分或全部被侵蚀后,能靠冷却设备上的渣皮继续维持高炉生产。

3.2 冷却介质

根据高炉不同部位的工作条件及冷却的要求,所用的冷却介质也不同,一般常用的冷却介质有:水、空气和汽水混合物,即水冷、风冷和汽化冷却。对冷却介质的要求是:有较大的热容量及导热能力;来源广、容易获得、价格低廉;介质本身不会引起冷却设备及高炉的破坏。

高炉冷却用冷却介质主要是水,很少使用空气。因为水热容量大,热导率大,便于输送,成本低廉。汽化冷却即汽-水混合物作冷却介质,冷却潜热大,用量少,可以节水节电,适于缺水干旱地区,但对热流强度大的区域(如风口),冷却效果不佳且不易检漏,故没有被大量采用。空气热容小,导热性不好,热负荷大时不宜采用,而且排风机消耗动力大,冷却费用高。以前曾采用风冷炉底,现在也被水冷炉底所代替。

工业用水的来源是江河湖泊水(称地表水),也有井水(称地下水)。一般来说,地表水的硬度、碱度、氯根及含盐量都比地下水低些,但是悬浮物及有机物的含量则往往比地下水高些。以每立方米水中钙、镁离子的摩尔数表示水的硬度。根据硬度不同,水可分为软水(小于3 mol/m^3),硬水(3~9 mol/m^3),极硬水(大于9 mol/m^3)。水的硬度高,冷却器易结水垢,水垢的导热系数很小,易造成局部过热烧坏冷却器,故要不定期地进行酸洗。如水中含氯根、硫酸根很高时,会很快腐蚀冷却设备。沿海地区受海水影响有的含氯根高,高原地区也有含氯很高的。地下水共同的特点是碱度较高,如阳泉钢铁厂炉壳喷水处都是白色的水垢。

根据不同处理方法所得到的冷却用水分为普通工业净化水、软水和纯水。

(1) 普通工业净化水是天然水经过沉淀及过滤处理后,去掉了水中大部分悬浮物杂质,而溶解杂质并未发生变化的净化水。高炉用普通工业净化水的要求见表3-1。

表 3-1 高炉用普通工业净化水的要求

指　　标	小 型 高 炉	大中型高炉
进水温度/℃	<40(外部喷水冷却 50℃)	<35
悬浮物/mg·L^{-1}	<200	<200
硬度/mmol·L^{-1}	<3.57	<3.57

(2) 软水是指将水中硬度(主要指水中 Ca^{2+}、Mg^{2+} 阳离子)去除或降低到一定程度,而水中其他的阴离子没有改变的净化水。对水的软化有三种基本方法:化学软化法、离子交换软化法和热力软化法。离子交换软化法即利用离子交换剂活性基因中的 Na^{+} 等阳离子与水中的 Ca^{2+}、Mg^{2+} 离子,达到转化的目的。这种方法和其他两种方法相比,能够比较彻底地除去水中 Ca^{2+}、Mg^{2+} 离子。软水和纯水水质指标见表 3-2。

表 3-2 软水和纯水水质指标

水 质 项 目	软　　水	纯　　水
溶解固体/mg·L^{-1}	5~10	2~3
硬度/mmol·L^{-1}	<0.035	0
碱度/mmol·L^{-1}	4~20	0.04~0.1
氯根/mg·L^{-1}	<600	0.02~0.08
硅酸根/mg·L^{-1}	<70	0.02~0.1
电导率/s·m^{-1}	<0.05	$<10^{-3}$
电阻率/Ω·m	<20	700~1000

(3) 纯水即脱盐水,纯水中阴、阳离子的残余含量极微,基本上是无杂质的净化水。软化水的一般水质指标见表 3-2。

3.3 高炉冷却设备结构

由于高炉各部位热负荷不同,采用的冷却形式也不同。现代高炉冷却方式有外部冷却和内部冷却两种,内部冷却结构又分为冷却壁、冷却板、板壁结合冷却结构及炉底冷却。

3.3.1 外部喷水冷却

在炉身和炉腹部位装设有环形冷却水管,水管直径 ϕ50~150 mm,距炉壳约 100 mm,水管上朝炉壳的斜上方钻有若干 ϕ5~8 mm 小孔,小孔间距 100 mm。冷却管水经小孔喷射到炉壳上进行冷却。为了防止喷溅,在炉壳上装有防溅板,防溅板与炉壳间留有 8~10 mm 缝隙,冷却水沿炉壳流下至集水槽再返回水池。外部喷水冷却装置结构简单,检修方便,造价低廉。

喷水冷却装置适用于小型高炉,对于大型高炉,只有在炉龄晚期冷却设备烧坏的情况下使用,作为一种辅助性的冷却手段,防止炉壳变形和烧穿。宝钢 1 号高炉在炉缸部分无冷却器,采用外部喷水冷却,如图 3-1 所示,条件是必须与炭质炉衬相结合,而且要求炭砖与炉壳间的填料要捣紧,传导传热才能好,冷却效果才能高。缺点是工作环境差,并需采取安全措施,以防主沟漏铁发生事故。

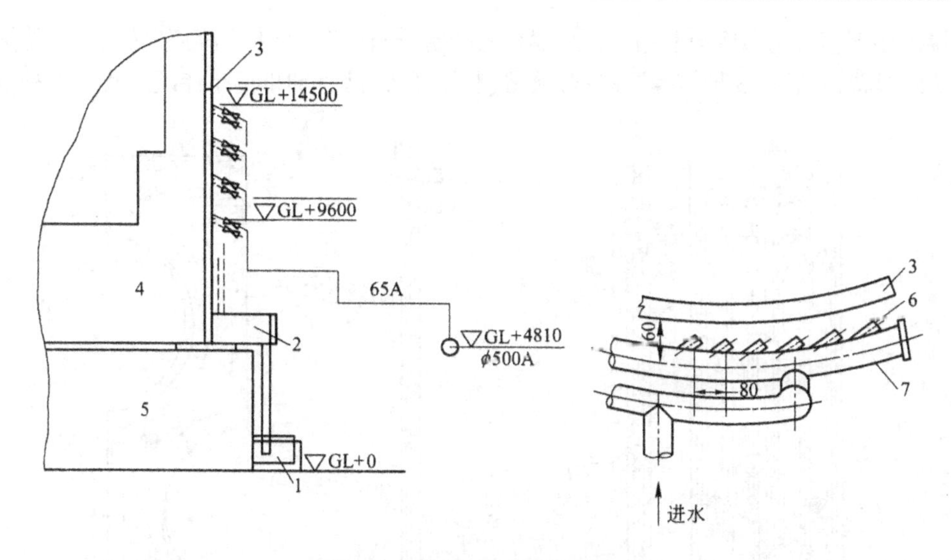

图 3-1 喷水环管与喷水嘴布置

1—集水坑；2—水槽；3—炉壳；4—炭砖炉衬；5—基础混凝土；6—喷水嘴；7—喷水环管

3.3.2 冷却壁

冷却壁设置于炉壳与炉衬之间，它是内部铸有无缝钢管的铸铁板，有光面冷却壁和镶砖冷却壁两种，前者用于炉腹以上，后者用于炉缸炉底周围。采用冷却壁的优点是炉壳开孔少而小，不损坏炉壳钢板强度，有良好的密封性，特别是在采用高压操作的高炉上，更显出它的特殊优越性，这是冷却板所比不上的，还有冷却均匀、炉衬内壁光滑等优点，适宜于薄炉衬结构采用。缺点是冷却壁损坏后不能更换，影响冷却面积较大，故需辅以喷水冷却。

3.3.2.1 光面冷却壁

光面冷却壁基本结构见图 3-2 所示。铸入的无缝钢管为 ϕ34 mm×5 mm 或 ϕ44.5 mm ×6 mm，中心距为 100～200 mm 的蛇形管，管外壁距冷却壁外表面为 30 mm 左右，所以光面冷却壁厚 80～120 mm，水管进出部分需设保护套焊在炉壳上，以防开炉后冷却壁上涨，将水管切断。

风口区冷却壁的块数为风口数目的两倍；渣口周围上下段各两块，由 4 块冷却壁组成。光面冷却壁尺寸大小要考虑到制造与安装方便，冷却壁宽度一般为 700～1500 mm，圆周冷却壁块数最好取偶数；冷却壁高度视炉壳折点而定，一般小于 3000 mm，应方便吊运和容易送入炉壳内。冷却壁用方头螺栓固定在炉壳上，每块 3～4 个螺栓。同段冷却壁间垂直缝为 20 mm，上下段间水平缝为 30 mm，上下两段冷却壁间垂直缝应相互错开，缝间用铁质锈接料锈接严密。光面冷却壁与炉壳留 20 mm 缝隙，并用稀泥浆灌满，与砖衬间留缝 100～150 mm，填以碳素料。

3.3.2.2 镶砖冷却壁

所谓镶砖冷却壁就是在冷却壁的内表面侧(高炉炉体内侧)的铸肋板内铸入或砌入耐火材料，耐火材料的材质一般为黏土质、高铝质、炭质或碳化硅质。一般是在制作砂型时就将耐火砖砌入铸型中，然后注入铁水。也有的是先浇铸成带肋槽的冷却壁，然后将耐火砖砌入肋槽内或者将不定形耐火材料填充在肋槽内。

镶砖冷却壁与光面冷却壁相比,更耐磨、耐冲刷、易黏结炉渣生成渣皮保护层,代替炉衬工作。从外形看,一般有 3 种结构型式:普通型、上部带凸台型和中间带凸台型,见图 3-3*a*、*b*、*c*。

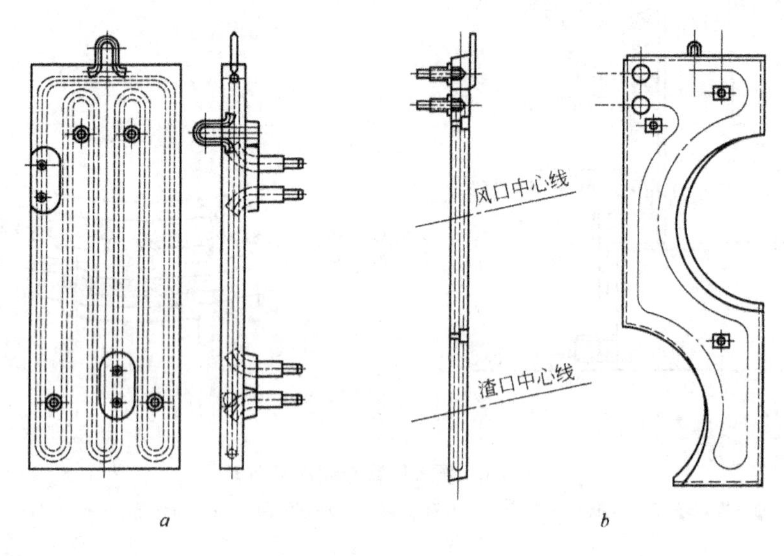

图 3-2　光面冷却壁

a—光面冷却壁;*b*—风渣口光面冷却壁

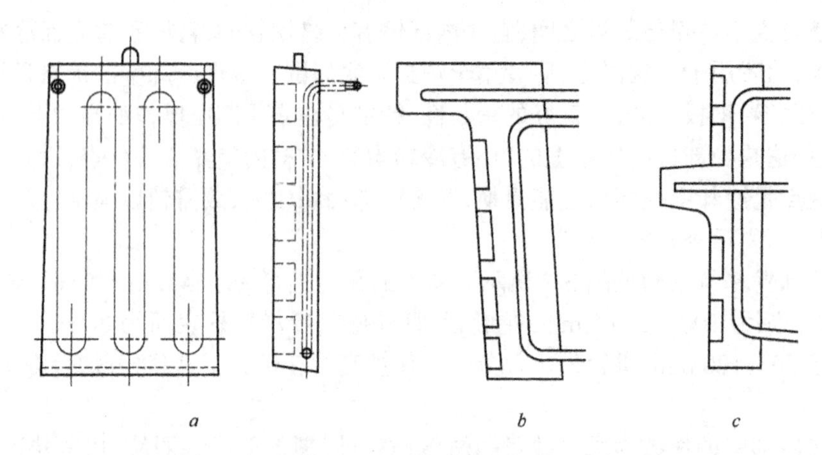

图 3-3　镶砖冷却壁基本结构

a—镶砖冷却壁;*b*—上部带凸台镶砖冷却壁;*c*—中部带凸台镶砖冷却壁

凸台冷却壁的凸台部分起到支撑上部砌砖的作用,可以取消最上层的支梁水箱,简化了冷却系统结构、减少了炉壳开孔。中间带凸台的冷却壁比上部带凸台的有更大的优越性,当凸台部分被侵蚀后整个冷却系统仍是一个整体,而上部带凸台的冷却壁当凸台被侵蚀后,凸台部分就不起冷却作用了。

镶砖冷却壁厚度为 250～350 mm,主要用于炉腹、炉腰和炉身下部冷却,炉腹部位用不带凸台的镶砖冷却壁。

冷却水管在冷却壁内的排列形状、位置、数量和层数以及冷却壁本身的材质对冷却壁的寿命是至关重要的。通过研究冷却壁的损坏机理和考虑它的结构合理性后,新日铁开发了四代镶砖冷却壁,其结构见图 3-4。其中第三代和第四代冷却壁的主要特点是:

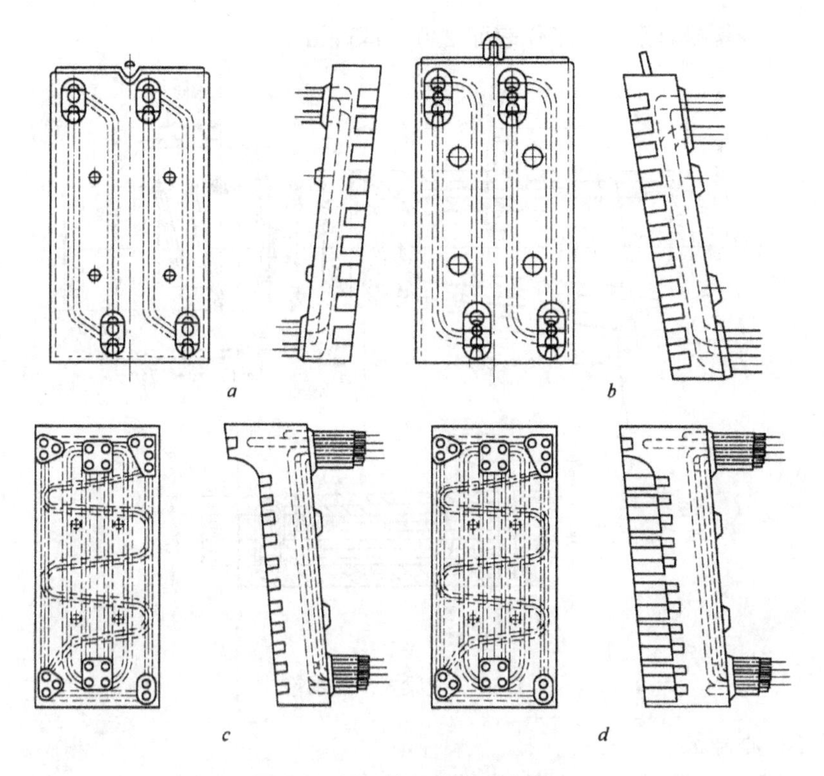

图 3-4 新日铁四代镶砖冷却壁

a—第一代；*b*—第二代；*c*—第三代；*d*—第四代

(1) 设置边角冷却水管，以防止冷却壁边角部位母材开裂。

(2) 采用双层冷却水管，即在原有的冷却水管背面设置蛇形冷却水管，不但加强了冷却强度，而且当内层冷却管损坏后，外层冷却管仍可继续工作，从而保证了炉役末期继续维持正常冷却。

(3) 加强凸台部位的冷却强度，采用双排冷却水管冷却，并在凸台部位前端埋入耐火砖，防止强热负荷作用下的损坏。

(4) 第四代冷却壁的炉体砌砖与冷却壁一体化，即将氮化物结合的碳化砖（相当于炉体砌砖）与冷却壁合铸在一起，这样较好地解决了砖衬的支承问题，缩短了施工工期。

3.3.3 插入式冷却器

此类冷却器有支梁式水箱、扁水箱和冷却板等，均埋设在砖衬内，冷却深度较深，但为点冷却，炉役后期，内衬工作面凹凸不平，不利于炉料下降，炉壳开空多对炉壳强度和密封也带来不利影响。

3.3.3.1 支梁式水箱

支梁式水箱为铸有无缝钢管的楔形冷却器，如图 3-5 所示，它有支撑上部砖衬的作用，并可维持较厚的砖衬，水箱本身有与炉壳固定的法兰圈，所以密封性好，同时重量较轻，便于更换。由于冷却强度不大，且受形状限制，密排困难，故多安装在炉身中部用以托砖，常为 2～3 层，呈棋盘式布置。上下两层间距多为 600～800 mm，同一层相邻两块之间一般间距

1300～1700 mm,其端面距内衬工作表面 230～345 mm。

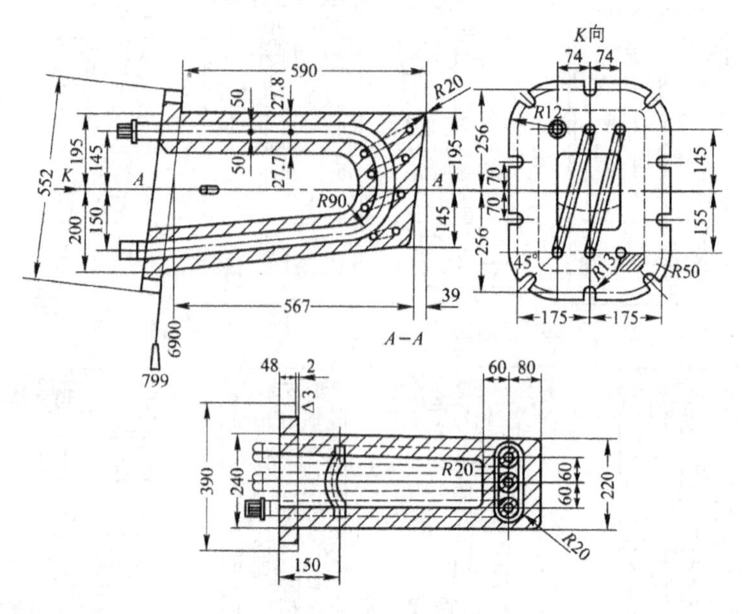

图 3-5　支梁式冷却水箱

3.3.3.2　冷却板

冷却板又称扁水箱,如图 3-6 所示,材质有铸铜、铸钢、铸铁和钢板等。冷却板厚度 70～110 mm,内部铸有 $\phi 44.5$ mm×6 mm 无缝钢管,常用在炉腰和炉身部位,呈棋盘式布置,一般上下层间距 500～900 mm,同层间距 150～300 mm。炉腰部位比炉身部位要密集一些,若有炉腰支圈,扁水箱可在其上沿圆周分布,以保护托圈和炉腹(或炉腰)部位的冷却壁的上端不被烧坏。冷却板前端距炉衬设计工作表面一砖距离 230 mm 或 345 mm,冷却水进出管与炉壳焊接,密封性好。有的高炉采用波纹管,效果较好。

由于铜冷却板具有导热性好、铸造工艺较简单的特点,所以从 18 世纪末期就开始用于高炉冷却。在一百多年的使用中,进行了不断的改进,发展为现在的六室双通道结构,如图 3-7 所示。它是采用隔板将冷却板腔体分隔成 6 个室,即把冷却板断面分成 6 个流体区域,并采用两个进出水通道进行冷却。

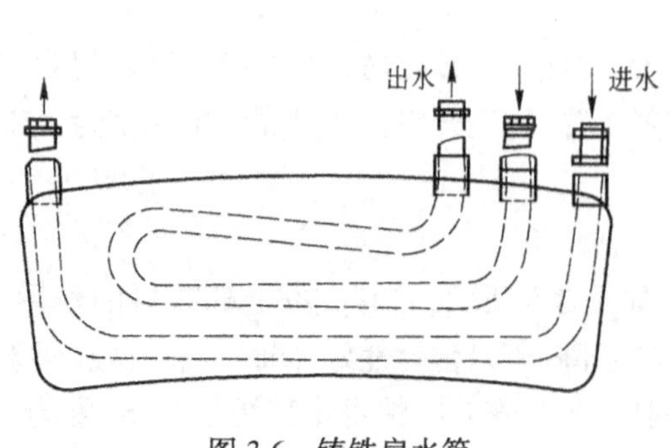

图 3-6　铸铁扁水箱

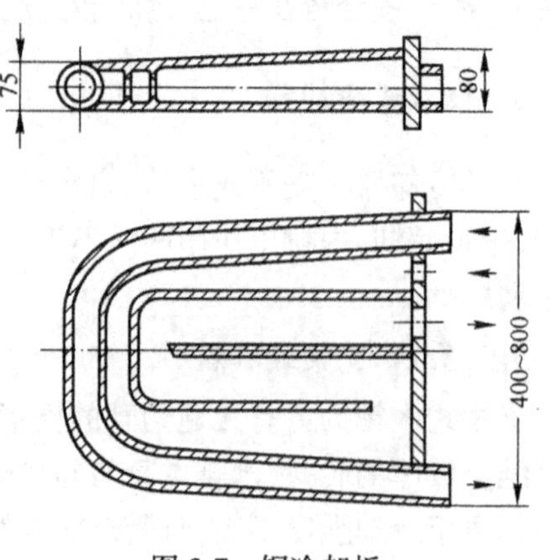

图 3-7　铜冷却板

此种冷却板结构的特点：

(1) 适用于高炉高热负荷区的冷却，采用密集式的布置形式，如宝钢1号和2号高炉冷却板层距为312 mm。

(2) 冷却板前端冷却强度大，不易产生局部沸腾现象；

(3) 当冷却板前端损坏后可继续维持生产；

(4) 双通道的冷却水量可根据高炉生产状况分别进行调整。

3.3.4　板壁结合冷却结构

冷却板的冷却原理是通过分散的冷却元件伸进炉内(一般长度为700～800 mm)来冷却周围的耐火材料，并通过耐火材料的热传导作用来冷却炉壳，从而起到延长耐火材料使用寿命和保护炉壳的作用。冷却壁的冷却原理是通过冷却壁形成一个密闭的围绕高炉炉壳内部的冷却结构，实现对耐火材料的冷却和对炉壳的直接冷却，从而起到延长耐火材料使用寿命和保护炉壳的作用。

对于全部使用冷却板设备冷却的高炉，冷却板设置在风口部位以上一直到炉身中上部。炉身中上部到炉喉钢砖和风口以下采用喷水冷却或光面冷却壁冷却。

全部使用冷却壁设备冷却的高炉，一般在风口以上一直到炉喉钢砖采用镶砖冷却壁，风口以下采用光面冷却壁。在实际使用中，大多数高炉根据冶炼的需要，在不同部位采用各种不同的冷却设备。近十多年来，随着炼铁技术的发展和耐火材料质量的提高，高炉寿命的薄弱环节由炉底部位的损坏转移到炉身下部的损坏。因此，为了缓解炉身下部耐火材料的损坏和保护炉壳，国内外一些高炉的炉身部位采用了冷却板和冷却壁交错布置的结构形式，这种冷却结构形式对整个炉体冷却来说，称为板壁结合冷却结构，它起到了加强耐火材料的冷却和支托作用，又使炉壳得到了全面的保护。

日本川崎制铁厂的千叶6号高炉(4500 m^3)和水岛4号高炉(4826 m^3)，在炉身部位采用冷却板和冷却壁交错布置的冷却结构，如图3-8所示。

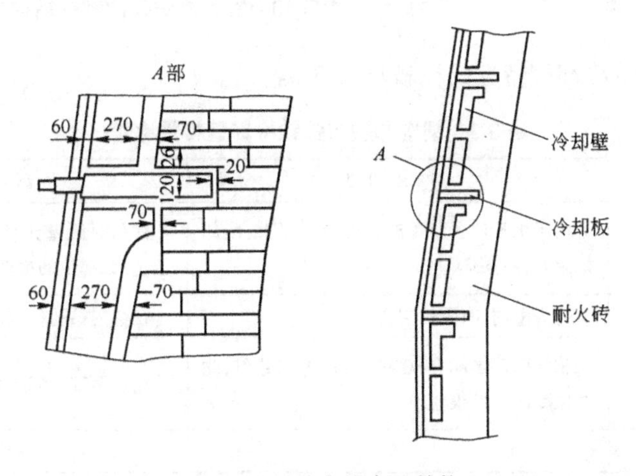

图3-8　板壁交错布置结构

在高炉炉身部位使用板壁结合冷却结构形式，是一种新型的冷却结构形式。它既实现了冷却壁对整个炉壳的覆盖冷却作用，又实现了冷却板对炉衬的深度方向的冷却，并对冷却壁上下层接缝冷却的薄弱部位起到了保护作用,因而有良好的适应性。

3.3.5　铜冷却壁

由于球墨铸铁在高炉操作的条件下磨损严重,同时在热负荷和温度的急剧波动条件下,其裂纹敏感性也很高,甚至在第四代铸铁冷却壁上也不能完全克服这些不足之处,这就限制了冷却壁寿命的进一步提高。铸铁冷却壁的冷却水管是铸入球墨铸铁本体内的,由于材质及膨胀系数不同,冷却水管与铸铁本体之间存在 0.1～0.3 mm 的气隙,这一气隙会成为冷却壁传热的主要限制环节。另外,冷却壁中铸入冷却水管而使铸造本体产生裂纹,并且在铸造过程中为避免石墨渗入冷却水管中必须采用金属或陶瓷涂料层加以保护,保护层起了隔热夹层作用,引起温度梯度增大,造成热面温度升高而产生裂纹。

铸铁冷却壁主要存在着两个问题,一是冷却壁的材质问题,二是水冷管的铸入问题。为了解决这两个问题,人们开始研究轧制铜冷却壁。此种铜冷却壁是在轧制好的壁体上加工冷却水通道和在热面上设置耐火砖。铜冷却壁的典型结构如图 3-9 所示,首钢 2 号高炉试验用铜冷却壁结构如图 3-10 所示。

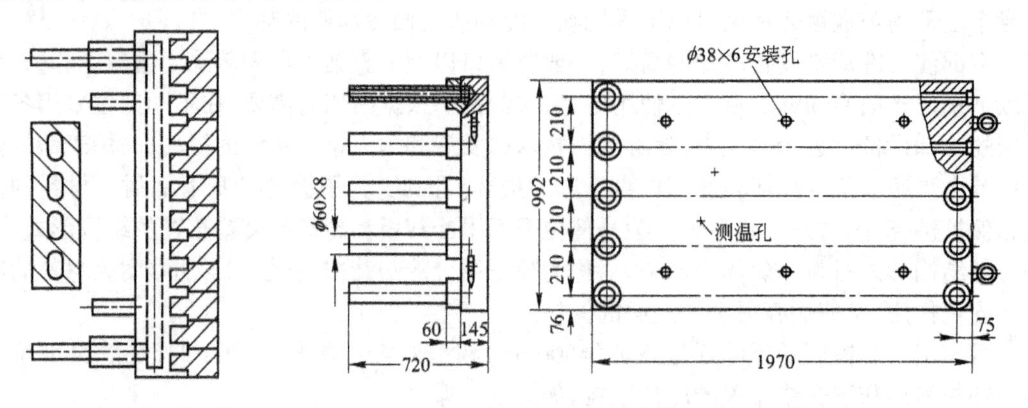

图 3-9　铜冷却壁结构　　　　图 3-10　首钢高炉铜冷却壁结构

铜冷却壁与铸铁冷却壁特性的比较见表 3-3。

表 3-3　铜冷却壁与铸铁冷却壁特性比较

项　目	铸铁冷却壁	铜 冷 却 壁
冷却效果	由于水管位置距角部和边缘有要求,冷却效果差,易损坏	钻孔时距壁角和边缘部位的距离可缩短,使二部位的冷却效果好
冷却水管	铸入壁内,有隔热层存在	在壁内钻孔,无隔热层存在
壁间距离	相邻两壁之间有 30～40 mm 宽的缝隙,此部位冷却条件很差	相邻两壁之间距离可缩小到 10mm
热导率/W·(m·K)$^{-1}$	45	340～385

铜冷却壁有以下特点:

(1) 铜冷却壁具有热导率高,热损失低的特点。目前,国内外铜冷却壁大多以轧制纯铜(Cu≥99.5%)为材质,经钻孔加工而成的。这样制作出来的铜冷却壁的冷却通道与壁体是一个有机的整体，消除了铸铁冷却壁因水管与壁体之间存在气隙而形成隔热屏障的弊端，再加上铜本身具有的高导热性，这样就使得铜冷却壁在实际使用过程中能保持非常低的工作温度。

(2) 利于渣皮的形成与重建。较低的冷却壁热面温度是冷却壁表面渣皮形成和脱落后快速重建的必要条件。由于铜冷却壁具有良好的导热性，因而能形成一个相对较冷的表面，从而为渣皮的形成和重建创造条件。由于渣皮的导热性极低，渣皮形成后就形成了由炉内向铜冷却壁传热的一道隔热屏障，从而减少了炉内热损失。研究表明，在渣皮脱落后，铜冷却壁能在 15 min 内完成渣皮的重建，而双排水管球墨铸铁冷却壁则至少需要 4 h。

(3) 铜冷却壁的投资成本。使用铜冷却壁，并不意味着高炉投资成本增加，这主要是基于以下几点考虑：1) 单位重量的铜冷却壁比铸铁冷却壁价格要高，但单位重量的铜冷却壁冷却的炉墙面积要比铸铁冷却壁大 1 倍，这样计算，铜冷却壁的价格就相对便宜了些。2) 铜冷却壁前不必使用昂贵的或很厚的耐火材料。使用铸铁冷却壁时，对其前端砌筑的耐火材料要求较高，在炉腹、炉腰和炉身下部多使用碳化硅砖或氮化硅结合碳化硅砖，这些砖的价格较高，相应地增加了冷却设备的投资。高炉使用铜冷却壁，主要是利用其高导热性形成较低的表面温度，从而形成稳定的渣皮来维持高炉生产，而不是主要靠砌筑在其前端的耐火材料来维持高炉生产，因此，铜冷却壁前端的耐火材料的耐久性和质量并不十分重要。西班牙两座使用铜冷却壁的高炉的生产实践表明，铜冷却壁前端砌筑的耐火材料在高炉开炉 6 个月后就已侵蚀殆尽。当然铜冷却壁前还是有必要砌一定的耐火材料的，因为在高炉开炉初期，铜冷却壁需要耐火材料的保护。3) 使用铜冷却壁可将高炉寿命延长至 15～20 年，因此可缩短高炉休风时间，从而达到增产的效果。

蒂森高炉的炉腰、炉腹采用铜冷却壁后，炉缸寿命很难适应炉体寿命。为了延长炉缸寿命，消除炉缸烧穿的危险，德国 SMS 公司已开发出了安装在炉缸部位的铜冷却壁。

3.3.6 炉身冷却模块技术

为提高高炉炉身寿命，前苏联开发了一种新型炉身结构并广泛应用于高炉生产。新型炉身取消了砖衬和冷却壁，将厚壁(14～16 mm)把手型无缝钢管作为冷却元件直接焊在炉壳上，并浇铸耐热混凝土，混凝土层高出水管 110～130 mm，这样就形成了由炉壳—厚壁钢管—耐热混凝土构成的大型冷却模块。冷却模块将炉身部位的炉壳沿径向分成数块，块数取决于炉前的起重能力，唐钢 1260 m^3高炉是 10 块。通过炉顶托圈吊装与炉腰炉壳对接，经两面焊接后即形成新炉身。主要技术优点如下：

(1) 根据乌克兰高炉的经验与传统的“炉壳—铸铁冷却壁—炉衬”相比，炉身寿命可提高近 1 倍。

(2) 明显降低炉身造价。鞍钢 1 号高炉大修实践表明，新型冷却模块结构与原结构(冷却壁 + 耐火砖)相比，炉身大修费用降低 41%。

(3) 缩短大修时间。大型模块的制造可在停炉前预先进行。停炉后只进行吊装、焊接、浇注对接缝等，相当于在高炉上整体组装炉身，大大缩短大修工期。

(4) 高炉大修初始即形成操作炉型，有利高炉顺行，同时由于炉衬减薄，也扩大了炉容，在供排水方面无特殊要求，利用原有系统即可正常进行。

3.3.7　水冷炉底结构

大型高炉炉底直径大，单靠炉底周围冷却不能使中心热量放出，故必须进行炉底冷却。水冷炉底采用最广泛，一般是在炉底砌砖与耐热混凝土之间排列水管冷却，靠中心密些，靠边缘疏些，这主要是从冷却强度考虑的。

图 3-11 为高炉水冷炉底结构示意图，这是常见的一种水冷炉底结构形式。水冷管中心线以下埋置在炉基耐火混凝土基墩上表面中，中心线以上为碳素捣固层，水冷管为 ϕ40 mm ×10 mm，炉底中心部位水冷管间距 200～300 mm，边缘水冷管间距为 350～500 mm，水冷管两端伸出炉壳外 50～100 mm。炉壳开孔后加垫板加固，开孔处应避开炉壳折点 150 mm 以上。

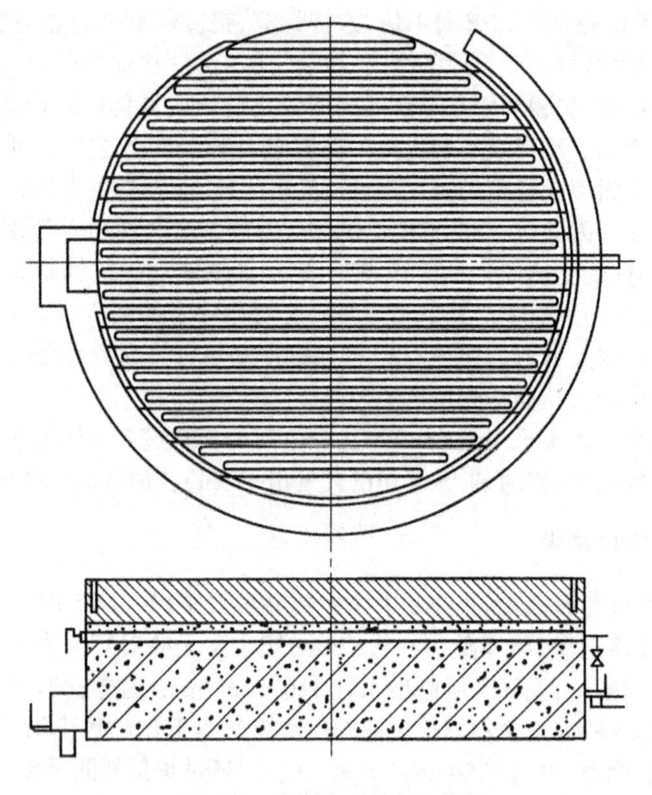

图 3-11　高炉水冷炉底结构图

水冷炉底结构应保证切断给水后，可排出管内积水，工作时排水口要高于水冷管水平面，保证管内充满水。

大型高炉采用高压操作时，有增加炉底密封底板的趋向。水冷管如排列在密封底板上方，炉壳开孔多，密封较难，但水冷管与炉底砖之间接触好些，冷却效果好些。水冷管如排列在密封底板下方，炉壳不开孔，密封性好，但水冷管与密封底板之间要进行压力灌浆，以改善接触提高冷却效果。

宝钢高炉采用水冷管排列在密封底板下方，如图 3-12 所示，混凝土基础上设有两层横梁，上层固定水冷管，同时承受底板以上荷重，下层埋在混凝土内，以提高结构强度。水冷管选用耐腐蚀的含铜钢管，并用纯水冷却，以延长其寿命。

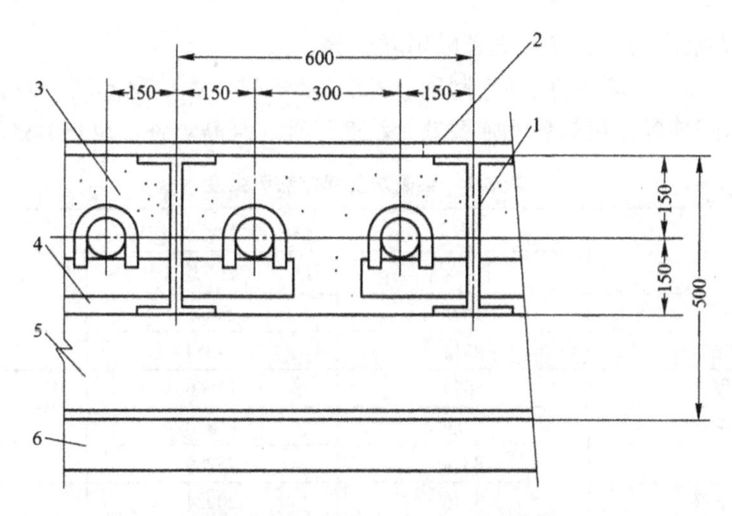

图 3-12 宝钢高炉水冷管炉底结构

1—上层横梁;2—压浆孔;3—炭质不定形耐火材料;
4—黏土质不定形耐火材料;5—下层横梁;6—混凝土

3.4 冷却设备工作制度

冷却设备的工作制度,即制定和控制冷却水的流量、流速、水压和进出水的温度差等。合理的冷却制度应该是:高炉各部位的用水量与其热负荷相适应;冷却器内水速、水量和水质与冷却器结构相适应;水质合乎要求,进出水温差适当。若供水和排热之间有矛盾,会影响冷却设备和炉体的寿命。

3.4.1 水的消耗量

高炉某部位需要由冷却水带走的热量称为热负荷,单位表面积冷却器的热负荷称为热流强度。热负荷可写为

$$Q = cM(t - t_0) \times 10^3 \tag{3-1}$$

$$q = \frac{Q}{F} \tag{3-2}$$

式中 Q——热负荷,kJ/h;

c——水的质量热容,J/(kg·K)或 kJ/(m³·℃);

M——冷却水消耗量,t/h;

t——冷却水出水温度,℃;

t_0——冷却水进水温度,℃;

q——热流强度,kJ/(m²·h);

F——冷却器的冷却面积,m²。

由式(3-1)可知,冷却水消耗量与热负荷、进出水温度差有关。高炉冶炼过程中在某一段特定时间内(炉龄的初期、中期和晚期等)可以认为热负荷是常数,那么冷却水消耗量与进出水温度差成反比,提高冷却水温度差,可以降低冷却水消耗量。提高冷却水温度差的方法有两种:一是降低流速,二是增加冷却设备串联个数。因冷却设备内水的流速不宜过低,因

此经常采用的办法就是增加冷却设备的串联个数。

不同的高炉由于原料条件、操作制度、炉况以及炉衬侵蚀情况不同,传给冷却器的热负荷也有所不同,炉体各部位的热流强度处于动态平衡。某高炉各部位热流强度见表 3-4。

表 3-4 某高炉各部位热流强度

部　位	热流强度/kJ·$(m^2·h)^{-1}$		
	最　小	平　均	最　大
炉底四周	1675	5862	25125
下部炉缸	2512	14654	50242
风口带	5024	12560	102577
炉　腹	20934	85830	207246
炉　腰	8374	73269	188825
炉身中下部	3140	20934	50242
风　口	1046700	1674720	2093400
风口二套	167472	418680	628020

高炉冷却水用量大致如表 3-5 所示,高炉越大相对耗水量小些,但宝钢 4063 m^3高炉因炉缸喷水冷却和采用密集冷却板,加上炉底水冷,总耗水量大些。软水闭路循环本身不耗水。

表 3-5 高炉炉体冷却耗水量

炉容/m^3	100	255	620	1000	1260	1500	3200	4063
耗水量/t·$(m^3·h)^{-1}$	2.2	2.0	1.6	1.4	循环水 1.75	1.3	循环水 2.0	1.6

3.4.2 水压和流速

确定冷却水压力要的重要原则是冷却水压力要大于炉内静压,防止个别冷却设备烧坏时煤气进入冷却器中,造成大量冷却器烧坏,这在高压操作时更为重要,特别是风口冷却,更是注意的重点。一般高炉风口冷却水压比热风的压力高 0.1 MPa,炉身部位冷却水压力比炉内静压高 0.05 MPa。

为使水中机械悬浮物不沉淀于管内,最低水速可参见表 3-6。因此,在目前过滤器网孔为 4～6 mm条件下,表明水速在 0.6～0.8 m/s 以上,一切外来的悬浮物可以不发生沉淀。

表 3-6 颗粒大小与机械悬浮物不沉淀的最低流速的关系

颗粒大小/mm	0.1	0.3	0.5	1.0	3.0	4.0	5.0
水速/m·s^{-1}	0.02	0.06	0.1	0.2	0.6	0.6	0.8

冷却水压和冷却器结构也影响水速,如无隔板的空腔式冷却器,水速很难大于0.7 m/s,有隔板的空腔式水箱可达 1.2 m/s;对铸入无缝钢管的冷却器则可达 1.2～2.5 m/s;常用水速在 1.5～2.0 m/s。宝钢 1 号高炉冷却板水速为 1.45 m/s,贯流式风口水速为 12.3～19.35 m/s。

冷却器中的水速有一定要求,太大水量消耗大,太小则传热速率小,当热流强度大时热量带不走，会造成局部过热而烧坏冷却器。根据基本的传热速率方程，前苏联学者安东涅夫提出防止产生局部沸腾的最低水速和冷却器热流强度、水流通道的当量直径的关系式：

$$V_{局}=\frac{d^{0.2}\times q\times 4.1868}{10^{5}} \tag{3-3}$$

式中 $V_{局}$——局部沸腾的最低水速，m/s；

d——水流通道的当量直径，m；

q——热流强度，kJ/(m²·h)。

在当量直径为0.032 m情况下，由此式可得图3-13。显然在 $V_{局}$ 左上方时，冷却器方可避免局部沸腾而稳定的工作。在热流不大于418.68 MJ/(m²·h)的一般部位如炉身下部，水速超过0.5～0.6 m/s即能消除局部沸腾。同时为避免水中的悬浮物的沉淀，$V_{局}$ 应在0.6 m/s以上，即图3-13左上方才是冷却器稳定工作区。对风口，若 q =1674.40 MJ/(m²·h)时，则要求水速超过3.6 m/s。然而，风口的局部沸腾由于铁水的作用可能比上述数值大10倍或更多，所以风口迫切需要高水速的一切措施。

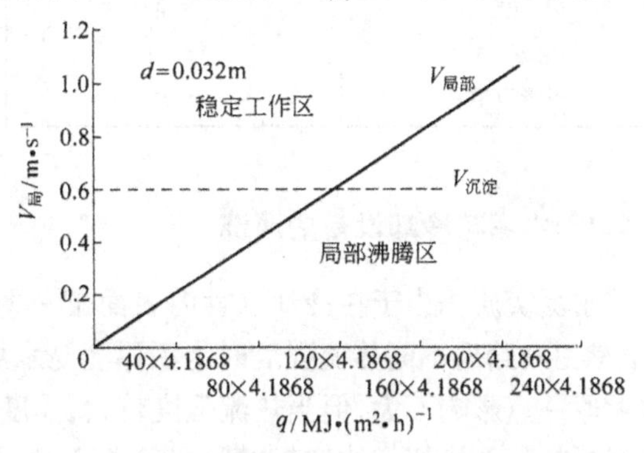

图3-13 冷却器热流和产生局部沸腾水速的关系

3.4.3 水温差的规定

冷却水的进水温度一般情况下应小于33℃，它与大气温度和回水冷却状况有关，出水温度与水质有关，一般也不应超过50～60℃，即反复加热时水中碳酸盐沉淀温度，不然钙镁盐类会沉淀出来形成水垢，导致冷却器烧坏。工作中考虑到热负荷的波动和侵蚀状况的不同，实际的进出水温差应该比允许的进出水温差适当低些，各部位要有一个合适的后备系数 Ψ，其关系式为：

$$\Delta t_{实际}=\Psi\Delta t_{允许} \tag{3-4}$$

式中，Ψ 值如表3-7所示。炉子下部比上部的 Ψ 要小些，因下部是高温熔体，特别是铁水的渗透和冲刷作用，可在某一局部造成过大的瞬时热流强度而烧坏冷却器，但在整个冷却设备上，却不能明显地反映出来，所以 Ψ 值要小些。实践证明，炉身部位 $\Delta t_{实际}$ 波动5～10℃是常见的变化，而在渣口以下 $\Delta t_{实际}$ 波动1℃就是个极危险的信号。显然出水温度仅代表出水的平均温度，也就是说，在冷却设备内，某局部地区水温完全可以大大超过出水温度，致使产生局部沸腾现象和硬水沉淀。实际生产中，要经常检测进出水温度，及时调整水量，必要时还要将双联改单联或提高水压。规定适宜的水温差对高炉来说是至关重要的，如果水温差规定得过低，将浪费大量冷却水，规定得过高易造成冷却器的烧损，甚至被迫提前大修，表3-8为我国部分高炉炉体各部位的水温差容许范围。

表3-7 后备系数 Ψ 取值

部　位	炉腹炉身	风口带	渣口以下	风口小套
Ψ值	0.4～0.6	0.15～0.3	0.08～0.15	0.3～0.4

表 3-8　高炉炉体各部位的水温差容许范围

部　位	炉容/m^3		
	255	620	>1000
炉身上部	10～14	10～14	10～15
炉身下部	10～14	10～14	8～12
炉　腰	8～12	8～12	7～12
炉　腹	10～14	8～12	7～10
风口带	4～6	3～5	3～5
炉　缸	<4	<4	<4
风渣口大套	3～5	3～5	5～6
风渣口二套	3～5	3～5	7～8

3.4.4　水垢与冷却设备的清洗

水垢实质相当于在冷却水管内表面砌一薄层黏土砖，导热系数为 0.23～1.16 W/(m·K)，表 3-9 给出不同热流强度时水垢厚度与水垢层的温度降。一般来说，热流强度不大时，水垢厚一点影响不大，但当热流强度较大，厚度不大的水垢就能造成很大的温度梯度，使冷却器过热甚至烧坏。故定期清洗掉水垢是很重要的。一般要 3 个月清洗一次。清洗方法有：用 20%～25% 的 70～80℃ 盐酸，加入缓蚀剂(1%废机油)，用耐酸泵送入冷却设备中，循环清洗 10～15 min，然后再用压缩空气顶回酸液，再通冷却水冲洗。也可用 0.7～1.0 MPa 的高压水或高压蒸汽冲洗。

表 3-9　不同热流强度时水垢厚度与水垢层的温度降

热流强度(q) /kJ·(m^2·h)$^{-1}$	水垢厚度(mm)下的温度降/℃				
	1	2	3	4	5
41.86×10^3	22.5	45	67.5	90	130
83.72×10^3	45	90	135	180	270
125.58×10^3	67.5	135	202.5	270	405
209.30×10^3	112.5	225	337.5	450	675
251.16×10^3	135	270	405	540	810

3.5　高炉给排水系统

高炉在生产过程中，任何短时间的断水，都会造成严重的事故，高炉供水系统必须安全可靠。为此，水泵站供电系统须有两路电源，并且两路电源应来自不同的供电点。为了在转换电源时不中断供水，应设有水塔，塔内要储有 30 min 的用水量。泵房内应备有足够的备用泵。由泵房向高炉供水的管路应设置两条。串联冷却设备时要由下往上，保证断水时冷却设备内留有一定水量。

大中型高炉设有两条供水主管道及两套供水管网。供水管直径由给水量计算而定，正常条件下供水管内水流速 0.7～1.0 m/s，供水管上除安装一般阀门外，还安装逆止阀，防止冷却设备烧坏时煤气进入冷却管路系统。高炉排水一般由冷却设备出水头引至集水槽,而后经排水管送至集水池,由于出水头有水力冲击作用而产生大量气泡,所以排水管直径是给水管直径的1.3~2.0倍。排水管标高应高于冷却设备,以保证冷却设备内充满水。所有管路、阀门布置应方便操作。

一般高炉给排水的工艺流程是:水源→水泵→供水主管→滤水器→各层给水围管→配水器(分配水进各冷却设备)→冷却设备及喷水管→环形排水槽、排水箱→排水管→集水池(蒸发2%~5%)。

3.6 高炉冷却系统

高炉冷却系统可分为汽化冷却、开式工业水循环冷却系统、软(纯)水密闭循环冷却系统。目前国内外的绝大多数高炉都是采用开式工业水循环冷却系统。但是从发展的情况看,国内外已有不少高炉采用软(纯)水密闭循环冷却系统,并取得了高炉长寿、低耗的显著效果。

3.6.1 高炉汽化冷却

高炉汽化冷却是把接近饱和温度的软化水送入冷却设备内,软化水在冷却设备中吸热汽化并排出,从而达到冷却设备的目的。按循环方式,可分为自然循环汽化冷却和强制循环汽化冷却两种。

3.6.1.1 自然循环汽化冷却

自然循环汽化冷却见图3-14所示。

循环的动力是靠下降管中的水和上升管中汽水混合物的重度差所形成的压头,克服管道系统阻力而流动。即气包中的水沿下降管向下流动,经冷却设备汽化后,汽水混合物沿上升管向上流动,进入气包后经水汽分离,蒸汽排出作为二次能源利用,并由供水管补充一定量的新水保证循环的进行。循环压力为:

$$\Delta p = h(\rho_w - \rho_v) \tag{3-5}$$

式中 Δp——自然循环流动压头,Pa;

h——气包与冷却设备高度差,m;

ρ_w——下降管中水的密度,kg/m³;

ρ_v——上升管中汽水混合物的密度,kg/m³。

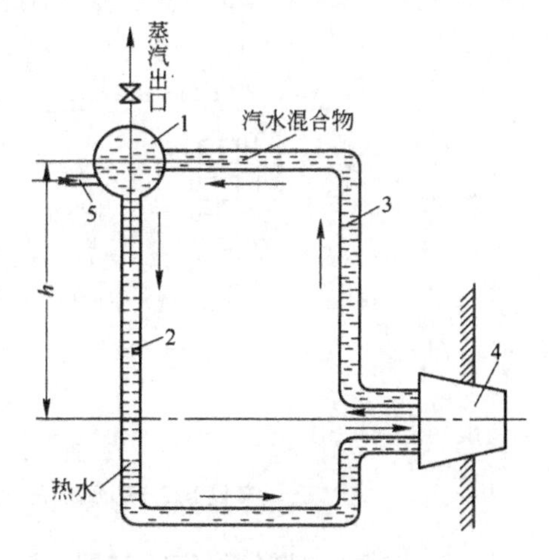

图3-14 自然循环汽化冷却示意图

1—气包;2—下降管;3—上升管;4—冷却设备;5—供水管

自然循环汽化冷却不受电的影响,安全可靠,动力消耗低,可节电40%~90%,但要求气包和冷却设备有一定的高度差。

3.6.1.2 强制循环汽化冷却

强制循环汽化冷却是在自然循环汽化冷却的下降管路上装一水泵,作为循环的动力,推动循环过程的进行,此时气包装置的高度可灵活一些。

汽化冷却与水冷却相比有如下优点:由于水汽化时吸收大量汽化潜热,所以冷却强度大、耗水量极少,与水冷却相比可节约用水60%~90%,还可节电(水泵动力)75%以上;由于耗水量少,水可以软化处理,防止冷却设备结垢、延长寿命;产生大量蒸汽,可作为二次能源;有利于安全生产,如果采用自然循环方式,当断电时,可利用气包中储备的水维持生产约40~50 min,因此提高了冷却设备的安全性。

汽化冷却应用并不广泛,并逐渐被软水闭路强制循环所代替,主要是汽化循环冷却还存在一些具体问题不好解决。例如,热负荷高时汽化循环不稳定,冷却设备易烧坏,并且对于已烧坏的冷却设备,其检测技术不完善,对炉衬侵蚀情况反应不敏感。

3.6.2 开式工业水循环系统

所谓开式工业水循环冷却系统,是指其降温设施采用冷却塔、喷水池等设备,靠蒸发制冷的系统。这种冷却系统致命的弱点是:在冷却设备的通道壁上容易结垢,这些水垢是造成冷却设备过热烧坏的重要原因。为了克服冷却设备上结垢带来的危害,一般采用清洗冷却设备内水垢的方法和控制进出水温差的办法。但是这样会对生产、经济不利,并会造成环境污染。为了防止水质的恶化,需在系统内设置加入防腐剂、防垢剂和其他药物的装置。

3.6.3 软水密闭循环系统

高炉软水密闭循环系统工作原理见图 3-15,它是一个完全密闭的系统,用软水作为冷却介质。软水由循环泵送往冷却设备,冷却设备排出的冷却水经膨胀罐送往空气冷却器,经空气冷却器散发于大气中,然后再经循环泵送往冷却设备,由此循环不已。

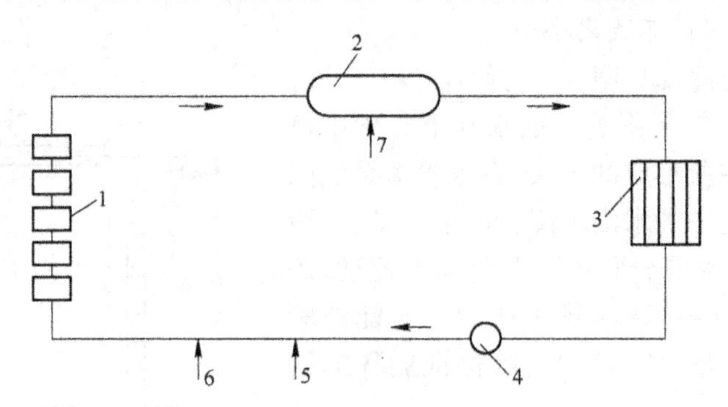

图 3-15 软水密闭循环系统原理

1—冷却设备;2—膨胀罐;3—空气冷却器;4—循环泵;5—补水;6—加药;7—充氮

膨胀罐为一圆柱形密闭容器,其中充以氮气,用以提高冷却介质压力,提高饱和蒸汽的温度,进而提高饱和蒸汽与冷却设备内冷却水实际温度之差,即提高冷却水的欠冷度。膨胀罐具有补偿由于温度的变化和水的泄漏而引起的系统冷却水体积的变化,稳定冷却系统的运转,并且通过罐内水位的变化,判断系统泄漏情况和合理补充软水的作用。

空气冷却设备由风机和散热器组成,用来散发热量,降低冷却水温度。

软水密闭循环系统有以下特点:

(1) 工作稳定可靠。由于冷却系统内具有一定的压力,所以冷却介质具有较大的欠冷度。例如,当系统压力为 0.15 MPa 时,水的沸点为 127℃,系统中回水最高温度是膨胀罐内温度,一般控制在不大于 65℃,此时欠冷度为 62℃,通常欠冷度等于或大于 50℃时,即不会产生蒸汽和汽塞现象。

(2) 冷却效果好,高炉寿命长。它使用的冷却介质是软(纯)水、是经过化学处理即除去水中硬度和部分盐类的水。这就从根本上解决了在冷却水管或冷却设备内壁结垢的问题,保证有效冷却并能延长冷却设备的寿命。

(3) 节水。因为整个系统完全处于密闭状态,所以没有水的蒸发损失,根据国内外高炉的操作经验,正常时软水补充量仅为循环流量的1%,而开路循环补水为4%～5%。

(4) 节能。闭路系统循环水泵的扬程仅取决于系统的阻力损失,不考虑供水点的位能和剩余水头。因此,软水密闭循环系统的总装机容量为开式循环系统的2/3左右。

软水密闭循环冷却是高炉冷却发展的方向,目前大型高炉软水密闭循环系统使用范围愈来愈大。

3.7 高炉送风管路

高炉送风管路由热风总管、热风围管、与各风口相连的送风支管(包括直吹管)及风口(包括风口中套、风口大套)等组成。

3.7.1 热风围管

热风围管的作用是将热风总管送来的热风均匀地分配到各送风支管中去。热风总管和热风围管都由钢板焊成,管中有耐火材料筑成的内衬。为了不影响炉前作业,热风围管都采用吊挂式,大框架高炉热风围管吊挂在横梁上;炉缸支柱式高炉,热风围管吊挂在支柱外侧的吊挂板上;自立式高炉则吊挂在炉壳上,也有将热风围管吊挂在厂房梁上的。

热风总管与热风围管的直径相同,并且与高炉容积相关,其直径由下式计算:

$$d=\sqrt{\frac{4Q}{\pi v}} \tag{3-6}$$

式中 d——热风总管或热风围管内径,m;

Q——气体实际状态下的体积流量,m^3/s;

v——气体实际状态下的流速,m/s。

实际状态下流速一般为25～35 m/s,体积流量可由高炉物料平衡与热平衡计算得到。我国部分高炉热风总管与热风围管内径见表3-10。

表3-10 我国部分高炉热风总管与热风围管内径

高炉容积/m^3	255	620	1000	1513	2580	4063
热风总管与热风围管内径/mm	800	850	1200	1522	1676	2100

3.7.2 送风支管

送风支管的作用是将热风围管送来的热风通过风口送入高炉炉缸,还可通过它向高炉喷吹燃料。送风支管长期处于高温、多尘的环境中,工作条件很恶劣,如宝钢1号、2号高炉的送风条件为:送风温度最高1310℃,送风压力0.42～0.47 MPa;36个送风支管的送风总量为7900 m^3/min。所以要求送风支管密封性好,压损小,热量损失小。在热胀冷缩的条件下有自动调节位移的功能。

送风支管由送风支管本体、送风支管张紧装置、送风支管附件等组成,图3-16为宝钢送风支管结构图。

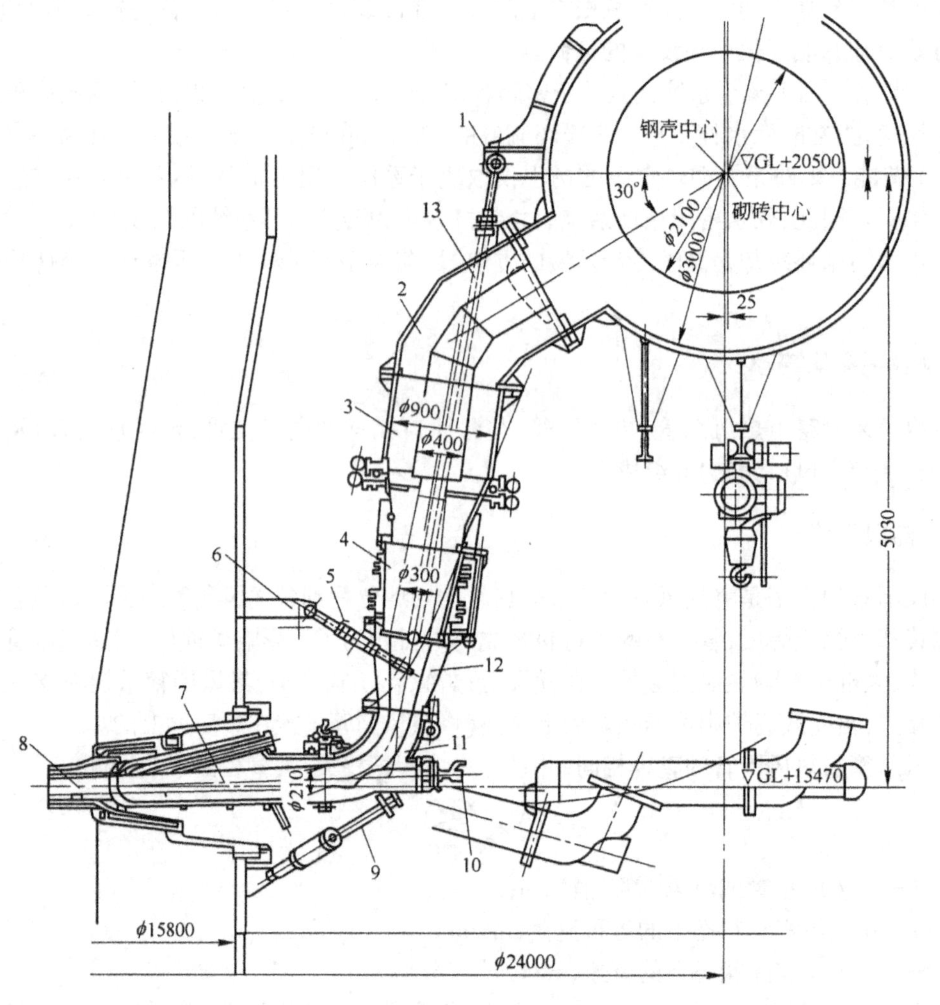

图 3-16　送风支管结构图

1—横梁;2—A-1 管;3—A-2 管;4—伸缩管;5—拉紧螺丝;6—环梁;7—直吹管;
8—风口;9—紧固装置;10—窥视孔;11—弯管;12—异径管;13—吊挂装置

送风支管本体有多种形式,宝钢 1 号、2 号高炉采用了所谓“RA00 型”构造的送风文氏管,由 A-1 管(鹅颈管)、A-2 管(流量测定管)、伸缩管、异径管(锥形管)、弯管、直吹管等组成。

A-1 管是连接热风围管的支撑管,由钢板焊成,内侧砌耐火砖。A-2 管接在 A-1 管下面,也由钢板焊成,内侧用不定形耐火材料浇注成文丘里管结构,用来测定送风量。伸缩管的作用是调节热风围管和炉体因热膨胀引起的相对位移,其连接方式为法兰连接,使用压力为 0.51 MPa,使用温度为 400℃,使用寿命要求在 5400 次以上。伸缩管内有不定形耐火材料浇注的内衬,下部内衬与伸缩管之间塞有陶瓷纤维棉,并装有多层垫圈。异径管用来连接不同直径的管道,上设吊挂装置和拉紧螺丝底座。弯管起转变送风支管方向和连接直吹管的作用,它上面设有观察孔和紧固装置。

送风支管张紧装置是一套起支承、固定、压紧送风支管和平衡送风反力的杆系装置。包括吊挂装置、拉紧螺丝和紧固装置三部分。吊挂装置是支承和固定送风支管平衡送风反力的两套可调螺杆。拉紧螺丝(又称中部拉杆)是支承和固定送风支管的两根可调螺丝,安装在异径管两侧,一端与异径接头相连,另一端与炉体环梁相连,其作用是和紧固装置一起,用以调节直吹管与风口球面间的压紧力,防止漏风。紧固装置(又称下部拉杆)是安装于弯管下方两侧,将直吹管紧压风口球面的一对弹簧拉杆。其拉力可通过手柄调整,两根拉杆用来调整直吹管端头与风口球面部的压紧力,以防止接口漏风。

如发生风口球面漏风,根据漏风部位按表 3-11 原则调整。

表 3-11 球面调整方法

漏风部位	调整方法
球面上部	拧松紧固装置或拧紧拉紧螺丝
球面下部	拧紧紧固装置或拧松拉紧螺丝

送风支管附件有环梁、起吊链钩、窥视孔等。环梁固定在炉壳上,用来固定拉紧螺丝。起吊链钩用于更换风口时使弯管和直吹管成振摆状运动,便于更换风口。观察孔用来观察风口区燃烧情况。

3.7.3 直吹管

直吹管是高炉送风支管的一部分,尾部与弯管相连,端头与风口紧密相连。热风经热风围管、弯管传到直吹管,通过风口进入高炉炉缸。

现代大型高炉的直吹管一般由端头、管体、喷吹管、尾部法兰和端头水冷管路五部分组成,如图 3-17 所示。早期的直吹管没有喷吹管和端头冷却管路。增加喷吹管的目的是用于向高炉炉缸内喷吹煤粉。增加端头水冷管路则是为了能使直吹管能承受日益提高的热风风温。

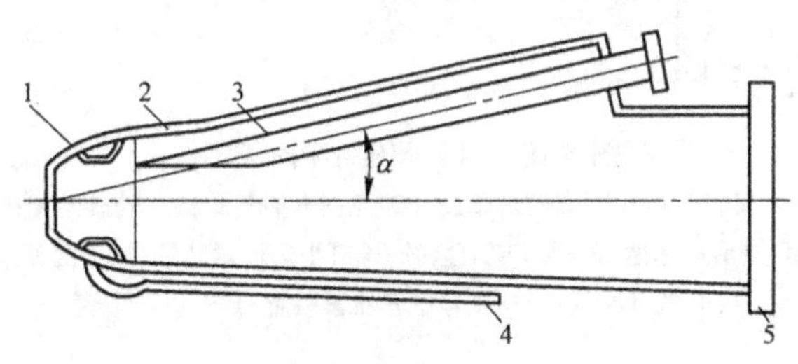

图 3-17 直吹管结构图

1—端头;2—管体;3—喷吹管;4—冷却水管;5—法兰

直吹管管体内浇注了耐火材料内衬,以抵抗灼热的热风对管体的破坏和减少散热。

直吹管在高温高压下工作,管中还有煤粉通过,苛刻的工作条件对直吹管提出较高的技术要求。直吹管的主要技术要求为:

(1) 要求直吹管端头与风口面接触的球面表面粗糙度要低,球面上不准有任何缺陷和焊补。

(2) 为防止在高压工作条件下被破坏或泄漏,必须按设计要求进行水压和气密试验。如宝钢 2 号高炉的直吹管要求在 0.88 MPa 压力下做水压试验,保持 30 min 不泄漏;在

0.74 MPa 压力下做气密试验,保证 15 min 无泄漏。

(3) 为避免喷入的煤粉冲刷风口内壁,要求喷吹管中心线与直吹管本体中心线的夹角符合设计要求,一般夹角为 12°～14°左右。

3.7.4　风口装置

3.7.4.1　风口

风口也称风口小套或风口三套,是送风管路最前端的一个部件。它位于高炉炉缸上部成一定角度探出炉壁。风口与风口中套、风口大套装配在一起,加上冷却水管等其他部件,形成高炉的风口设备,其结构示意如图 3-18 所示。

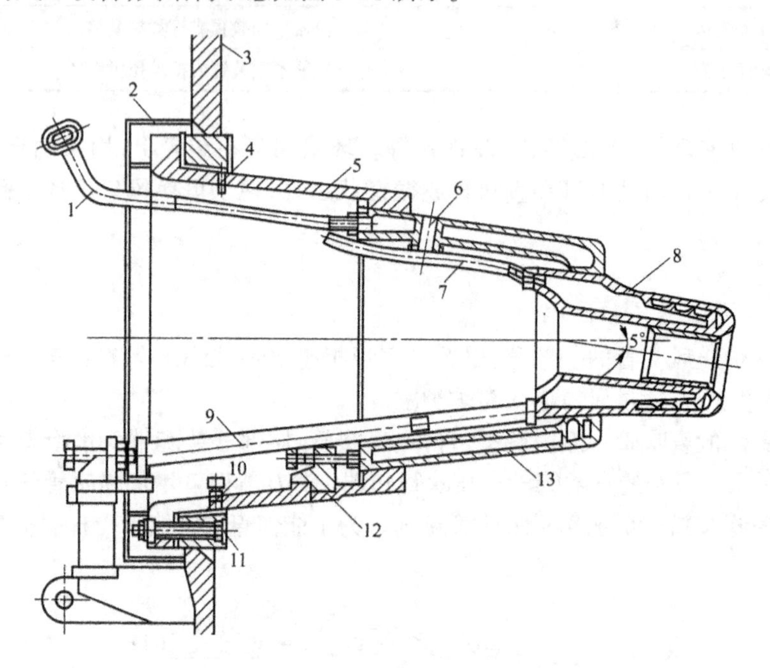

图 3-18　风口装置结构示意图

1—风口中套冷水管;2—风口大套密封罩;3—炉壳;4—抽气孔;5—风口大套;6—灌泥浆孔;7—风口小套冷水管;8—风口小套;9—风口小套压紧装置;10—灌泥浆孔;11—风口法兰;12—风口中套压紧装置;13—风口中套

送风支管的直吹管端头与风口密合装配在一起,热风炉中的热风从直吹管中吹出通过风口吹入高炉炉缸,向高炉中喷吹的煤粉及其气体载体也通过风口进入高炉炉内。风口前端炉缸回旋区温度约 2000℃左右,风口的工作条件十分恶劣,在使用一段时间后会损坏,从而迫使高炉休风,更换风口,风口是影响高炉生产效率的重要因素之一。

风口损坏的原因较多,最突出的是铁水熔损、磨损、开裂 3 种。

(1) 铁水熔损。由于风口前端伸入炉缸,因此在炉缸工作发生波动时铁水接触到风口小套,在极短的时间内热流急剧增大,传热受阻,铁水将铜熔损。在正常生产时,冷却水流过风口时,热量通过铜质风口壁传给水,有少量水在内壁上吸热而汽化形成较大的气泡,这种现象叫局部泡状沸腾,它对传热和冷却都有强化作用,是正常现象,风口小套仍可安全工作。但高温铁水粘到风口小套上时,强大的热流使风口内壁表面的水汽化成微小蒸汽泡而连成一片汽膜,紧贴在内壁表面,这种现象叫膜状沸腾。紧贴在内壁表面的汽膜隔离了水与内壁的热交换,水无法将热带走,风口壁的温度急剧上升,在超过铜的熔化温度1083℃时铜就被熔化,造成风口熔损。研究表明,如果有足够大的水速,能破坏汽膜,而将产生的微小气泡带走,使冷却水连续不断地将热量带走,风口就不会被铁水熔损,这样的水速应达到13~16 m/s。在传统的空腔式风口上要达到这么高的水速是不可能的,因此改进结构是最有效的办法,因而出现了螺旋式、贯流式等。

图3-19是包钢螺旋铜管风口,用矩形截面$44\times33\ mm^2$、管壁厚7.5 mm的青铜管围成,它由螺旋盘管和后水箱两部分组成。铜管由后水箱起,先到最前端,经螺旋管后返回后水箱,并与后水箱焊接固定在一起。管内水速提高到10.63 m/s,寿命提高2.8倍,平均为210天。

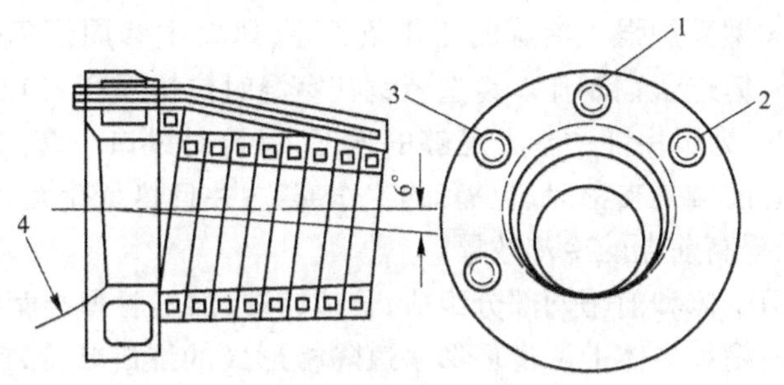

图3-19 螺旋铜管风口

1—高压水进水管;2—排水管;3—备用常压水管;4—球面

宝钢1号高炉为铸铜贯流风口,如图3-20所示,前端Ⅰ~Ⅳ区域内,冷却水量为33 m^3/h,水速见表3-12。

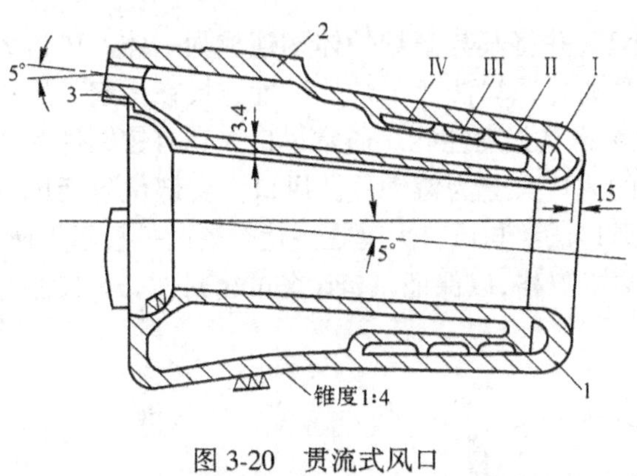

图3-20 贯流式风口

1—前段;2—后座;3—热电偶

表3-12 风口前水速分布

区域	断面积 /mm^2	冷却水速 /$m\cdot s^{-1}$
Ⅰ	5.4	16.9
Ⅱ	7.4	12.3
Ⅲ	7.4	12.3
Ⅳ	11.1	8.2

(2) 磨损。它有两个方面,即风口小套内侧被喷吹煤粉射流磨坏和外侧被炉缸内炉料特别是循环运动的焦炭磨坏。为减少磨损,喷煤时煤枪喷出的射流前进的方向应与直吹管和风口中心线重合,这样可减少和避免煤粉射流的磨损,这在煤枪结构和插枪技术上是完全可以解决的。炉料和焦炭的磨损在炉缸工作不好时容易发生,因为高炉工作时,伸入炉缸内的风口前端会结成渣皮层保护。所以维护炉缸良好的工作状态是解决炉料磨损的重要途径,也有些厂家在风口的表面喷涂耐磨的陶瓷质材料来抵御磨损。

(3) 开裂。主要是由于风口壁内外侧温度差大和压力差大(风压与冷却水压差),而且这种温差和压力差是经常变化的,它们给风口造成热疲劳和机械疲劳,再加上风口材质和制造工艺的缺陷(铸造有气泡、微孔、焊接不符合要求等),风口就会产生裂缝,这要从风口材质和制造工艺上改进。

炉料的崩滑料和为处理炉墙结厚,而在操作上采取洗炉的办法,在高炉冶炼中也是经常碰到的。此时往往伴随风口的另一个损坏——曲损,即炉料沿炉墙突然下滑打在风口上,使风口漏风,漏水,甚至变形。为此,可在风口下方用顶紧装置顶紧。

3.7.4.2 风口中套

风口中套的作用是支撑风口小套,其前端内孔的锥面与风口小套的外锥面配合,上端的外锥面与大套配合。中套的工作位置与风口小套相比,离炉缸较远,它不直接接触热风和高炉内的气氛。但在大型高炉强化冶炼的工作条件下,风口中套周围仍受到 300℃左右高温的影响。风口中套用铸造紫铜制作。铸造紫铜在室温时抗拉强度约 150 MPa,而 290℃时为 78 MPa,下降了 50%,为了保证中套有足够的强度,保持对风口小套的支撑力,要用冷却水进行冷却。因为中套前端是支撑风口小套的工作部位,并且热负荷大,因此常采用顶端二室螺旋式冷却方式,以提高前端的冷却效果。

风口中套主要由本体和前帽两部分组成,分体铸造,加工后焊接而成。冷却水路分为前腔与后腔。前腔为前帽和本体上两道环形水道隔板形成的螺旋状冷却水道;后腔为铸成前后相错的轴向隔板组成中套圆周流动与轴向流动的冷却水路。各水路要求连接畅通,表面光滑,以减少水流阻力。风口中套上端有一灌浆孔,用于安装时向风口中套与炉缸砌体间空隙灌耐火泥。在中套上端焊有一个 5mm 厚的钢圈,用于与风口大套焊接固定,并防止大、中套连接处煤气泄漏。

3.7.4.3 风口大套

风口大套的功能是支撑风口中套与小套,并将其与高炉炉体相连成为一体。风口大套的前端锥面与风口中套上端锥面配合,上端通过风口法兰与炉体装配连接在一起。风口大套的工作温度约 300℃。对风口大套主要考虑其强度性能。通常风口大套有铸钢件和带铸入冷却水管的铸铁件两种,宝钢 2 号高炉的风口大套为铸钢件。风口大套部位包括风口法兰、风口大套、风口中、小套压紧装置等。风口法兰与风口大套在一代炉龄内一般不更换,因而对制造质量,尤其是接触面的加工质量要求严格,以保证风口设备的密封性。风口法兰为铸钢圆环,风口大套是铸钢件。

1. 高炉冷却的意义是什么?常用的冷却设备有哪些,使用在高炉哪些部位?
2. 冷却壁有何优缺点?
3. 插入式冷却器有何优缺点?
4. 铸铁冷却壁烧坏的原因有哪些?铜冷却壁有哪些特点?

5. 什么叫炉身板壁结合冷却结构？什么叫炉身冷却模块技术？
6. 如何选择和确定高炉冷却制度？
7. 软水密闭循环系统有哪些特点？
8. 水垢有什么坏处，如何进行冷却设备的清洗？
9. 保证冷却水水压和流速有何意义？
10. 试述高炉各部位冷却器、水温差及后被序数取值范围？
11. 如何使用送风支管张紧装置中吊挂装置、拉紧螺丝、紧固装置，保证直吹管端头与风口球面不漏风？
12. 高炉风口小套损坏有哪些原因？

4 高炉车间原料系统

现代钢铁联合企业中,炼铁原料供应是指原料运入高炉车间并装入高炉的一系列过程,以高炉贮矿槽为界分为两部分。从原料进厂到高炉贮矿槽顶部属于原料厂管辖范围,它完成原料的卸、堆、取、运作业;根据要求还需进行破碎、筛分、混匀和分级等作业,起到贮存、处理并供应原料的作用。从高炉贮矿槽顶部到高炉炉顶装料设备属于炼铁厂管辖范围,它负责向高炉按规定的原料品种、数量,分批地及时供应。现代高炉对原料供应系统的要求是:

(1) 保证连续地、均衡地供应高炉冶炼所需的原料,并为进一步强化冶炼留有余地。

(2) 在贮运过程中应考虑为改善高炉冶炼所必需的处理环节,如混匀、破碎、筛分等,并力求在运输过程中减少碎末的产生。

(3) 由于贮运的原料数量大,对大、中型高炉应该尽可能实现机械化和自动化,提高配料、称量的准确度。

(4) 原料系统各转运环节和落料点都有灰尘产生,应有通风除尘设施。

4.1 车间的运输

新建的炼铁车间,多采用人造富矿——烧结矿和球团矿为原料,运输设备均采用皮带机(或称输送胶带机)。皮带机运输作业率高,原料破碎率低,而且轻便,大大简化了矿槽结构。

皮带机的运输能力应该满足高炉对原燃料的需求,同时还应考虑物料的特性如粒度、堆密度、动堆积角等因素。皮带机的宽度可以从手册直接查出,也可按下式计算:

$$B=\sqrt{\frac{Q}{3600KK_{a}\xi\gamma v}} \tag{4-1}$$

式中 B——皮带机宽度,m;

Q——皮带机运输量,t/h一昼夜按16~20 h计;

γ——原料的堆密度,t/m^3;

v——皮带机速度,m/s;

K——皮带机断面系数,与物料的动堆积角有关;

K_a——皮带机倾角系数,倾角越大,系数越小;

ξ——料流不连续系数。

皮带机带宽可选择比上式计算结果大一级的规格,以适应高炉将来生产率提高的需要。

4.2 贮矿槽及槽下运输筛分称量

4.2.1 贮矿槽

贮矿槽位于高炉一侧,它起原料的贮存作用,解决高炉连续上料和车间间断供料的矛盾,当贮矿槽之前的供料系统设备检修或因事故造成短期间断供料时,可依靠贮矿槽内的存量,维持高炉生产。由于贮矿槽都是高架式的,可以利用原料的自重下滑进入下一工序,有利于实现配料等作业的机械化和自动化。

料车上料的高炉,贮矿槽位于高炉卷扬机一侧并与炉列平行;皮带上料的高炉,贮矿槽离高炉远些。

贮矿槽的总容积与高炉容积、使用的原料性质和种类以及车间的平面布置等因素有关。一般可参照表 4-1 选用。也可根据贮存量进行计算,贮矿槽贮存 12～18 h 的矿石量,6～8 h 的焦炭量。

表 4-1 贮矿槽、贮焦槽容积与高炉容积的关系

项　　目	高炉有效容积/m^3					
	255	600	1000	1500	2000	2500
贮矿槽容积与高炉容积之比	>3.0	2.5	2.5	1.8	1.6	1.6
贮焦槽容积与高炉容积之比	>1.1	0.8	0.7	0.7～0.5	0.7～0.5	0.7～0.5
焦槽个数/个	2	2	2	≥2	≥2	≥2

宝钢 4063 m^3 高炉设计的贮存时间为:烧结矿 10 h,球团矿 12 h,块矿 12 h,辅助原料 12 h,焦炭 6 h。矿槽容积为:烧结矿 566×6 m^3,球团矿和块矿 140×6 m^3,辅助原料(170×2+60×2)m^3,焦槽 450×6 m^3。矿槽容积与高炉容积之比为 1.16,焦槽容积与高炉容积之比为 0.66,可满足日产 10000 t 生铁的需要。

矿槽结构必须十分坚固,因为它既要承重,又要耐磨,还要考虑其为半永久性建筑。贮矿槽的结构,有钢筋混凝土结构和钢-钢筋混凝土混合式结构两种。钢筋混凝土结构是矿槽的周壁和底壁都是用钢筋混凝土浇灌而成。混合式结构是贮矿槽的周壁用钢筋混凝土浇灌,底壁、支柱和轨道梁用钢板焊成,投资较前一种高。我国多用钢筋混凝土结构。为了保护贮矿槽内表面不被磨损,一般要在贮矿槽内加衬板,贮焦槽内衬以废耐火砖或厚 25～40 mm 的辉绿岩铸石板,在废铁槽内衬以旧铁轨,在贮矿槽内衬以铁屑混凝土或铸铁衬板。为了减轻贮矿槽的重量,有的衬板采用耐磨橡胶板。槽底板与水平线的夹角一般为50°～55°,贮焦槽不小于 45°,以保证原料能顺利下滑流出。

4.2.2 槽下运输称量

在贮矿槽下,将原料按品种和数量称量并运到料车(或上料皮带机)的方法有两种:一种是用称量车完成称量、运输、卸料等工序;一种是用皮带机运输,用称量漏斗称量,我国新建的 300 m^3 以上的高炉基本上都选用皮带机作为槽下运输设备。

槽下采用皮带机运输和称量漏斗称量的槽下运输称量系统,焦仓下一般设有振动筛,合格焦炭(筛上物)经焦炭输送机送到焦炭称量漏斗,小粒度的焦粉(筛下物)经粉焦皮带机运至粉焦仓。烧结矿仓下也设有振动筛,合格烧结矿运至矿石称量漏斗,粉状烧结矿经矿粉皮带机输送至粉矿仓。球团矿、块矿、辅料直接经给料机、矿石皮带机送到矿石集中漏斗。为了高炉强化,部分厂矿将球团矿、块矿也进行筛分。典型的上料系统流程如图 4-1 所示。

由皮带机向炉顶供料的高炉,对贮矿槽的要求与料车式基本相同,只是贮矿槽与高炉的距离远些。在装料程序上,将向料车漏料改为向皮带机漏料。

皮带机运输的槽下工艺流程根据筛分和称量设施的布置,可以分为以下 3 种:

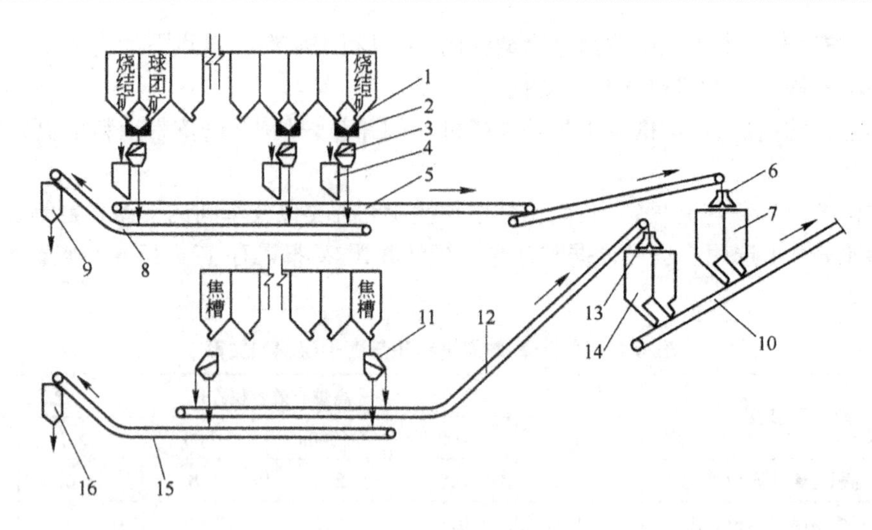

图 4-1　高炉供料系统图

1—闸门;2—电动振动给料机;3—烧结矿振动筛;4—称量漏斗;5—矿石胶带输送机;6—矿石转换溜槽;7—矿石中间漏斗;8—粉矿胶带输送机;9—粉矿漏斗;10—上料胶带输送机;11—焦炭振动筛;12—焦炭胶带输送机;13—焦炭转换溜槽;14—焦炭中间称量漏斗;15—粉焦胶带输送机;16—粉焦漏斗

(1) 集中筛分,集中称量。料车上料的高炉槽下焦炭系统常采用这种工艺流程。其优点是设备数量少,布置集中,可节省投资,但设备备用能力低,一旦筛分设备或称量设备发生故障,则会影响高炉生产。

(2) 分散筛分,分散称量。矿槽下多采用此流程。这种布置操作灵活,备用能力大,便于维护,适于大批量多品种的高炉。

(3) 分散筛分,集中称量。焦槽下多采用此种流程。其优点是有利于振动筛的检修,集中称量可以减少称量设备,节省投资。

宝钢 1 号高炉槽下采用了有中间称量斗的上料系统,如图 4-1 所示。贮焦槽和贮矿槽分成两排布置,贮焦槽占一排,烧结矿槽、杂矿槽和熔剂槽占一排。槽下用给料机给料,用振动筛筛分,并有称量斗称量,然后分别送到各自的中间称量斗,按照上料程序和装料制度,开动中间称量斗下部的闸门,将料均匀地分布在长期运转的皮带机上;炉料随皮带机运到炉顶装入炉内。

首钢 1 号、3 号高炉,由于总图布置较紧,取消了中间称量斗,贮焦槽和贮矿槽在同一个建筑物内。原燃料在槽下筛分后,筛上物进入称量罐称量待命。按照上料程序和装料制度,开动称量罐闸门,将料直接排放到主胶带上送入高炉炉顶料罐内。主胶带与料仓布置在同一条中心线上。

4.2.3　料车坑

料车式高炉在贮矿槽下面斜桥下端向料车供料的场所称为料车坑。一般布置在主焦槽的下方。图 4-2 为某厂 1000 m^3高炉料车坑剖面图。

料车坑的大小与深度取决于其中所容纳的设备和操作维护的要求。小高炉比较简单,只要能容纳装料漏斗和上料小车就可以了,大型高炉则比较复杂。

料车坑四壁一般由钢筋混凝土制成。在地下水位较高地区,料车坑的壁与底应设防水

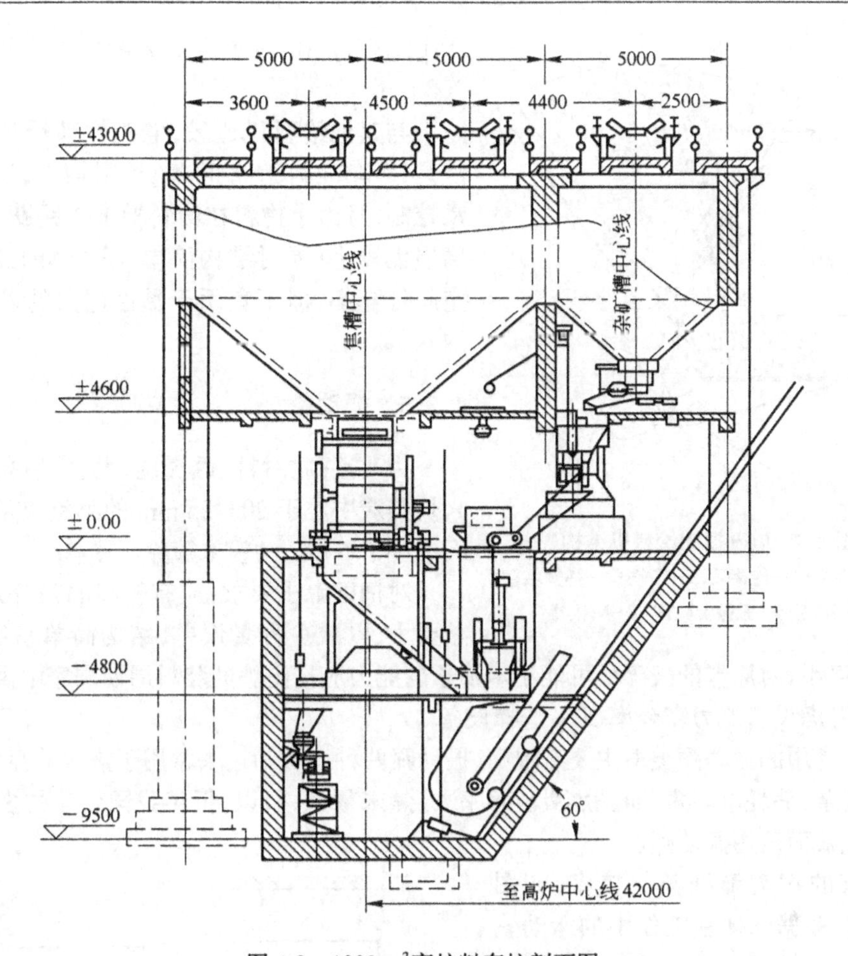

图 4-2 1000 m³高炉料车坑剖面图

层，料车坑的底应考虑0.5%～3%的排水坡度，将积水集中到排水坑内，再用污水泵排出。

料车坑内所有设备均应设置操作平台或检修平台。在布置设备时应着重考虑各漏斗流嘴在漏料过程中能否准确地漏入料车内，并应注意各设备之间的空间尺寸关系，避免相互碰撞。

4.2.4 给料机

为控制物料从料仓排出，并调节料流量，必须在料仓排料口安装给料机。由于它是利用炉料自然堆角自锁，所以关闭可靠。当自然堆角被破坏时，物料借自重落到给料机上，然后又靠给料机运动，迫使炉料向外排出。故它能均匀、稳定而连续地给料，从而也保证了称量精度。因此，它被广泛用于现代高炉生产中。

破坏自然堆角的方法有三种类型：AB 移动、摆动和振动。给料机按结构形式可分为：链板式给料机、往复式给料机、电磁振动给料机三种。广泛应用的是电磁振动给料机，这种给料机由槽体、激振器、减振器三部分组成，减振器与槽体之间通过弹簧连接在一起，如图4-3 所示。

电磁振动给料机给料能力与槽体前方向下倾斜角度有关。一般从 0°加至 10°，给料能力提高 40%，但加至 15°时，虽然给料能力增加 100%，但对流槽磨损增加了。故一般不宜大

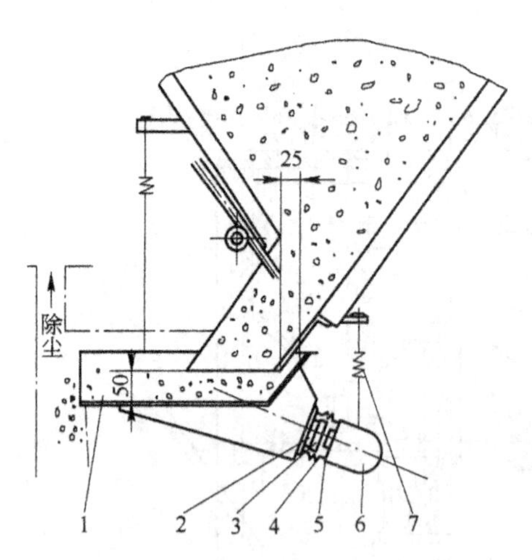

图 4-3 电磁振动给料机结构

1—给料槽;2—连接叉;3—衔铁;4—弹簧组;5—铁芯;6—激振器壳体;7—减振器

于12°,多取10°。矿石最大给料能力可达400～700 t/h。

与其他给料机比较,电磁振动给料机主要优点是:停车准确,闭锁可靠,给料均匀,易于实现自动控制;且由于物料在给料槽上作跳跃式前进,使磨损也较小;同时结构简单,机械加工量少,占用空间位置小,但不宜用于黏性过大的矿石或其他散状料。

4.2.5 振动筛

为改善高炉料柱透气性,大、中型高炉要求将入炉焦炭中小于20～25 mm的小焦块及粉末和矿石中小于5 mm的粉末筛除。

对槽下筛子要求:应有较高的筛分效率,余振量要小,以减少称量误差,结构简单易维修,耐磨性好,噪声小,对原料的破碎尽可能小。筛子的能力应按高炉的装料周期顺序中供料的时间要求,并考虑设备能力富余率20%选择设备。

目前常用的振动筛类型主要有辊筛、振动筛两种。辊筛过去常用于焦炭的筛分,由于辊筛结构复杂,消耗电能多,而且焦炭破碎率大,焦末量大,所以,近年我国新建的多数高炉已不采用辊筛而改用振动筛。

现有的振动筛种类比较多,如图4-4所示。根据筛体在工作中的运动轨迹来分,可分为平面圆运动和定向直线运动两种。属于平面圆运动的有半振动筛(a)、惯性振动筛(b)和自定中心振动筛(c);属于定向直线运动的有双轴惯性筛(d)、共振筛(e)和电磁振动筛(f)。从结构运动分析来看,自定中心振动筛(c)较为理想,它的转轴是偏心的,平衡重与偏心轴是对应的,在振动时,皮带轮的空间位置基本不变,它只作单一的旋转运动,皮带不会时紧时松而疲劳断裂。其缺点是筛箱运动没有给物料向前运动的推力,要依靠筛箱的倾斜角度使物料向前运动。

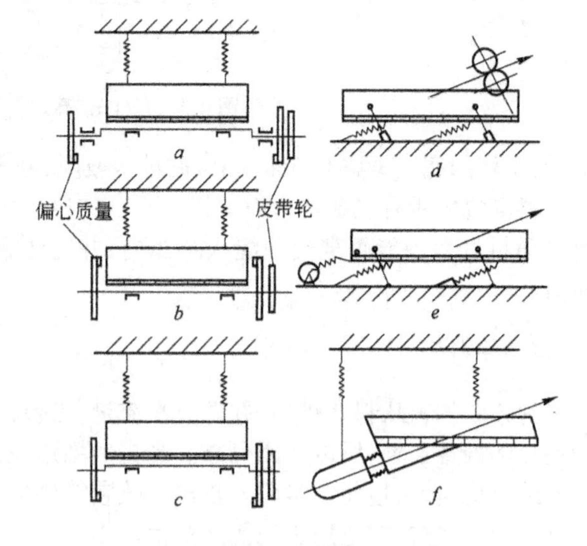

图 4-4 各种振动筛机构原理

a—半振动筛;b—惯性振动筛;c—自定中心振动筛;d—双轴惯性筛;e—共振筛;f—电磁振动筛

若从筛板层数又可分单层、双层和多层(概率)筛。筛板的种类很多,按筛板形状可分为条形、圆孔、长圆孔、方孔、梳齿和龟甲形筛等,筛板按材料可分为冲压钢板、铸钢、橡胶筛等。

自定中心振动筛由框架、筛体和传动部分组成,框架是钢结构件,内设衬板,筛底选用高锰合金板设在底脚弹簧上。武钢采用自定中心振动筛，如图4-5所示，由于振动使筛面和筛体的任何部分都进行着圆周运动，筛面倾斜角度多为15°～20°。在振动筛上加可调式振动给料机后，烧结矿过筛，先经过漏斗闸门，自流到振动给料机上形成小于40°的休止角。筛分时由电气控制先启动振动筛，后启动振动给料机，烧结矿则从给料机均匀地卸到已经启动的振动筛上。通过调整振动给料机的安装角度以改变卸料流量，从而控制筛上料层厚度。在保证上料速度的前提下，把料层控制在最薄的程度，将会显著提高筛分效率。武钢1号高炉烧结矿的粒度分析，改造前小于15 mm的为11%左右，改造后降到8%左右。

首钢采用共振式概率筛，如图4-6所示，其规格性能如表4-2所示。优点是单位面积处理物料量大，筛分效率高；体积小，给料和筛分设备合在一起，不需要另加给料机，由于设计了给料段，不用闸门开闭进行给料和停料，操作简单可靠，便于自动化；烧结矿筛和焦炭筛结构相同，互换性好，采用全密闭结构防尘性能好；采用耐磨橡胶筛网噪声小。

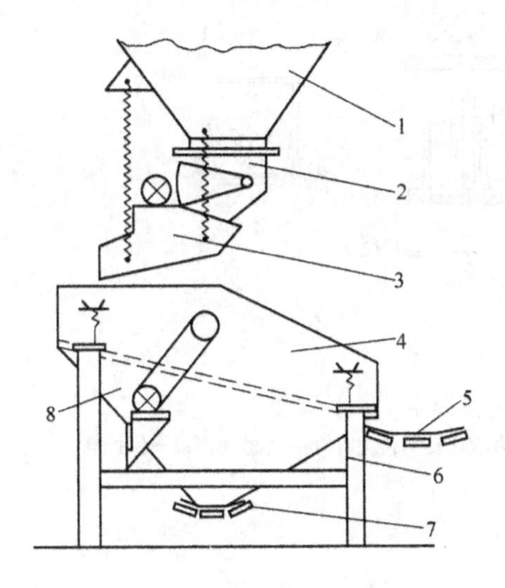

图4-5　自定中心振动筛

1—料仓；2—漏斗闸门；3—振动给料器；
4—自定中心振动筛；5—上料皮带；6—振动筛支架；
7—返矿皮带；8—返矿漏斗

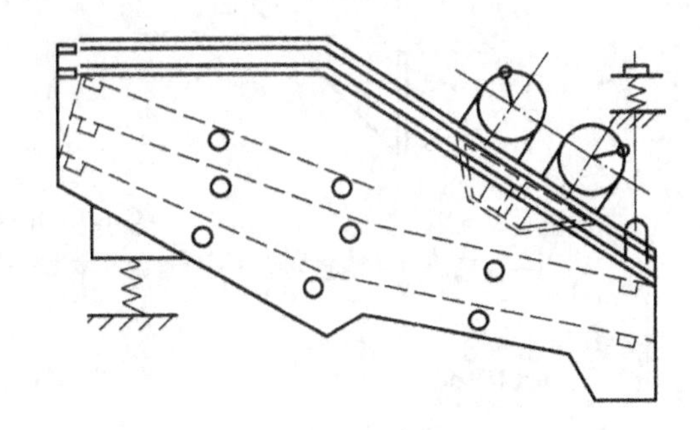

图4-6　共振式概率筛

表4-2　共振式概率筛的规格性能

项　目	规格、性能
生产能力/$t\cdot h^{-1}$	192～492
筛面规格	1000×1650×1层，1000×1500×2层
振动频率/次·min^{-1}	750～825
振幅（单振幅）/mm	3～4
相对筛面的振动抛物角/(°)	80
筛分效率/%	>80～90
外形尺寸 $L\times B\times H$/mm×mm×mm	2050×1296×2210
筛分物料最高温度/℃	120

4.2.6　称量漏斗

根据称量传感器原理，称量漏斗可分为机械秤、电子秤和机械电子秤称量漏斗。机械秤应用杠杆原理；电子秤应用电阻应变原理。电子秤具有体积小、结构简单和易于自动控制等优点，得到普遍采用。每套称量漏斗均需安装一套称量装置，称量精度要求小于5/1000。称量漏斗的结构一般为锰钢内衬的结构件。称量漏斗安装部位有的分散在贮矿槽下面，有的集中设在料车坑里，称量后的炉料经过漏斗闸门卸入皮带运输机或料车。

电子式称量漏斗由传感器、固定支座、称量漏斗本体以及启闭闸门组成。在称量漏斗外面设有三个互成120°角的三个传感器构成的稳定受力平面，如图4-7所示。当采用电子秤时，传感器的安装位置尽量设在称量漏斗（满料）重心以上，并考虑物料的冲击和受力不均。

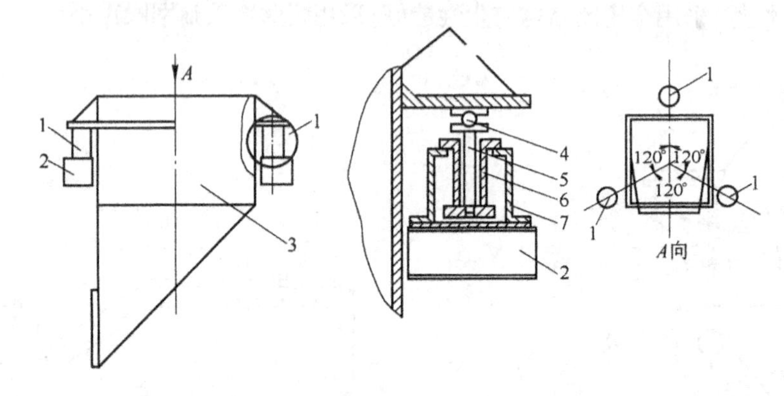

图4-7　电子式称量漏斗

1—传感器；2—固定支座；3—称量漏斗本体；4—传力滚珠；5—传力杆；6—传感元件；7—保护罩

4.3　上料设备

将炉料直接送到高炉炉顶的设备称为上料机。对上料机的要求是：要有足够的上料能力，不仅能满足日常生产的需要，还能在低料线的情况下很快赶上料线。为满足这一要求，在正常情况下上料机的作业率一般不应超过70%，工作稳定可靠；最大限度的机械化和自动化。

上料机主要有料车式上料和皮带机上料两种方式。近年来随着高炉大型化的发展，料车式上料机已不能满足高炉要求，只有中小型高炉仍然采用。新建的大型高炉，多采用皮带机上料方式。

4.3.1　斜桥料车式上料机

斜桥料车式上料机一般由料车、斜桥和卷扬机三部分组成。

4.3.1.1　料车

除小于100 m^3的高炉外，均设两个料车，互相平衡。料车容积大小则随高炉容积的增大而增大，一般为高炉容积的0.7%～1.0%。为了制造维修方便，我国料车的容积有2.0 m^3、4.5m^3、6.5m^3和9.0 m^3几种。随着高炉强化，常用增大料车容积的方法来提高供料能力。而增大料车容积，多采用增加料车高度和宽度，并用扩大开口的办法来实现，这样给装料卸料创造了良好条件，而且这种车体重心趋向前方，增加料车在运行时的稳定性。

料车的构造如图4-8所示。它由车体、车轮、辕架三部分组成。车体由10～12 mm钢板焊成，底部和侧壁的内表面都镶有铸钢或锰钢衬板加以保护，以免磨损，后部做成圆角以防矿粉粘接，在尾部上方开有一个方孔，供装入料车坑内散碎料。前后两对车轮构造不同，因为前轮只能沿主轨滚动，而后轮不仅要沿主轨滚动，在炉顶曲轨段还要沿辅助轨道——分歧轨滚动，以便倾翻卸料，所以后轮做成具有不同轨距的两个轮面的形状。辕架是一个门形钢框，活动地连接在车体上，车体前部还焊有防止料车仰翻的挡板。一般用两根钢绳牵引料车，这样既安全又可以减小钢绳的刚度，允许工作在较小的曲率半径下，可以减小绳轮和卷筒的直径。在牵引装置中还有调节两根钢绳延伸率的三角调节器，其调整量在300 mm左右，以保证两根钢绳上所受的张力相等。

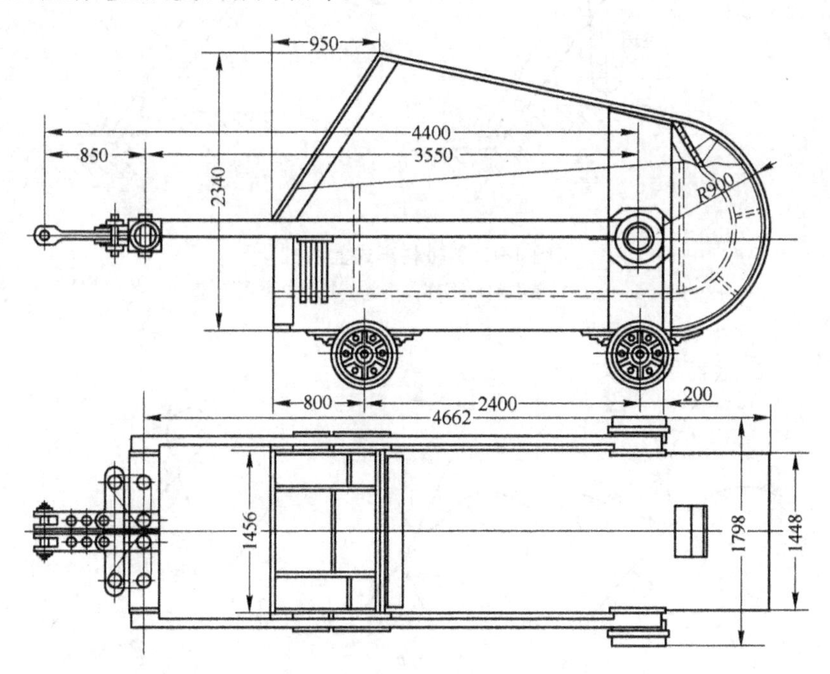

图4-8　9 m³料车结构示意图

4.3.1.2　斜桥

斜桥大都采用桁架结构，其倾角取决于铁路线数目和平面布置形式，一般为55°～65°。设两个支点，下端支撑在料车坑的墙壁上，上端支撑在从地面单设的门形架子上，顶端悬臂部分和高炉没有联系，其目的是使结构部分和操作部分分开，如图4-9所示。有的把上支点放在炉顶框架上或炉体大框架上，在相接处设置滚动支座，允许斜桥在温度变化时自由位移，消除了对框架产生的斜向推力。

为了使料车能自动卸料，料车的行走轨道在斜桥顶端设有轨距较宽的分歧轨，常用的卸料曲轨形式见图4-10。当料车的前轮沿主轨道前进时，后轮则靠外轮面沿分歧轨上升使料车自动倾翻卸料，料车的倾角达到60°时停车。在设计曲轨时，应考虑翻倒过程平滑，钢绳张力没有急剧变化，卸料偏析小，卸料后料车能在自重作用下，以较大的加速度返回。图

4-10c结构简单,制作方便,但工艺性能稍差,常用在小高炉上;图 4-10b 和图 4-10a 用于中型高炉,图 4-10a 的工艺性能最好。

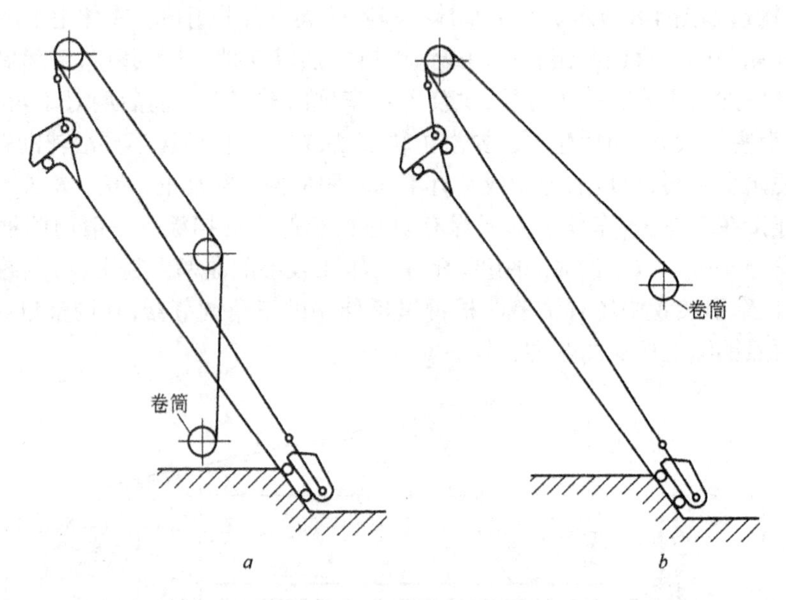

图 4-9 斜桥料车式上料机

a—卷扬机装在斜桥下部;b—卷扬机装在斜桥上部

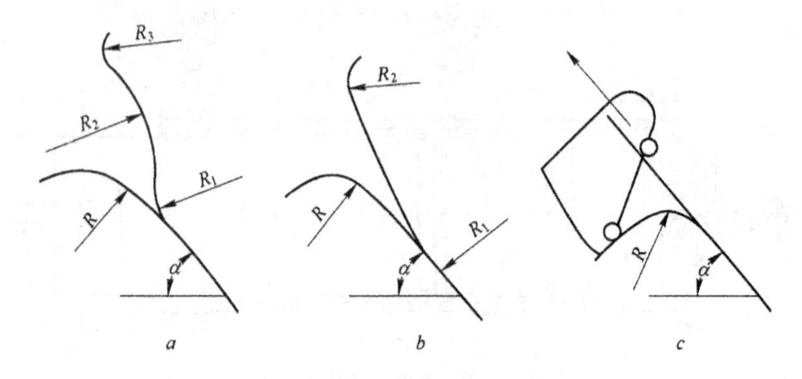

图 4-10 卸料曲轨形式

为了使料车上下平稳可靠,通常在行走轨上部装护轮轨。为了使料车装得满些,常将料车坑内的料车轨道倾角加大到60°左右。

4.3.1.3 卷扬机

卷扬机是牵引料车在斜桥上行走的设备。在高炉设备中,它是仅次于鼓风机的关键设备,要求运行安全可靠,调速性能良好,终点位置停车准确,能够自动运行。

料车卷扬机系统,主要由驱动电机、减速箱、卷筒、钢绳、安全装置及控制系统等组成,具有以下特点:

(1) 采用双电机传动,要求两台电机的型号和特性相同,并同时工作,以提高卷扬机工作的可靠性。对于255 m^3以下的高炉,可以采用单电动机传动。

(2) 采用直流电动机。用发电机——电动机组控制,调速范围大,并具有调速灵活、平稳和准确等特点。对于 255 m³以下的小高炉，可以采用一台交流电动机传动。

(3) 采用人字齿传动，以适应传动力矩大的需要。并只把卷筒轴上的一个轴承固定住，其余轴承可作轴向窜动，以适应由于加工精度不够和安装产生的偏差而使人字齿两侧受力不均产生的推力。

(4) 设有速度控制、防止过载、防止料车超越极限位置和钢绳松弛等安全保护装置。

料车的容积和卷扬机的能力与高炉容积有关，不同容积高炉所用的料车特性和卷扬机能力见表 4-3。

表 4-3 料车卷扬机的技术特性

项 目	高炉容积/m³			
	255	620～750	1000～1200	1500
料车有效容积/m³	2.0	4.5	6.5	10
内轨距/mm	1190	1454	1454	1660
轮子直径/mm	400	500	500	500
轮轴中心距/mm	1400	2000	2400	2400
车厢外侧尺寸(长×宽×高)/mm×mm×mm	2850×1000×1200	3900×1220×1600	4312×1281×2614	4312×1424×2364
钢绳正常拉力/t	4.8	7	15	22.5
钢绳最大拉力/t	7.5	11	19	25
钢绳速度/m·s⁻¹	约 1.24	2.5	2.5～3.0	3.5
卷筒直径(按钢绳中心)/mm	1200	1850	2000	2000
钢绳直径/mm	28.5	32.5	39	43.5
电机型号	JZR72	ZD242.3/36.5-6B	ZJD56/34-4	ZJD74/29-6
电机台数/台	1	2	2	2
电机功率/kW	80	160	190	260

4.3.2 皮带机上料系统

近年来，由于高炉的大型化，料车式上料机已不能满足高炉生产的要求，如一座3000 m³高炉，料车坑会深达 5 层楼以上，钢丝绳会加粗到难以卷曲的程度，不论是增大每次上料量，还是增加上料次数，只要是间断上料，都是很不经济的，故新建的大型高炉和部分中小型高炉都采用了皮带机上料系统，因为它连续上料，可以很容易地通过增大皮带速度和宽度，满足高炉要求。皮带机上料系统的优点是：

(1) 大型高炉有两个以上出铁口和出铁场，高炉附近场地不足，要求将贮矿槽等设施离高炉远些，皮带机上料系统正好适应这一要求。

(2) 上料能力大，比斜桥料车式上料机效率高而且灵活，炉料破损率低，改间断上料为连续上料。

(3) 节省投资，节省钢材。采用皮带机代替价格昂贵的卷扬机和电动机组，既减轻了设备重量，又简化了控制系统。

国内外部分大中型高炉上料皮带机的主要技术参数见表 4-4。

表 4-4 国内外部分高炉上料皮带机的主要技术参数

国别及厂名	高炉号	容积 /m³	宽度 /mm	速度 /m·min⁻¹	水平长度 /m	倾角	能力 /t·h⁻¹	电机功率×台 /kW
水城	1	568	1000	75	57	17°	630	75×2
首钢	2	1327	1200	120	344	12°	1100	380×2
马钢	1	2545	1600	120	304.508	11°18′	2600	250×4
武钢	新 3	3200	1800	120	397.22	9°50′20″	3500	
宝钢	1	4063	1800	120	344.603	11°22′14″	3500	250×4
宝钢	3	4350	2200	120	347.423	11°26′21″	5500	355×4
日本水岛	4	4323	2400	120	309	13°27′	5300	350×4

4.3.2.1 胶带上料机的传动

总体布置是胶带机的头轮设在炉顶上，尾轮设在矿槽下，机械传动装置和电控室设在偏于尾轮一侧的中部，如图 4-11 所示，便于炉顶装料设备和矿槽设备的布置。由于胶带上有炉料及其自身的荷重，再加上张紧装置的作用，皮带与驱动卷筒之间产生摩擦力而被驱动。为了减小胶带张力，上料胶带机驱动装置一般采用双卷筒有备用机组的串联驱动方式，如图 4-12 所示，四台电动机其中一台备用，正常使用三台。

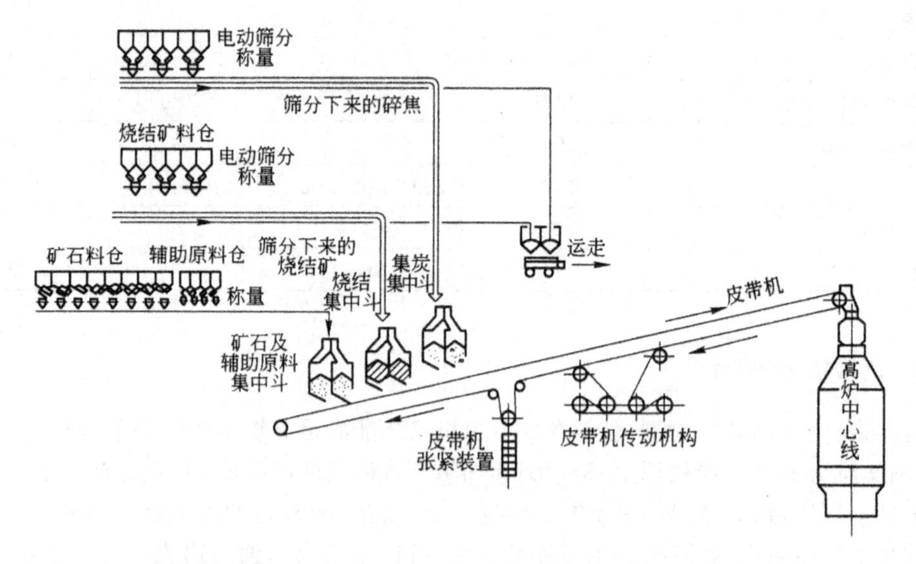

图 4-11 高炉皮带机上料流程

4.3.2.2 胶带的种类

由于炉料提升高度比较大，倾角又不能太大，所以胶带要拉得很长，因此多采用夹钢绳芯高强度胶带，优点是抗拉强度高，寿命比帆布夹层胶带长 2～3 倍，伸长率只有 0.2%左右，比帆布夹层胶带的 1.3%还小很多，抗冲击能力强，成槽性较好。

4.3.2.3 料位检测

为了准确检测原料位置，在胶带机长度方向上设有原料位置检测装置，如图 4-13 所示，共有 4 个检测点，4 个检测点功能如下：

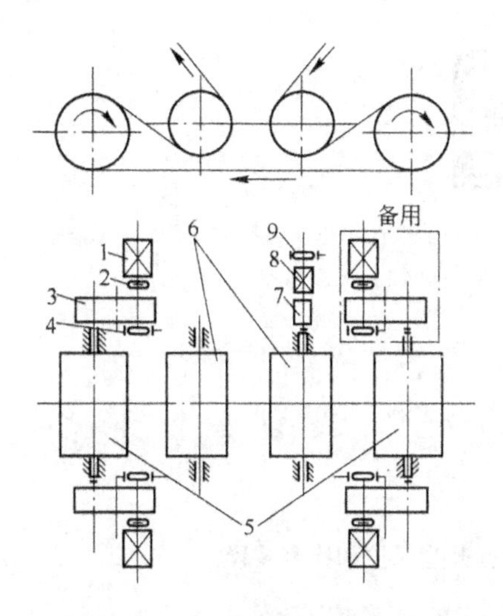

图 4-12 皮带传动机构

1—电动机；2—液力耦合器；3—减速机；
4—制动器；5—驱动滚筒；6—导向滚筒；
7—行星减速机；8—电动机；9—制动器

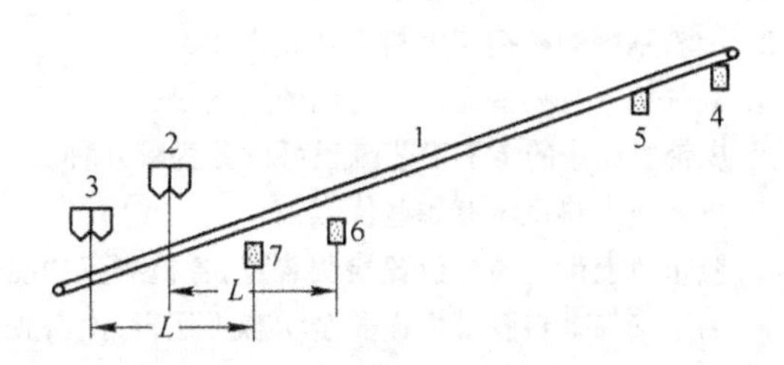

图 4-13 原料位置检测点

1—装料皮带机；2—矿石斗；3—焦炭斗；
4—原料到达炉顶检测点；5—炉顶准备检测点；
6—矿石终点检测；7—焦炭终点检测

(1) 焦炭料尾检测点发出信号是允许下批料中的焦炭开始排放到主胶带上的信号。

(2) 矿石料尾检测点发出信号是允许下批料中的矿石开始排放到主胶带上的信号。

(3) 炉顶准备检测点给出的信号是为了检查在炉料从主胶带卸下时，炉顶各有关设备是否处于受料的准备状态。

(4) 原料到达炉顶的检测点给出炉料确实已到达炉顶的信号。

4.3.2.4 安全措施

为了确保上料胶带机在安全状态下运行，上料胶带机设有保护和检测装置。

(1) 在沿上料胶带机的两侧布置四对双向拉线开关，当设备出现故障或其他危险情况时，用于紧急停机；

(2) 在沿上料胶带机的两侧布置两级跑偏开关，胶带一级跑偏时报警，二级跑偏时自动停机；

(3) 布置打滑检测装置，用于检测胶带打滑，胶带严重打滑时自动停止设备运转；

(4) 布置断带保护装置，当发生胶带断裂时，摩擦轮将胶带锁紧不至于下滑，并报警；

(5) 为了防止划伤皮带，在上料胶带机前或其上设置电磁铁铁件清除装置。

1. 现代高炉对原料供应系统的要求是什么？
2. 上料系统的矿槽与焦槽起什么作用？
3. 高炉槽下有哪些设备？它们的用途是什么？
4. 皮带机运输的槽下工艺流程可以分为哪几种？
5. 皮带机上料系统有哪些优点？
6. 胶带机上设有原料位置检测装置，各检测点功能是什么？
7. 为了确保上料胶带机在安全状态下运行，上料胶带机设有哪些保护和检测装置？

5 炉顶装料设备

装料设备是高炉重要设备之一,其主要任务是把上料系统运送来的炉料装入炉内并使之合理地分布到炉喉,同时起到密封的作用。

为了便于人工加料,过去很长时间炉顶是敞开的。后来为了利用煤气,在炉顶安装了简单的料钟与料斗,即单钟式炉顶装料设备,把敞开的炉顶封闭起来。煤气用管导出加以利用,但在开钟装料时仍有大量煤气逸出。为了布料均匀防止偏析,从1906年起便出现了布料器,最初是马基式旋转布料器,它组成一个完整的密封系统和较为灵活的布料工艺,获得了广泛应用,后来又出现了快速旋转布料器和空转螺旋布料器。

随着炉顶压力的提高,采用高压操作,炉顶的密封出现了新的困难,大料钟和大料斗容易损坏,特别是顶压超过0.25 MPa时。这种双钟式的装料设备已经不能满足要求,后来又出现了三钟式、二钟阀封式等新式炉顶装料设备,但这些设备仍以大钟和小钟为主要的构件。1972年,由卢森堡设计的PW型无钟炉顶,采用旋转溜槽布料,引起炉顶结构的重大变化,它具有布料灵活、密封性好、维修方便和投资省特点。目前新建的和改建的1000 m^3以上的高炉多数采用无钟炉顶装料设备。

无论何种炉顶装料设备均应能满足以下基本要求:

(1) 要适应高炉生产能力;

(2) 能满足炉喉合理布料的要求,并能按生产要求进行炉顶调剂;

(3) 保证炉顶可靠密封,使高压操作顺利进行;

(4) 设备结构应力求简单和坚固,制造、运输、安装方便,能抵抗急剧的温度变化及高温作用;

(5) 易于实现自动化操作。

5.1 钟式炉顶

马基式布料器双钟炉顶是钟式炉顶装料设备的典型代表,如图5-1所示,由大钟、大料斗、煤气封盖、小钟、小料斗(即马基式布料器)和受料漏斗组成。

5.1.1 大钟、大料斗及煤气封罩

5.1.1.1 大钟

大钟用来分布炉料,其直径与炉喉直径配合,以保证合适的炉喉间隙,大钟直径在我国已定型化。大钟一般用35号钢整体铸造。对大型高炉来说,其壁厚不能小于50 mm,一般为60~80 mm。钟壁与水平面成45~55°,在我国定型设计规定为53°。为了保证大钟和大料斗密切接触,减少磨损,大钟与大料斗的接触面是一个环形带,带宽100~150 mm,堆焊5~8mm硬质合金并且进行精密加工,接触带的缝隙小于0.08 mm。为了减小大钟的扭曲和变形,常做成刚性大钟,即在大钟的内壁增加水平环形刚性环和垂直加强筋。

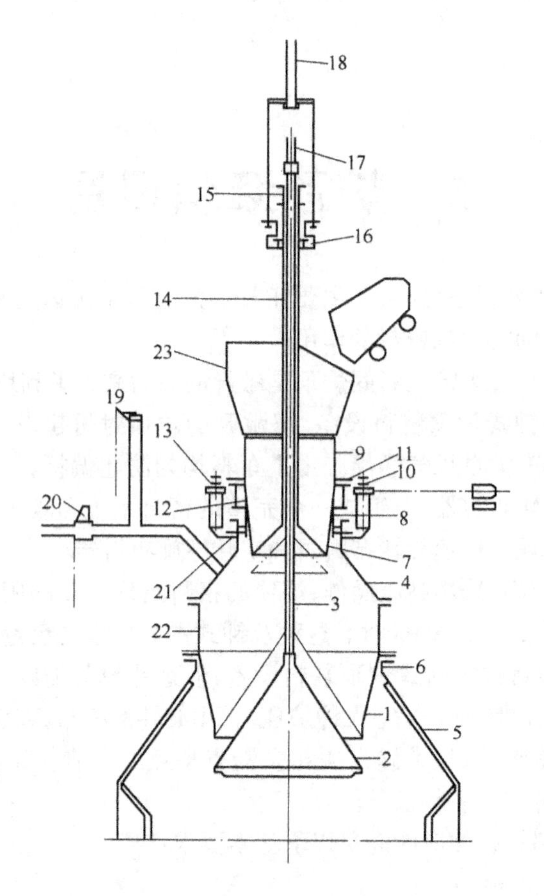

图 5-1　马基式布料器双钟炉顶

1—大料斗；2—大钟；3—大钟杆；4—煤气封罩；5—炉顶封板；6—炉顶法兰；7—小料斗下部内层；8—小料斗下部外层；9—小料斗上部；10—小齿轮；11—大齿轮；12—支撑轮；13—定位轮；14—小钟杆；15—钟杆密封；16—轴承；17—大钟杆吊挂件；18—小钟杆吊挂件；19—放散阀；20—均压阀；21—小钟密封；22—大料斗上节；23—受料漏斗

大钟杆一般由低碳钢的无缝钢管做成。大钟与大钟杆的连接方式有铰式连接和刚性连接两种。铰式连接的大钟可以自由活动。当大钟与大料斗中心不吻合时，大钟仍能将大料斗很好地关闭。缺点是当大料斗内装料不均匀时，大钟下降时会偏斜和摆动，使炉料分布更不均匀。钢件连接时大钟杆与大钟之间用楔子固定在一起，其优缺点与活动的铰式连接恰好相反，在大钟与大料斗中心不吻合时，有可能扭曲大钟杆，但从布料角度分析，大钟下降后不会产生摇摆，所以偏斜率比铰式连接小。

5.1.1.2　大料斗

大料斗通常由 35 号钢铸成。对大高炉而言，由于尺寸很大，加工和运输都很困难，所以常将大料斗做成两节，如图 5-1 中的 1 和 22。这样当大料斗下部磨损时，可以只更换下部，上部继续使用。为了密封良好，与大钟接触的下部要整体铸成，料斗壁倾角应大于70°，壁应做得薄些，厚度不超过 55 mm，而且不需要加强肋，这样，高压操作时，在大钟向上的巨大压力下，可以发挥大料斗的弹性作用，使两者紧密接触。

常压高炉大钟可以工作 3～5 年，大料斗 8～10 年，高压操作的高炉，当炉顶压力大于

0.2 MPa时，一般只能工作1.5年左右，有的甚至只有几个月。主要原因是大钟与大料斗接触带密封不好，产生缝隙，由于压差的作用，带灰尘的煤气流高速通过，磨损设备。炉顶压力越高，磨损越严重。

为了减小大钟、大料斗间的磨损，延长其寿命，常采取以下措施：

(1) 采用刚性大钟与柔性大料斗结构。在炉喉温度条件下，大钟在煤气托力和平衡锤的作用下，给大料斗下缘一定的作用力，大料斗的柔性使它能够在接触面压紧力的作用下，发生局部变形，从而使大钟与大料斗密切闭合。

(2) 采用双倾斜角的大钟，即大钟下部的倾角为53°，下部与大料斗接触部位的倾角为60°。

(3) 在接触带堆焊硬质合金，提高接触带的抗磨性，大钟与大料斗间即使产生缝隙，也因有耐磨材质的保护而延长寿命。

(4) 在大料斗内充压，减小大钟上、下压差。这一方法是向大料斗内充入半净化煤气或氮气，使得大钟上、下压差变得很小，甚至没有压差。由于压差的减小和消除，从而使通过大钟与大料斗间的缝隙的煤气流速减小或没有流通，也就减小或消除了磨损。

5.1.1.3 煤气封罩

它与大料斗连接，是封闭大小料钟之间的外壳，一般由钢板焊接而成。它的上端有法兰盘与布料器的支托架相连接，下端也有法兰盘与炉顶支圈相连接。为了使料钟间的有效容积能满足最大料批进行同装的需要，其容积为料车有效容积的5～6倍，煤气封罩上设有两个均压阀管的出口和4个人孔，4个人孔中3个小的人孔为日常维修时的检视孔，一个大的椭圆形人孔用来在检修时，放进或取出半个小料钟。

5.1.1.4 炉顶支圈

炉顶支圈又称炉顶钢圈或炉顶法兰，它装在高炉炉口上，是整个炉顶设备安装的基础。

5.1.2 布料器

料车式高炉炉顶装料设备的最大缺点是炉料分布不均。料车只能从斜桥方向将炉料通过受料漏斗装入小料斗中，因此在小料斗中产生偏析现象，大粒度炉料集中在料车对面，粉末料集中在料车一侧，堆尖也在这侧，炉料粒度越不均匀，料车卸料速度越慢，这种偏析现象越严重。这种不均匀现象在大料斗内和炉喉部分仍然重复着。为了消除这种不均匀现象，通常采用的措施是将小料斗改成旋转布料器，或者在小料斗之上加旋转漏斗。

5.1.2.1 马基式旋转布料器

马基式旋转布料器是过去普遍采用的一种布料器，由小钟、小料斗和小钟杆组成，位于受料漏斗之下，煤气封罩之上。整个布料器由电机通过传动装置驱动旋转，由于旋转布料器的旋转，所以在小料斗和下部大料斗封盖之间需要密封。

小钟采用焊接性能较好的ZG35Mn2铸成，为了增强抗磨性也有用ZG50Mn2的。为便于更换，小钟都铸成两半，两半的垂直结合面用螺栓从内侧连接起来。小钟壁厚约60 mm，倾角50～55°。在小钟与小料斗接触面堆焊硬质合金，或者在整个小钟表面堆焊硬质合金。小钟关闭时与小料斗相互压紧。小钟与小钟杆刚性连接，小钟杆由厚壁钢管制成，为防止炉料的磨损，设有锰钢保护套，保护套由两个半环组成。大钟杆从小钟杆内穿过，两者之间又有相对运动，大、小钟杆一般吊挂在固定轴承上。

小料斗由内、外两层组成(见图 5-1 中 7、8、9),外层为铸钢件,起密封作用和固定传动用大齿轮。内层由上、下两部分组成,上部由钢板焊成,内衬以锰钢衬板;下部是铸钢的,承受炉料的冲击与磨损。为防止炉料撒到炉顶平台上,要求小料斗的容积为料车容积的 1.1~1.2 倍。

这种布料设备的特点是:小料斗装料后旋转一定角度,再开启小钟,一般是每批料旋转 60°,即 0°、60°、120°、180°、240°、300°,俗称六点布料,要求每次转角误差不超过 2°,这样小料斗中产生的偏析现象就依次沿炉喉圆周按上述角度分布。落在炉喉某一部位的大块料与粉末,或者每批料的堆尖,沿高度综合起来是均匀的,这种布料方式称为马基式布料。为了操作方便,当转角超过 180°时,布料器可以逆转,例如 240°可变为 120°。

这种布料器尽管应用广泛,但存在一定的缺点:一是布料仍然不均,这是由于双料车上料时,料车位置与斜桥中心线有一定夹角,因此堆料位置受到影响;二是旋转漏斗与密封装置极易磨损,而更换、检修又较困难。为了解决上述问题,出现了快速旋转布料器。

5.1.2.2　快速旋转布料器

快速旋转布料器实现了旋转件不密封、密封件不旋转。它在受料漏斗与小料斗之间加一个旋转漏斗,当上料机向受料漏斗卸料时,炉料通过正在快速旋转的漏斗,使料在小料斗内均匀分布,消除堆尖。其结构示意如图 5-2*a* 所示。

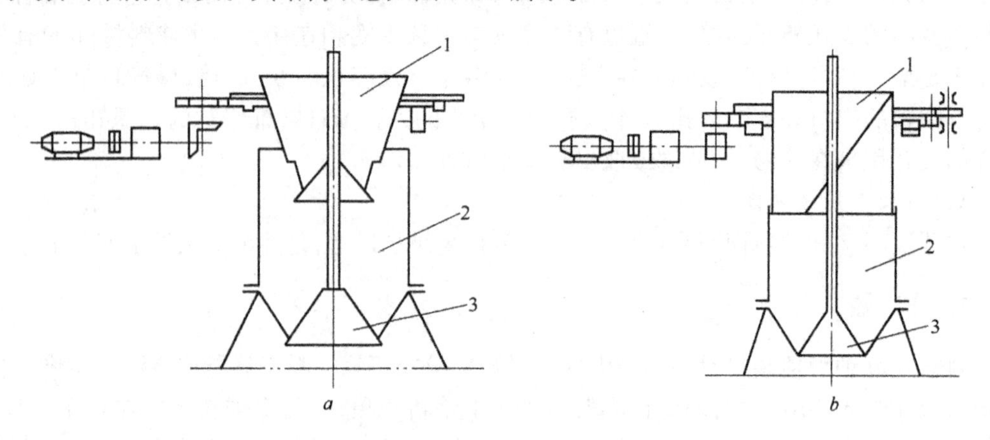

图 5-2　布料器结构示意图

a—快速旋转布料器;*b*—空转螺旋布料器

1—旋转漏斗;2—小料斗;3—小料钟

快速旋转布料器的容积为料车有效容积的 3/10~4/10,转速与炉料粒度及漏斗开口尺寸有关,过慢布料不均,过快由于离心力的作用,炉料漏不尽,部分炉料剩余在快速旋转布料器里,当漏斗停止旋转后,炉料又集中落入小料斗中形成堆尖,一般转速为 1.0~2.0 r/min。

快速旋转布料器开口大小与形状,对布料有直接影响,开口小布料均匀,但易卡料,开口大则反之,所以开口直径应与原燃料粒度相适应。

5.1.2.3　空转螺旋布料器

空转螺旋布料器与快速旋转布料器的构造基本相同,只是旋转漏斗的开口做成单嘴的并且操作程序不同,如图 5-2*b* 所示。小料钟关闭后,旋转漏斗单向慢速(3.2 r/min)空转一定角度,然后上料系统再通过受料漏斗、静止的旋转漏斗向小料斗内卸料。若转角为 60°,

则相当于马基式布料器，所以一般采用每次旋转 57°或 63°。这种操作制度使高炉内整个料柱比较均匀，料批的堆尖在炉内成螺旋形，不像马基式布料器那样固定，而是扩展到整个炉喉圆周上，因而能改善煤气的利用。但是，当炉料粒度不均匀时会增加偏析。

空转螺旋布料器和快速旋转布料器消除了马基式布料器的密封装置，结构简单，工作可靠，增强了炉顶的密封性能，减小了维护检修的工作量。另外，由于旋转漏斗容积较小，没有密封的压紧装置，所以传动装置的动力消耗较少。例如，255 m^3高炉用马基式布料器时传动功率为 11 kW，用快速旋转漏斗时为 7.5 kW，而空转螺旋布料器则更小，2.8 kW 已足够。

5.2 钟阀式炉顶

随着高炉炼铁的发展，特别是高压炉顶的应用和高炉容积的扩大。马基式双钟装料设备就不能满足密封和布料的要求了，大小钟及钟杆磨损严重，炉子中心布矿过少，中心和边缘料面高度差增大，这就不能适应现代高炉生产需要。为解决出现的问题就要将装料设备的两大作用分开，做到布料的不密封，密封的不布料。在解决密封问题方面出现了三钟、钟阀式炉顶等多种结构，在解决布料问题方面则出现了变径炉喉。

5.2.1 双钟四阀式炉顶

具有代表性的钟阀式炉顶结构是双钟四阀式，是为了适应 0.25 MPa 高压操作和延长大钟寿命，以及具有良好的布料性能而发展起来的。

双钟四阀式炉顶结构如图 5-3 所示，旋转布料器设置在炉顶顶部，其下为装有四个对称

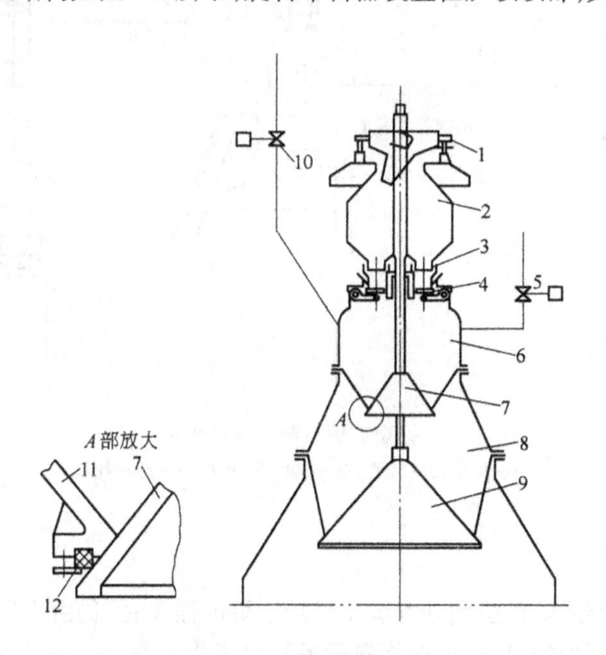

图 5-3 双钟四阀式炉顶

1—旋转布料器；2—贮料斗；3—闸门；4—密封阀；5—均压阀；6—小料斗；7—小料钟；8—大料斗；9—大料钟；10—放散阀；11—小钟料斗；12—硅橡胶

闸阀的贮料斗。闸阀下有四个密封阀，阀板与阀座接触部分为软密封，采用氯丁橡胶圈，并

以氮气清扫密封橡胶面，密封阀不与料接触，避免了原料的打击和磨损，有利于密封和延长其寿命。密封阀下面是小料钟和小料斗，其接触面采用了软硬密封，硬密封用 25Cr 铸铁密封环，环的下部设环槽，内镶嵌硅橡胶，即软密封环。炉顶压力能达到 0.25 MPa 全靠此环。大料钟与大料斗内为炉喉煤气压力，大料钟不起密封作用，只起布料作用。

5.2.2　变径炉喉

变径炉喉有改变内径的移动式和改变锥度的摆动式两种，图 5-4 是日本新日铁活动可调炉喉。其机构为：沿炉喉四周共有 24 组可调炉喉板，其传动机构都连接在环梁上。在环梁下面有 3 个 15 kW 的电动驱动装置，驱动环梁的升降，带动传动杆，使炉喉板摆动，从而达到改变炉喉直径的目的。

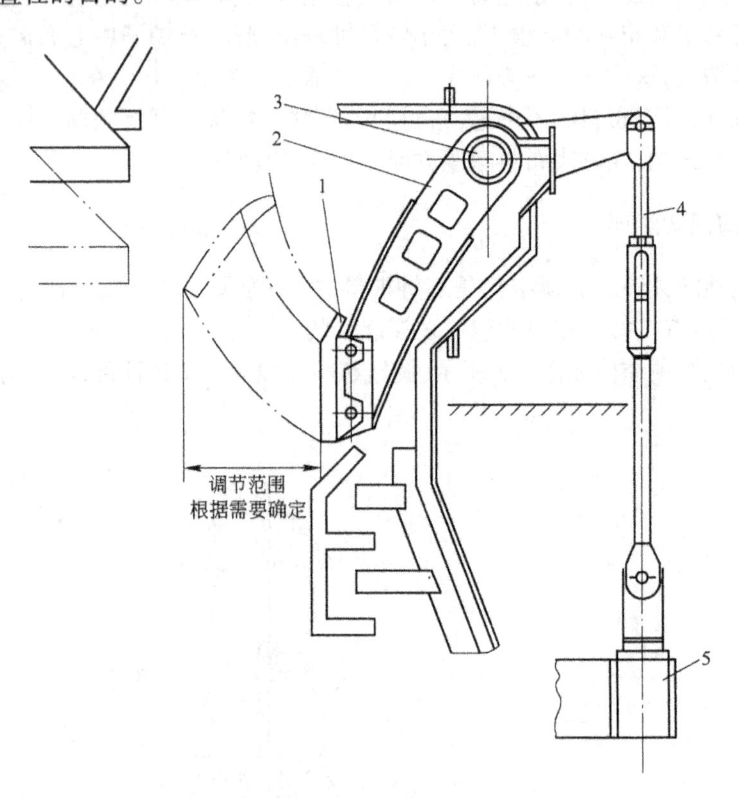

图 5-4　炉顶装料可调炉喉

1—护板；2—转臂；3—转轴；4—连杆；5—环形托梁

5.3　无料钟炉顶

钟式炉顶和钟阀式炉顶虽然基本满足高炉冶炼的需要，但仍由小钟、大钟布料。随着高炉的大型化和炉顶压力的提高，炉顶装料设备日趋庞大和复杂。首先是大型高炉大钟直径 6000 mm 以上，大钟和大料斗重达百余吨，使加工、运输、安装、检修带来极为不便；其次是为了更换大钟，在炉顶上设有大吨位的吊装工具使炉顶钢结构庞大；其三是随着大钟直径的日益增大，在炉喉水平面上被大钟遮盖的面积愈来愈大，布往中心的炉料就减少，因而在高炉大型化初期出现了不顺行、崩料多等现象。20 世纪 60 年代末通过使用可调炉喉，上述现象得以好转。但炉顶装置却进一步复杂化,还不能满足大型化高炉进一步强化所需要布料手段。为了进一步简化炉顶装料设备、改善密封状况、增加布料手段,卢森堡的 PW 公司于1972 年在联邦德国蒂森 1445 m^{3}高炉上首先推出了无料钟炉顶装置,彻底解决了布料和密封问题。用一个旋转溜槽和两个密封料斗,代替了原来庞大的大小钟等一整套装置,是炉顶设备的一次革命。

无料钟炉顶装料设备从结构上,根据受料漏斗和称量料罐的布置情况可划分为两种,并罐式结构和串罐式结构。PW 公司早期推出的无钟炉顶设备是并罐式结构,直到今天,仍然有着广泛的市场。串罐式无料钟炉顶设备出现得较晚,是 1983 年由 PW 公司首先推出的,并于 1984 年投入运行,它的出现以及随之而来的一系列改进,使得无料钟炉顶装料设备有了一个崭新的面貌。

5.3.1 并罐式无料钟炉顶

并罐式无料钟炉顶的结构见图 5-5,主要由受料漏斗、称量料罐、中心喉管、气密箱、布料溜槽等五部分组成。

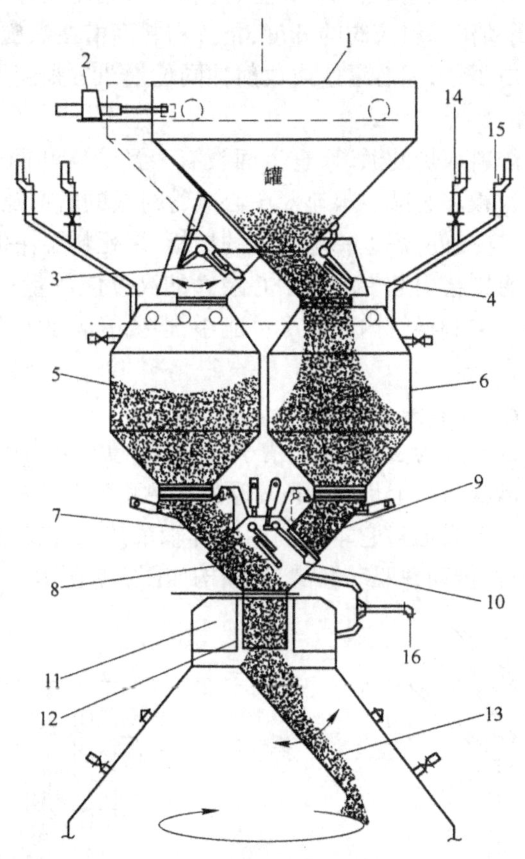

图 5-5 并罐式无料钟炉顶

1—受料罐;2—罐位置移动装置;3—上密封阀(关);4—上密封阀(开);5—料仓 1;6—料仓 2;
7—料流控制阀(开);8—下密封阀(开);9—料流控制阀(关);10—下密封阀(关);
11—齿轮箱;12—中心喉管;13—旋转溜槽;14—均压阀;15—放散阀;16—半净煤气

5.3.1.1 受料漏斗

受料漏斗有带翻板的固定式和带轮子可左右移动的活动式受料漏斗两种。带翻板的固定式受料漏斗通过翻板来控制向哪个称量料罐卸料;带有轮子的受料漏斗,可沿滑轨左右移动,将炉料卸到任意一个称量料罐。受料漏斗外壳系钢板焊接结构,内衬为含25%的高铬铸铁衬板。

5.3.1.2 称量料罐

并罐式无料钟顶有两个并列称量料罐,两个料罐交替使用。料罐其作用是接受、贮存炉料和均压室作用,内壁有耐磨衬板加以保护。在称量料罐上口设有上密封阀,下部装有下密封阀,在下密封阀的上部设有调节料流用闸门,也称下截流阀。每个料罐的有效容积为最大矿石批重或最大焦批重的1.0~1.2倍。密封阀直径可取大些,因为主要考虑把受料漏斗接过来的炉料尽量在30 s内装入料罐,一般取1400~1800 mm。下密封阀直径和下截流阀水力学半径尽可能小为宜,过大易造成下料流量偏大,造成布料周向偏析;过小造成卡料,且影响生产能力。下密封阀直径700~1000 mm。

料罐设有电子秤,用以监视料罐料满、料空、过载和料流速度等情况,同时发出信号指挥上下密封阀的开启、关闭动作和料流阀的开度,指挥布料溜槽在螺旋布料方式下何时进行倾动。有的高炉料罐没有电子秤,但有雷达或放射性同位素^{60}Co来测量料罐料满、料空信号。

5.3.1.3 中心喉管

中心喉管是料罐内炉料入炉的通道,它上面设有一叉形管和两个称量料罐相连。中心喉管和叉形管内均设有衬板。为减少料流对中心喉管衬板的磨损及防止料流将中心喉管磨偏,在叉形管和中心喉管连接处,焊上一定高度的挡板,用死料层保护衬板,结构如图5-6所示,但是挡板不宜过高,否则会引起卡料。中心喉管的高度应尽量长一些,一般是其直径的两倍以上,以免炉料偏行,中心喉管内径应尽可能小,但要能满足下料速度,并且又不会引起卡料,一般为ϕ500~700 mm。

5.3.1.4 旋转溜槽及气密箱

旋转溜槽为半圆形的长度为2~4 m的槽子,布料溜槽本体由耐热钢(ZGCr9Si2)铸成,上衬有鱼鳞状衬板。鱼鳞状衬板上堆焊8 mm厚的耐热耐磨合金材料。旋转溜槽用四个销轴挂在U形卡具中,U形卡具通过它本身的两个耳轴吊挂在旋转圆环下面,一侧伸出的耳轴上固定有扇形齿轮,以便传动并驱动溜槽,其结构如图5-7所示。

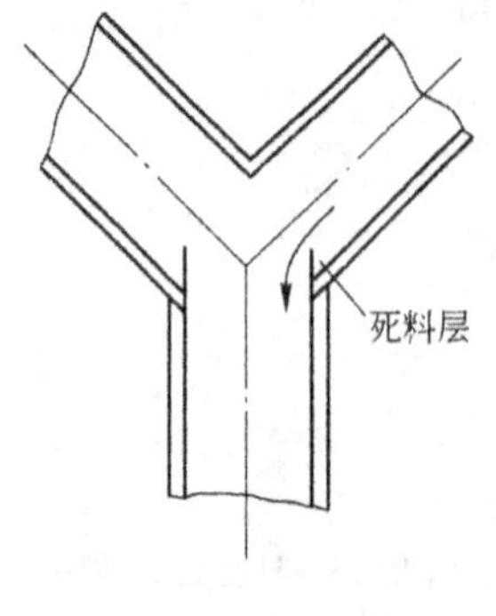

图5-6 中心喉管

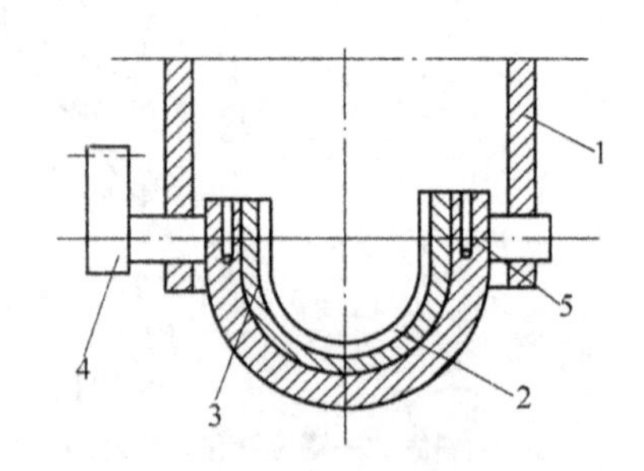

图5-7 旋转溜槽吊挂形式

1—旋转圆环;2—溜槽;3—吊挂;4—扇形齿轮;5—键槽

旋转溜槽长度由如下原则确定：

(1) 炉喉半径的9/10～1倍；

(2) 当溜槽最大倾角时炉料能到达炉喉边缘；

(3) 溜槽不被料线埋下。

5.3.1.5 *旋转溜槽传动机构*

旋转溜槽传动机构分为两个部分：一部分为行星减速器，另一部分是位于炉内的气密箱。传动机构要完成的动作是：使溜槽绕高炉中心线作旋转运动和在垂直平面内改变溜槽倾角，图5-8是旋转溜槽传动机构。

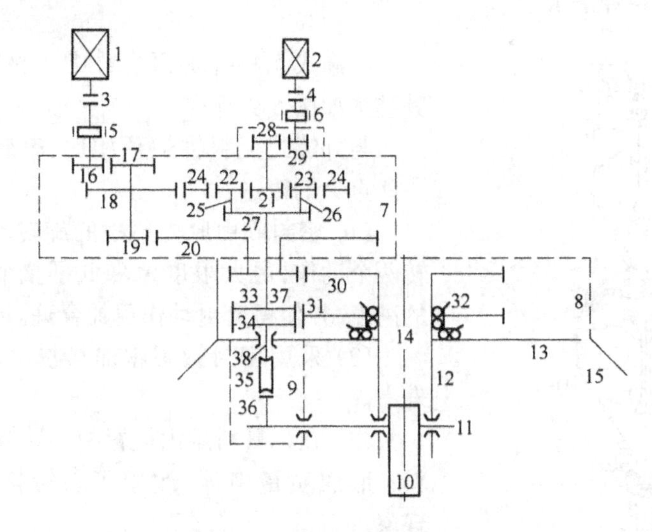

图5-8 旋转溜槽传动系统

1—主传动电机(旋转电机)；2—副传动电机(倾动电机)；3、4—联轴节；5、6—制动器；7—行星传动箱；8—气密传动箱；9—蜗轮传动箱；10—旋转溜槽；11—摆动轴；12—旋转套筒；13—旋转圆环；14—中心喉管；15—炉内；16、17、18、19、33、34—齿轮；20—套筒齿轮；21—太阳齿轮；22、23—行星齿轮；24—外齿轮；25—行星齿轮22的系杆销轴；26—行星齿轮23的系杆销轴；27—转动轮；28、29—齿轮；30—齿环；31—浮动齿环；32—滚动轴承；35—蜗杆蜗轮；36—扇形齿轮；37、38—轴

并罐式无料钟炉顶装料设备与钟斗式炉顶装料设备相比具有以下主要优点：

(1) 布料采用可倾动的旋转溜槽，提高了布料的多样化和调剂手段、可实现环形布料、螺旋布料、定点布料和扇形布料等。

(2) 建设投资低。无料钟炉顶的高度较钟阀式炉顶低1/3，设备重量比钟阀式炉顶减少1/2～1/3。

(3) 密封阀代替料钟，并且密封阀不与炉料接触，密封性能得到改善，可进一步提高炉顶压力和延长炉顶寿命。

(4) 两个称量料罐交替工作，当一个称量料罐向炉内装料时，另一个称量料罐接受系统装料，具有足够的装料能力和赶料线能力。

但是并罐式无钟炉顶也有其不利的一面：

(1) 炉料在中心喉管内呈蛇形运动，因而造成中心喉管磨损较快。

(2) 由于称量料罐中心线和高炉中心线有较大的间距，会在布料时产生料流偏析现象，称为并罐效应。高炉容积越大，并罐效应就越加明显。在双料罐交替工作的情况下，出于料流偏析的方位是相对应的，尚能起到一定的补偿作用，一般只要在装料程序上稍做调整，即可保证高炉稳定顺行，但是从另一个角度讲，毕竟两个料罐所装入的炉料在品种上、质量上不可能完全对等，因而并罐效应始终是高炉顺行的一个不稳定因素。

(3) 尽管并列的两个称量料罐在理论上讲可以互为备用，即当一侧出现故障、检修时，用另一侧料罐来维持正常装料，但是实际生产经验表明，由于并罐效应的影响，单侧装料一般不能超过 6 h，否则炉内就会出现偏行，引起炉况不顺。另外，在不休风并且一侧料罐维持运行的情况下，对另一侧料罐进行检修，实际上也是相当困难的。

5.3.2　串罐式无料钟炉顶

串罐式无料钟炉顶也称中心排料式无料钟炉顶，其结构如图 5-9 所示。

与并罐式无料钟炉顶相比，串罐式无料钟炉顶有一些重大的改进：

(1) 密封阀由原先单独的旋转动作改为倾动和旋转两个动作，最大限度地降低了整个串罐式炉顶设备的高度，并使得密封动作更加合理。

(2) 采用密封阀阀座加热技术，延长了密封圈的寿命。

(3) 在称量料罐内设置中心导料器，使得料罐在排料时形成质量料流，改善了料罐排料时的料流偏析现象。

(4) 1988 年 PW 公司进一步又提出了受料漏斗旋转的方案，以避免皮带上料系统向受料漏斗加料时由于落料点固定所造成的炉料偏析。

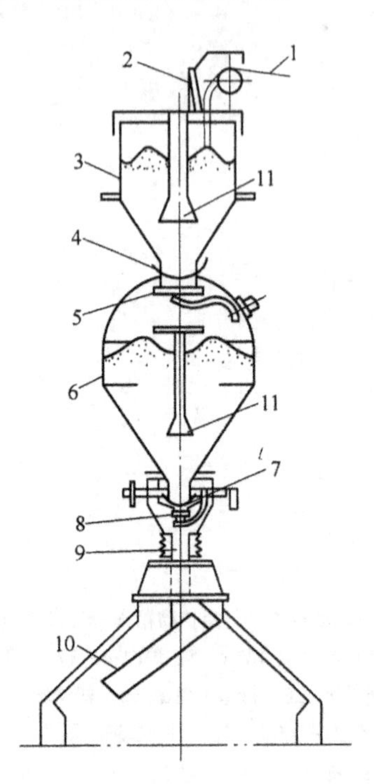

图 5-9　串罐式无料钟炉顶装置示意图
1—上料皮带机；2—挡板；3—受料漏斗；4—上料闸；5—上密封阀；6—称量料罐；7—下截流阀；8—下密封阀；9—中心喉管；10—旋转溜槽；11—中心导料器

概括起来，串罐式无料钟炉顶与并罐式无料钟炉顶相比具有以下特点：

(1) 投资较低，其与并罐式无料钟炉顶相比可减少投资 10%。

(2) 其上部结构中所需空间小，从而使得维修操作具有较大的空间。

(3) 其设备高度与并罐式炉顶基本一致。

(4) 极大地保证了炉料在炉内分布的对称性，减小了炉料偏析，这一点对于保证高炉的稳定顺行是极为重要的。

(5) 绝对的中心排料，从而减小了料罐以及中心喉管的磨损，但是，旋转溜槽所受炉料的冲击有所增大，从而对溜槽的使用寿命有一定的影响。

5.3.3　无料钟炉顶的布料方式

无料钟炉顶的旋转溜槽可以实现多种布料方式，根据生产对炉喉布料的要求，常用的有以下 4 种基本的布料方式，如图 5-10 所示。

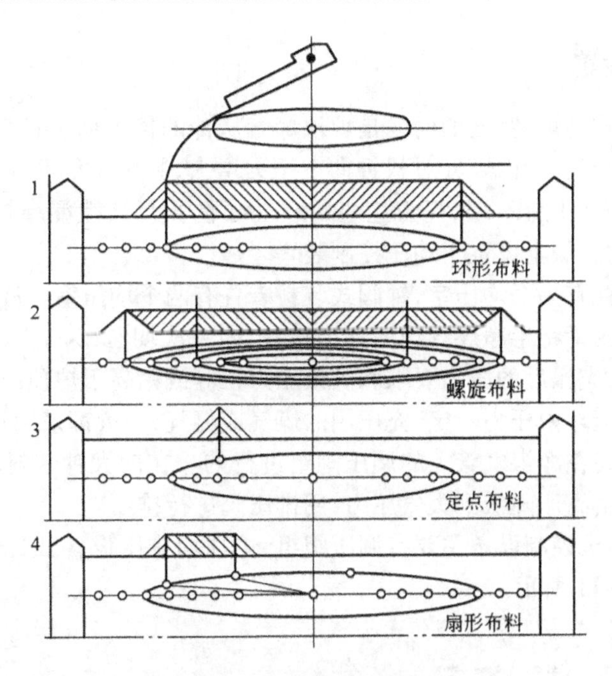

图 5-10 无料钟炉顶布料形式

(1) 环形布料,倾角固定的旋转布料称为环形布料。这种布料方式与料钟布料相似,改变旋转溜槽的倾角相当于改变料钟直径。由于旋转溜槽的倾角可任意调节,所以可在炉喉的任一半径做单环布料,将焦炭和矿石布在不同半径上以调整煤气分布。单环布料时径向粒度偏析严重,粉末和小块集中在堆尖;并罐式的单环布料,炉料圆周偏析较大,其偏料程度并不优于大钟布料。

(2) 螺旋形布料,倾角变化的旋转布料称为螺旋形布料或称为多环布料。布料时溜槽做等速的旋转运动,每转几圈跳变一个倾角,这种布料方法能把炉料布到炉喉截面任一部位,能获得较平坦的料面,径向粒度偏析好于单环布料,O/C 沿径向分布也较稳定和均匀。

(3) 定点布料,方位角固定的布料形式称为定点布料。当炉内某部位发生“管道”或“过吹”时,需用定点布料。

(4) 扇形布料,方位角在规定范围内反复变化的布料形式称为扇形布料。当炉内产生偏析或局部崩料时,采用该布料方式。布料时旋转溜槽在指定的弧段内低速来回摆动。

并罐式无钟炉顶装料过程的操作程序是:当称量料罐需要装料时,受料漏斗移到该称量料罐上面,打开称量料罐的放散阀放散,然后再打开上密封阀,炉料装入称量料罐后,关闭上密封阀和放散阀。为了减小下密封阀的压力差,打开均压阀,使称量料罐内充入均压净煤气。当探尺发出装料入炉的信号时,打开下密封闭,同时给旋转溜槽信号,当旋转溜槽转到预定布料的位置时,打开下截流阀。炉料按预定的布料方式向炉内布料。截流阀开度的大小不同可获得不同的料流速度,一般是卸球团矿时开度小,卸烧结矿时开度大些,卸焦炭时开度最大。当称量料罐发出“料空”信号时,先完全打开下截流阀,然后再关闭,以防止卡料,尔后再关闭下密封阀,同时当旋转溜槽转到停机位置时停止旋转,如此反复。

5.4　均压控制装置

高压操作的钟式高炉，突出的问题是炉顶煤气从钟的接触面和钟杆间漏出，将其磨损，并且由于炉顶压力升高，炉内煤气对料钟向上压力增大，料钟不能开关，例如 ϕ4800 mm 的大钟，在炉顶表压为 0.1 MPa 时，托力达 180 t。为了防止煤气泄漏磨损设备和使料钟顺利开关，在高压操作的高炉上设置了均压控制装置。

双钟式装料装置有一个均压室，钟阀式装料装置有两个均压室。从炉顶出来的荒煤气，经过除尘系统用回压管将半净煤气送回到均压室，即一次均压；为了提高充气压力，多采用氮气进行二次均压，充压后的压力要求和炉顶压力相等或稍高于炉顶压力，以顶住炉内煤气的泄漏。为了保持料斗内压力一定，充压用的煤气或氮气，一般都采用自动压力调节。炉顶压力的控制是通过装在净煤气管上的调压阀组进行的。在向大钟装料时要打开小钟，必须把充压后的均压室由高压降低到大气压力，用排压阀进行排压。

由上述可知，均压控制设备主要有调压阀组、炉顶均排压设备、二次均压用氮气贮存设备等，其系统如图 5-11 所示。

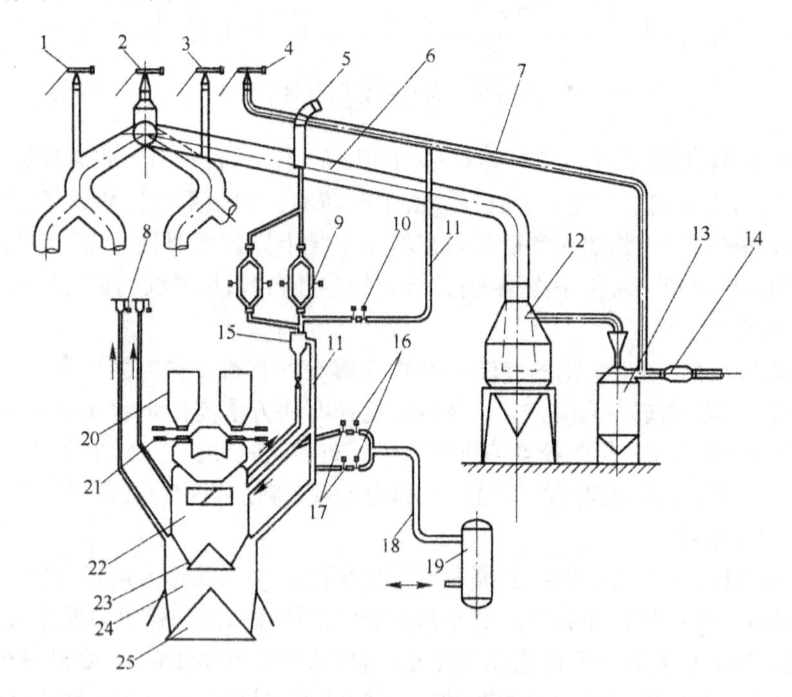

图 5-11　钟阀式炉顶均压系统

1、2、3、4—放散阀；5—消音器；6—下降管；7—回压管；8—事故排压阀；9—排压阀；10—一次均压阀；16—二次均压阀；11—一次均压管；12—除尘器；13—文式管；14—调压阀组；15—集尘器；17—控制阀；18—二次均压管；19—氮气罐；20—贮料斗；21—密封阀；22—小料斗；23—小料钟；24—大料斗；25—大料钟

无料钟炉顶为了适应高压操作的要求和避免料罐内棚料，在料罐的顶部和下部设置密封阀，料罐即为均压室。串罐式无料钟高炉炉顶均压、放散工艺如图 5-12 所示，上罐向下罐漏料时，下罐处于常压状态，接近大气压力；下罐向炉内卸料时，罐内处于高压状态，略高于炉顶压力 0.001～0.002 MPa。为此无料钟高炉装料时必须进行两次均压。

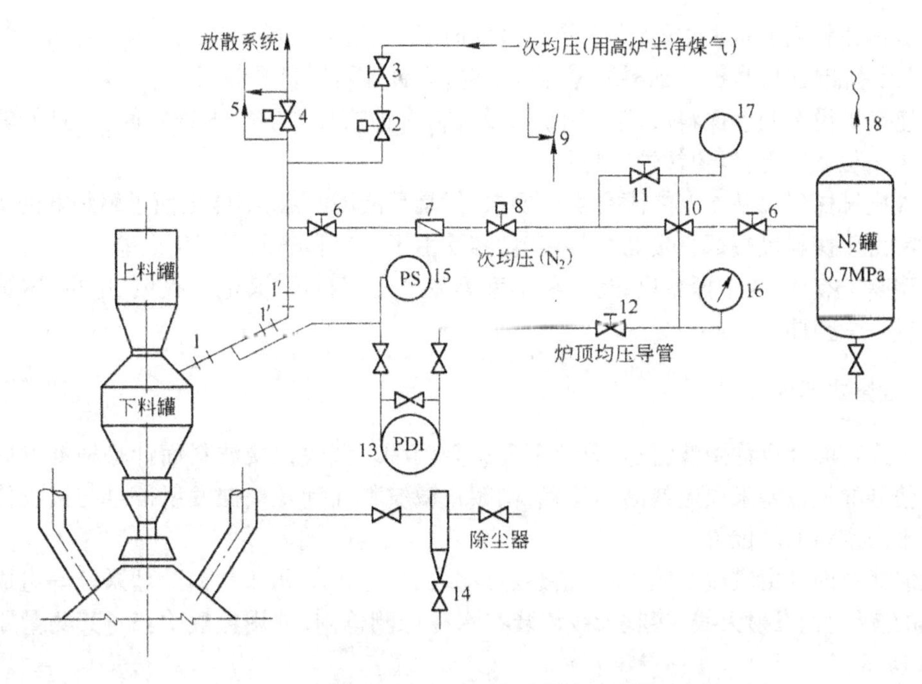

图 5-12 串罐式无料钟高炉炉顶均压、放散示意图

1—万向膨胀节；1′—单向膨胀节；2—一次均匀阀；3—蝶阀；4—放散阀；5—安全阀；6—蝶阀；7—单向阀；8—二次均压阀；9—安全阀；10—差压调节阀；11—差压阀 N_2入口阀；12—差压阀高炉煤气入口阀；13—差压器；14—除尘器放水阀；15—压力继电器；16—压力表(N_2压力)；17—压力表(炉顶)；18—安全阀

5.5 探料装置

探料装置的作用是正确探测料面下降情况，以便及时上料。探料装置既可防止料满时开大钟顶弯钟杆，又可防止低料线操作时炉顶温度过高，烧坏炉顶设备。炉料下降速度反映炉况是否正常，也是上部布料作业的重要依据。目前使用最广泛的探料装置是机械传动的探料尺、微波式料面计和激光式料面计。

5.5.1 探料尺

中型和高压操作的高炉多采用自动化的链条式探尺，它是链条下端挂重锤的挠性探尺，见图 5-13。探料尺的零点是大钟开启位置的下缘，探尺从大料斗外侧炉头内侧伸入炉内，重锤中心距炉墙不应小于 300 mm，探尺卷筒下面有旋塞阀，可以切断煤气，以便在阀上的水平孔中进行重锤和环链的更换。重锤的升降借助于密封箱内的卷筒传动。在箱外的链轴上，安设一钢绳卷筒，钢绳与探尺卷扬机卷筒相连。探尺卷扬机放在料车卷扬机室内，料线高低自动显示与记录。探尺的直流电机是经常通电的(向提升探尺方向)，由于马达力矩小于重锤力矩，故重锤不能提升，只能拉紧钢丝绳，

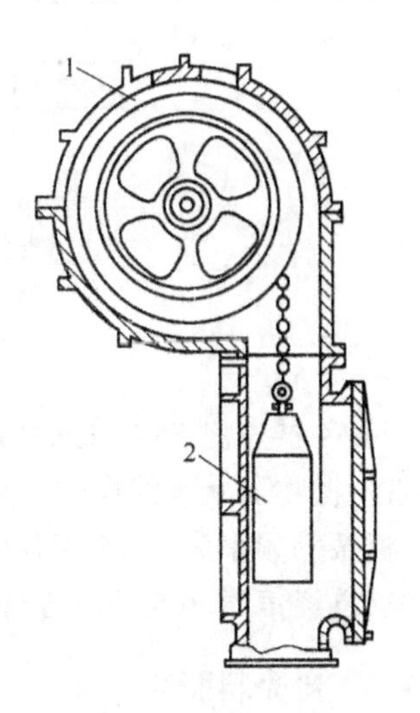

图 5-13 链条探料尺

1—链条的卷筒；2—重锤

以保证重锤在料面上是垂直的，到了该提升的时候，只要切去电枢上的电阻，启动力矩随之增大，探尺才能提升，当提升到料线零点以上时，大钟才可以打开装料。

每座高炉设有两个探料尺，互成180°，设置在大钟边缘和炉喉内壁之间，并且能够提升到大钟关闭位置以上，以免被炉料打坏。

这种机械探料尺基本上能满足生产要求，但是只能测两点，不能全面了解炉喉的下料情况；另外，由于探料尺端部直接与炉料接触，容易由于滑尺和陷尺而产生误差。

大型高炉有3～4个探料尺，是一种小型集装型的探料尺，其电气控制、电机、减速机和卷筒组成一个整体。

5.5.2 微波式料面计

微波式料面计也称微波雷达，分调幅和调频两种。调幅式微波料面计是根据发射信号与接收信号的相位差来决定料面的位置，调频式微波料面计是根据发射信号与接收信号的频率差来测定料面的位置。

微波式料面计由机械本体、微波雷达、驱动装置、电控单元和数据处理系统等组成。微波雷达的波导管、发射天线、接收天线均装在水冷探测枪内，并用氮气吹扫。其测量原理如图5-14所示。

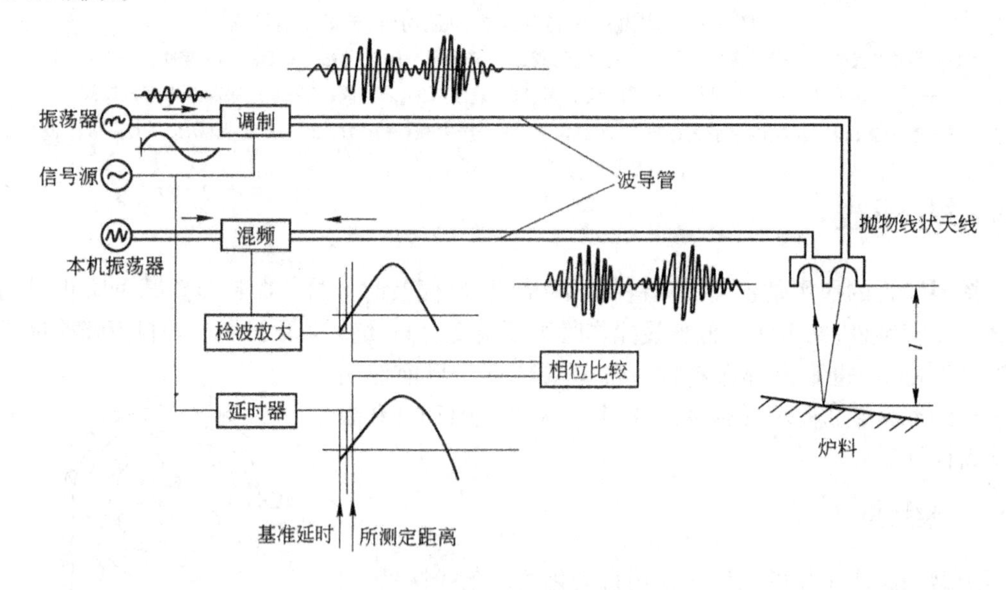

图5-14 微波式料面计的测量原理

振荡器发出55 GHz的微波与信号源发出15 MHz的信号在调制器中调制后，载波经波导管从抛物面状天线向炉料面发射，反射波由接收天线接收，再经波导管送入混频器中混频（本机振荡频率为53.5 GHz），产生1.5 GHz的中频微波，经检波、放大即得到15 MHz的信号波，再经信号基准延时进行比较，即可计算出测定的距离。

5.5.3 激光料面计

激光料面计是20世纪80年代开发出的高炉料面形状检测装置，它是利用光学三角法测量原理设计的，如图5-15所示。

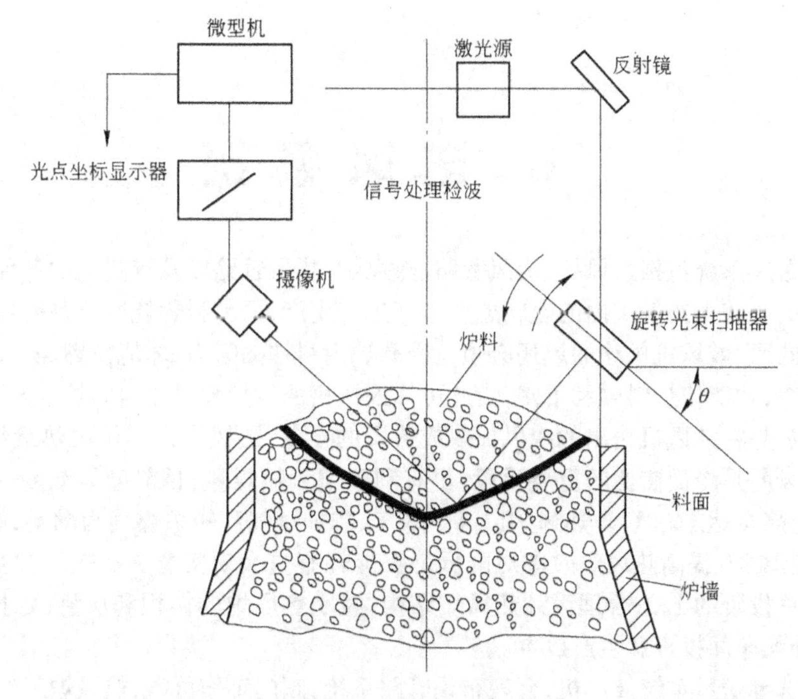

图 5-15 激光料面计

激光料面计已在日本许多高炉上使用,我国鞍钢也已应用。根据各厂使用的经验,激光料面计与微波料面计相比,各有其优缺点。激光料面计检测精度高、在煤气粉尘浓度相同和检测距离相等的条件下,其分辨率是微波料面计的 25~40 倍。但在恶劣环境下,就仪表的可靠性来说,微波料面计较方便。

1. 高炉生产对炉顶装料设备有哪些要求?
2. 钟式炉顶有哪些部分组成?它有何特点?
3. 大钟与大料斗损坏的主要原因是什么?如何提高大钟与大料斗的寿命,常采取哪些措施?
4. 什么是马基式布料器?它的作用是什么?
5. 无料钟炉顶有哪些部分组成?它有何特点?
6. 无料钟炉顶装料过程的操作程序是什么?
7. 什么是探料装置?它有哪几种型式?比较其特点。

6 送风系统

高炉送风系统包括鼓风机、冷风管路、热风炉、热风管路以及管路上的各种阀门等。

高炉冶炼首先要使炉内的燃料燃烧才能进行生产，而燃料燃烧所需要的氧，要靠鼓风机供给足够的风，鼓风机供给的风还必须克服高炉内料柱的阻力，才能使燃烧生成的煤气上升和合理分布，才能使炉料顺利下降，由此可知鼓风机的风量和风压对高炉生产的重要性。

热风炉是将鼓风机送出的冷风加热成热风的设备，热风带入高炉的热量约占总热量的1/4，提高风温是降低焦比的重要手段，也有利于增大喷煤量，目前鼓风温度一般为1000～1200℃，最高可达1400℃。热风炉以高炉煤气、焦炉煤气和转炉煤气为燃料，高炉煤气约有1/2用于热风炉，提高热风炉效率对降低炼铁能耗有重大现实意义。热风炉基建投资约占高炉车间总投资的1/2，合理设计热风炉结构，减小热风炉的体积和质量，延长热风炉的寿命，可以降低车间投资和生产成本。

准确选择送风系统鼓风机，合理布置管路系统，阀门工作可靠，热风炉工作效率高，是保证高炉优质、低耗、高产的重要因素。

6.1 高炉用鼓风机

6.1.1 高炉冶炼对鼓风机的要求

高炉冶炼时对鼓风机有如下要求；

(1) 要有足够的鼓风量。高炉鼓风机要保证向高炉提供足够的空气，以保证焦炭的燃烧。入炉风量通过物料平衡计算得到，也可以按照下列公式近似计算：

$$q_0=\frac{V_u I v}{1440} \tag{6-1}$$

式中 q_0——标态入炉风量（以下简称风量），即在高炉风口处进入高炉内的标准状态下的鼓风流量，m^3/min；

V_u——高炉有效容积，m^3；

I——高炉冶炼强度，$t/(m^3\cdot d)$，喷吹燃料高炉，冶炼强度应以综合冶炼强度代入；

v——每吨干焦消耗标态风量，m^3/t。

每吨干焦消耗标态风量主要与焦炭灰分和鼓风湿度有关，一般在2450～2800 m^3/t之间，可根据炉料及生铁、煤气的成分计算。

考虑到送风系统的漏风损失，风机出口风量可写为：

$$q=(1+k)q_0 \tag{6-2}$$

式中 q——鼓风机出口标态风量，m^3/min；

k——送风系统漏风系数，大高炉取0.1，中型高炉取0.15。

(2) 要有足够的鼓风压力。高炉鼓风机出口风压应能克服送风系统的阻力损失，克服料柱的阻力损失，保证高炉炉顶压力符合要求。鼓风机出口风压可用下式表示：

$$p = p_t + \Delta p_{LS} + \Delta p_{FS} \tag{6-3}$$

式中 p——鼓风机出口风压，Pa；

p_t——高炉炉顶压力，Pa；

Δp_{LS}——高炉料柱阻力损失，Pa；

Δp_{FS}——高炉送风系统的阻力损失，一般为 $0.1\times10^5 \sim 0.2\times10^5$ Pa。

常压高炉炉顶压力应能满足煤气除尘系统阻力损失和煤气输送的需要。高压操作可使高炉获得良好的冶炼效果，目前大中型高炉广为采用，大型高炉炉顶压力已达到0.25～0.40 MPa。料柱阻力损失与高炉有效高度及炉料结构有关。送风系统阻力损失取决于管路布置、结构形式、气体流速和热风炉类型。

(3) 既能均匀、稳定地送风，又要有良好的调节性能和一定的调节范围。当高炉要求固定风量操作时，风量应不受风压波动的影响，即当风压波动时，风量不应受风压波动的影响。也有定风压操作的，如解决炉况不顺或热风炉换炉时，它要求变动风量时保证风压的稳定。此外，高炉操作常要加风或减风，当采用不同的炉顶压力操作，炉内料柱透气性变化时，都需要风机出口风量和风压能在较大范围内变动。在不同气象条件下，例如在夏季和冬季，由于大气温度、压力和湿度的变化，风机的实际出口风量和风压必然有相应的变化。因此，要求风机应有良好的调节性能和一定的调节范围。

6.1.2 高炉鼓风机的工作原理及特性

常用的高炉鼓风机有离心式和轴流式两种。下面简单介绍它们的工作原理及特性。

6.1.2.1 离心式鼓风机

离心式鼓风机的工作原理，是靠装有许多叶片的叶轮高速旋转所产生的离心力，使空气达到一定的风量和风压。高炉用的离心式鼓风机一般都是多级的，级数越多，鼓风机的出口风压也越高。

图6-1为四级离心式鼓风机示意图。空气由进风口进入第一级叶轮，在离心力的作用下提高了运动速度和密度，并由叶轮顶端排出，进入环形空间扩散器，在扩散器内空气的部分动能转化为压力能，再经固定导向叶片流向下一级叶轮，经过四级叶轮，将空气压力提高到出口要求的水平，经排气口排出。

在一定吸气条件下，鼓风机的风压、风量、效率及功率随风量与转速而变化的关系曲线，叫做鼓风机的特性曲线。每种型号的鼓风机都有自己的特性曲线，鼓风机的特性曲线是选择鼓风机的主要依据。图6-2为K-4250-41-1型离心式鼓风机特性曲线。其吸气条件是：绝对压力为0.098MPa，温度为20℃，相对湿度为50%。

离心式鼓风机的特性如下：

(1) 在某一转速下管网阻力增加（或减小），出口风压上升（或下降），风量将下降（或上升）。当管网阻力一定时改变转速，风压和风量都将随之改变，为了稳定风量，风机上装有风量自动调节机构，管网阻力变化时可自动调节转速和风压，保证风量稳定在某一要求的数值。

(2) 风量和风压随转速而变化，转速可作为调节手段。

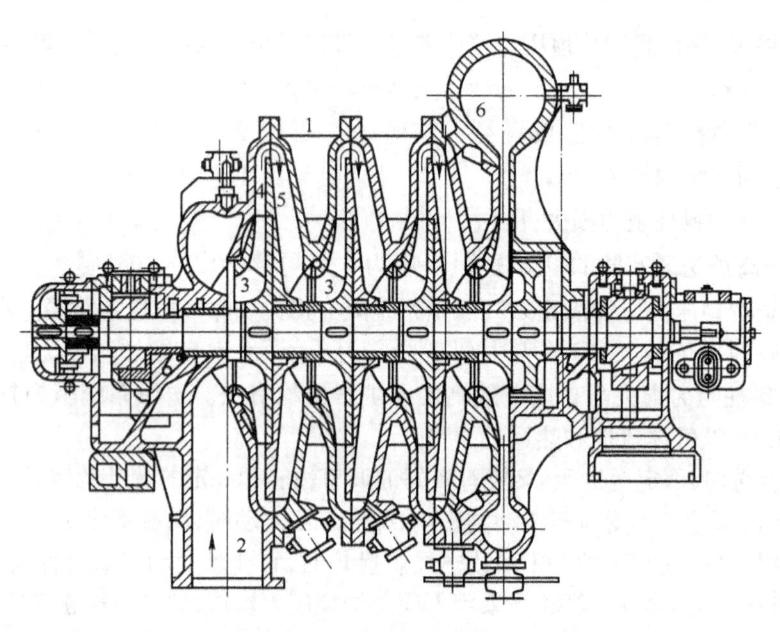

图 6-1　四级离心式鼓风机

1—机壳;2—进气口;3—工作叶轮;4—扩散器;5—固定导向叶片;6—排气口

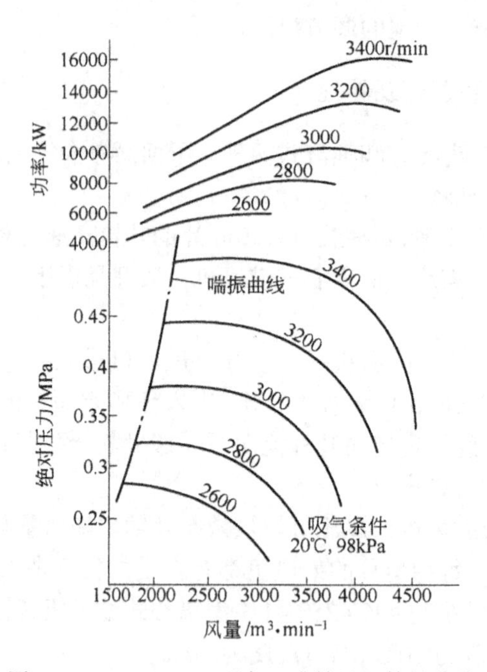

图 6-2　K-4250-41-1 型离心式鼓风机特性曲线

(3) 风机转速愈高,风压－风量曲线曲率愈大,并且曲线尾部较陡,即风量增大时,压力降很大;在中等风量时曲线平坦,即风量变化时,风压变化较小,此区域为高效率经济运行区域。

(4) 从特性曲线上看到,随着风压的提高,风量减小,如果风压进一步提高到某一临界压力,风机出现倒风现象,即风机的排风口变成吸风口,而吸风口变成排风口。产生倒风现象时风机和管网系统内的气体,不断往复振荡,出现周期性剧烈振动的噪声,风机处于飞动状态而损坏,此时风机能将高炉煤气倒吸,而造成煤气在风机内爆炸的恶性事故。将不同转速的临界压力点连接起来形成的曲线称为风机的飞动曲线(也叫喘振曲线)。风机不能在飞动曲线的左侧工作,一般在飞动曲线右侧风量增加20%以上处工作。如果高炉因某种原因而风压不断上升时,在飞动曲线不远的地方就应放风,避免风机出现飞动现象。

(5) 风机的特性曲线是在某一特定吸气条件下测定的,当风机使用地点及季节不同时,由于大气温度、湿度和压力的变化,鼓风压力和质量都有变化,同一转速夏季出口风压比冬季低20%～25%,风量也低30%左右,应用风机特性曲线时应给予折算。

6.1.2.2 轴流式鼓风机

轴流式鼓风机结构见图6-3,是由装有工作叶片的转子和装有导流叶片的定子以及吸气口、排气口组成,其工作原理是依靠在转子上装有扭转一定角度的工作叶片随转子一起高速旋转,工作叶片对气体做功,使获得能量的气体沿轴向流动,达到一定的风量和风压。转子上的一列工作叶片与机壳上的一列导流叶片构成轴流式鼓风机的一个级。级数越多,空气的压缩比越大,出口风压也越高。

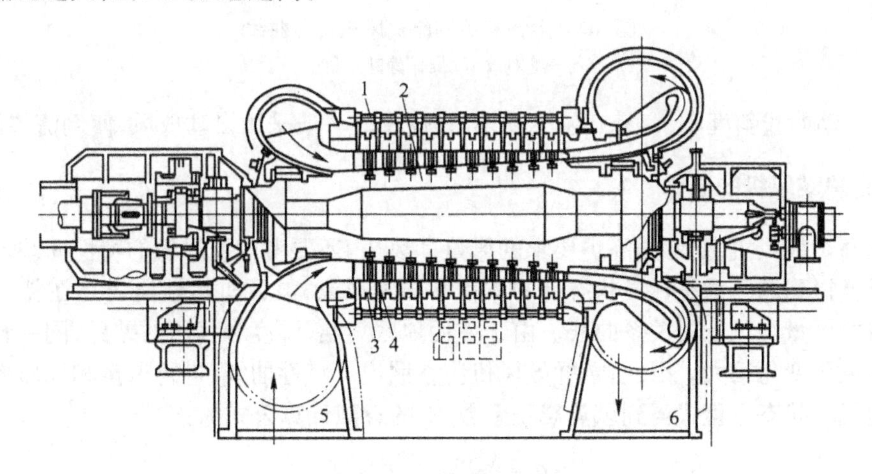

图6-3 轴流式鼓风机

1—机壳;2—转子;3—工作叶片;4—导流叶片;5—吸气口;6—排气口

我国新建的1000 m^3以上的高炉,均采用轴流式鼓风机。国产固定叶片的z-3250-46风机早已在梅山和攀钢等高炉上正常运转。宝钢1号高炉鼓风机为全静叶可调轴流式,并采用同步电动机驱动,最大风量为8800 m^3/min,最大风压为0.61 MPa,图6-4为其特性曲线,其吸气条件是:绝对压力为0.101 MPa,温度为20℃,相对湿度为83%。

轴流式鼓风机特性如下:

(1) 气体在风机中沿轴向流动,转折少,风机效率高,可达到90%左右;

(2) 工作叶轮直径较小,结构紧凑,质量小,运行稳定,功率大,更能适应大型高炉冶炼的要求;

(3) 汽轮机驱动的轴流式鼓风机,可通过调整转速调节排风参数;采用电动机驱动的轴流式鼓风机,可调节导流叶片角度来调节排风参数,两者都有较宽的工作范围;

(4) 特性曲线斜度很大,近似等流量工作,即管网阻力变化时风量变化很小,能满足高炉稳定风量操作的需要;

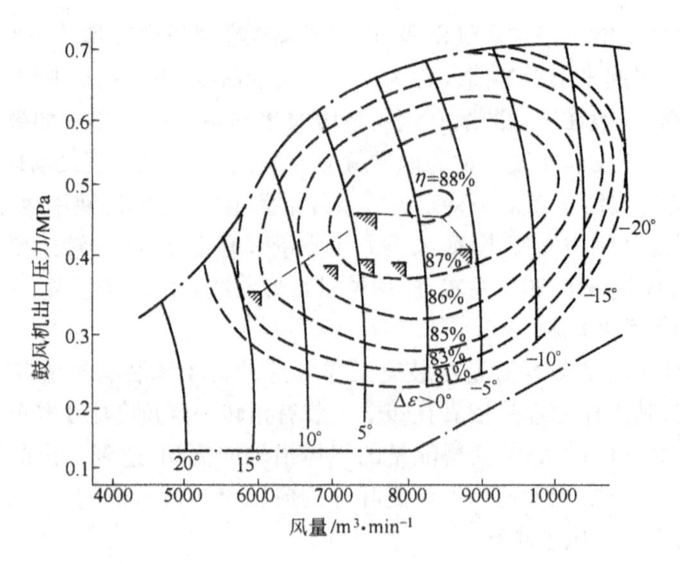

图 6-4　宝钢高炉轴流式风机特性曲线

η—绝对效率；Δε—静叶片角度

(5) 飞动曲线斜度小，容易产生飞动现象，使用时一般采用自动放风，使倒流界限左移。

6.1.3　高炉鼓风机的选择

选择高炉鼓风机，要考虑高炉要求的风量和风压，还要考虑鼓风机的特性曲线。根据物料平衡计算得到的风量是标准状态下的体积即质量风量，鼓风机特性曲线是在特定吸气条件下测得的风量与风压的关系曲线。由于使用地区气温、湿度和气压的差异，同一转速输出的风量和风压变化很大。因此，选择鼓风机应参照出厂特性曲线，进行风量和风压的修正。

根据气体状态方程式得到风量修正系数 K 的近似计算公式为：

$$K = \frac{(p_S - \varphi p_H) T_1}{p_1 T_2} \tag{6-4}$$

式中　p_S——风机吸风口压力，其值等于使用地区大气压力减去鼓风机吸风口阻力损失，Pa；

φ——使用地区大气相对湿度，%；

p_H——气温在 t℃（使用地区温度）时的饱和蒸汽压，Pa；

T_1——风机特性曲线试验测定条件下的绝对温度，K；

T_2——风机使用地区的绝对温度，K；

p_1——风机特性曲线试验测定条件下的绝对压力，Pa。

采用风量修正系数后，可以将设计要求的鼓风机出口风量（q），折算为使用地区的风机出口风量（q'）：

$$q' = \frac{q}{K} \tag{6-5}$$

风压修正系数 K' 由下式求得：

$$K' = \frac{p_2 T_1}{p_1 T_2} \tag{6-6}$$

$$p = K' p' \tag{6-7}$$

式中 p_1、p_2——鼓风机特性曲线试验测定条件下的大气压力和使用地区的大气压力，Pa；

T_1、T_2——鼓风机特性曲线试验测定条件下的温度和使用地区的温度，K；

p——设计要求的使用地区鼓风机出口风压，Pa；

p'——风机特性曲线上工况点的风压，Pa。

我国各类地区风量风压对标准状态下的修正系数见表 6-1。

表 6-1 各类地区风量修正系数 K 值和风压修正系数 K' 值

季节	一类地区		二类地区		三类地区		四类地区		五类地区	
	K	K'	K	K'	K	K'	K	K'	K	K'
夏 季	0.55	0.62	0.70	0.79	0.75	0.85	0.80	0.90	0.94	0.95
冬 季	0.68	0.77	0.79	0.89	0.90	0.96	0.96	1.08	0.99	1.12
全年平均	0.63	0.71	0.73	0.83	0.83	0.91	0.88	1.00	0.92	1.04

注：地区分类按海拔标高划分：

高原地区：

一类地区——海拔约 3000 m 以上地区，如：昌都、拉萨等；

二类地区——海拔 1500～2300 m 地区，如：昆明、兰州、西宁等；

三类地区——海拔 800～1000 m 地区，如：贵阳、包头、太原等；

平原地区：

四类地区——海拔在 400 m 以下地区，如：重庆、武汉、湘潭等；

五类地区——海拔在 100 m 以下地区，如：鞍山、上海、广州等。

综上所述，设计高炉车间，合理选择风机是一项重要工作，选择风机的主要依据是高炉有效容积和生产能力，同时也应考虑到使用地区的自然气候条件，以及高炉冶炼条件。选择高炉鼓风机要考虑以下两点：

(1) 高炉鼓风机最大质量鼓风量应能满足夏季高炉最高冶炼强度的要求；冬季，风机应能在经济区域工作，不放风，不飞动。

(2) 对于高压操作的高炉，应考虑常压冶炼的可行性和合理性。风机应在如图 6-5 所示的 $ABCD$ 区域工作。A 点是夏季最高气温、高压操作的最高冶炼强度工作点；B 点是夏季最高气温、常压操作的最高冶炼强度工作点；C 点是冬季最低气温、常压操作的最低冶炼强度工作点；D 点是冬季最低气温、高压操作的最低冶炼强度工作点。

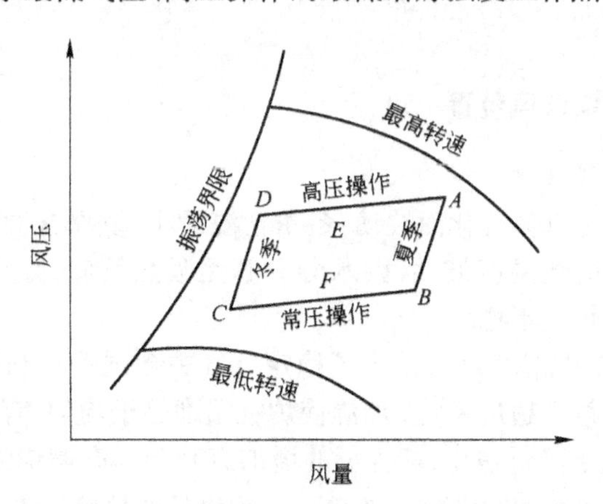

图 6-5 高压高炉鼓风机工况区示意图

我国不同容积的高炉配置鼓风机情况如表 6-2 所示。

表 6-2　高炉容积与鼓风机配置

炉容/m^3	鼓风机型号	风量/$m^3 \cdot min^{-1}$	风压/MPa	转速/$r \cdot min^{-1}$	功率/kW	传动方式
310	D900-2.5/0.97 离心式	900	0.15	5534	2500	电动
620	AK-1300 离心式	1500	0.18	2200～3000	4500	汽动
	AK-1300 轴流式	2000	压缩比 3.5	调速汽轮机直接传动	6000	汽动
1000	Z-3250-46 轴流式	3250	压缩比 4.2	4400	12000	电动
1000	K-3250-41-1 离心式	3250	0.28	2500～3400	12000	汽动
1500	静叶可调轴流式	4500	压缩比 4.0	调速汽轮机直接传动		汽动
1500	K-4250-41 离心式	4250	0.3	2500～3250	17300	汽动
2000	静叶可调轴流式	6000	压缩比 4.0～5.0	调速汽轮机直接传动		汽动
2500	静叶可调轴流式	6000	0.45		32000	同步电动
3200	AG120/16RL6 轴流式	7710	0.48	3000	39460	同步电动
4063	全静叶可调轴流式	8800	0.51		48000	同步电动

6.1.4　提高鼓风机出力的途径

新设计的高炉车间,鼓风机能力应与高炉容积相匹配,以便发挥两者的潜力。但对于已建成的高炉,由于生产条件的改变,当风压或风量不足时,可以采用鼓风机串联或并联。

鼓风机的串联可以提高风压。所谓风机串联是指在主风机吸风口前设置一加压风机,使主风机吸入的空气密度增加,由于主风机的容积流量是不变的,因而通过主风机的空气质量增大,提高了风机风压。串联用的加压风机,其风量可比主风机稍大,而风压要较低。当两个鼓风机串联时,两个风机之间的管道上应设有阀门,用来调节管道阻力损失,并且在加压风机后应设冷却装置,否则主风机温度过高。

鼓风机的并联可以提高风量。风机并联是把两台鼓风机的出口管道,顺着风的流动方向合并成一条管道送往高炉。为了提高其并联的效果,除两台鼓风机应尽量采用同型号外,每台鼓风机的出口,都应设置逆止阀和调节阀。逆止阀用来防止风的倒流,调节阀用来调节两台风机的风压,同时,因为并联后风量增加了,送风管道直径也要相应增大,否则会增加管线的阻力损失。

6.1.5　脱湿鼓风与富氧鼓风装置

6.1.5.1　脱湿鼓风装置

空气中含有水分,随气候变化而波动,冬季含湿量小,夏季含湿量大。送入炉内风中含湿量的波动,使风口前燃烧温度波动,因水分分解是吸热反应,分解 1 gH_2O 需 9℃ 风温补偿,故含湿量波动造成炉况不稳定。

20 世纪 50 年代采用加湿鼓风,是为了稳定空气中含湿量和利用高风温,炉热加蒸汽,炉凉减蒸汽,一般加湿量不超过 8%。加湿使炉缸温度趋于均匀,有利于炉况顺行,因有 1/3 H_2参加间接还原,有利于降低焦比,氧含量的增加有利于提高燃烧强度。因此,加湿鼓风的结果是炉况顺行,产量增加,焦比降低,改善了高炉操作的技术经济指标。

20 世纪 70 年代由于喷吹技术的发展和高炉大型化,为了使炉况稳定,使空气中含湿量稳定在较低的水平，采用了脱湿鼓风，由于脱湿后可减少风中水分分解热而节省焦炭，并可提高入炉风温，提高炉缸温度，增加喷吹量，降低炉腹煤气量，有利于炉况顺行。风中湿度每减少 1 g/m^3，降低吨铁焦比 0.6～0.8 kg，可提高入炉有效风温 6℃左右。

绝大多数小型高炉目前仍未进行燃料喷吹，热风炉风温有潜力，可采用加湿鼓风来稳定炉况，降低焦比，增加产量。大中型高炉基本上都在喷吹燃料，以采用脱湿鼓风来降低能耗更为合理，在没有脱湿装置的高炉上，利用调节喷吹量来调节炉况还是合理的。

宝钢采用了鼓风机吸入侧冷却脱湿法，其主要参数见表 6-3。脱湿装置每年 3～11 月运行，为脱湿期，12～2 月不运行，为非脱湿期，脱湿期可节省吨铁标准煤 10.6 kg。

表 6-3 宝钢脱湿鼓风装置主要参数

项 目	空气量 /$m^3 \cdot min^{-1}$	入 口			出 口		需要冷量 /$kJ \cdot h^{-1}$	脱出水分 /$kg \cdot h^{-1}$
		温度 /℃	相对湿度 /%	含湿量 /$g \cdot m^{-3}$	温度 /℃	含湿量 /$g \cdot m^{-3}$		
夏季平均最高（设计条件）	7900	32	83	32.5	8.5	9.0	43082172	11140
年平均	7900	16	80	12.9	2.5	6.0	16629970	3270

6.1.5.2 富氧鼓风装置

富氧是在鼓风中加入氧气，以提高风中氧的浓度，即可提高燃烧强度，提高风口前的理论燃烧温度，增加煤气中 CO 含量，降低炉顶煤气温度，降低焦比等，特别是富氧与喷吹燃料相结合，更会获得好效果。氧气有在鼓风机前加入的，也有在鼓风机后加入的，当氧气站离鼓风机较近时在机前加入。宝钢即采用机前加入，其技术特性如表 6-4 所示。鞍钢、武钢等厂是在机后流量孔板与放风阀之间加入。

表 6-4 宝钢富氧鼓风技术特性

项 目	富氧量(最大)/%	富氧装置容量 /$m^3 \cdot h^{-1}$	氧气纯度 /%	氧气压力/kPa	混合器形式	混合器材质
技术特性	4	24500	99.6	13.2～19.6	喷嘴型	不锈钢(与纯氧接触部分)

6.2 热风炉

高炉炼铁在 1827 年开始加热鼓风炼铁。当时用的是铸铁管换热式热风炉；到 1857 年改用固体燃料加热的蓄热式热风炉；1865 年采用气体燃料加热的蓄热式热风炉，形成了现在内燃式热风炉的雏形。目前蓄热式热风炉根据燃烧室和蓄热室布置形式的不同，分为 3 种基本结构形式，即内燃式热风炉（传统型和改进型）、外燃式热风炉和顶燃式热风炉。

蓄热式热风炉基本工作原理是：煤气在燃烧室燃烧，高温烟气通过蓄热室将格子砖加热，然后再将冷风通过炽热格子砖，冷风被加热并送入高炉。由于燃烧和送风交替进行，为保证向高炉连续供风，通常每座高炉配置 3 座或 4 座热风炉。热风炉的大小及各部位尺寸，取决于高炉所需要的风量及风温。热风炉的加热能力用每立方米高炉有效容积所具有的加热面积表示，一般为 80～100 m^2/m^3或更高。

6.2.1　传统型内燃式热风炉

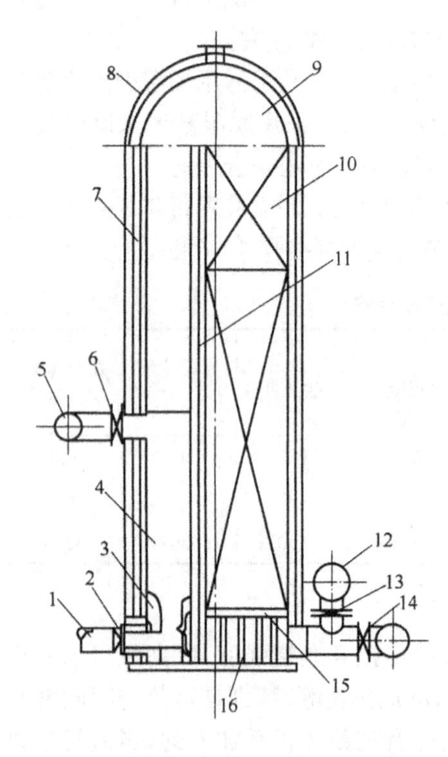

图 6-6　内燃式热风炉

1—煤气管道；2—煤气阀；3—燃烧器；4—燃烧室；5—热风管道；6—热风阀；7—大墙；8—炉壳；9—拱顶；10—蓄热室；11—隔墙；12—冷风管道；13—冷风阀；14—烟道阀；15—支柱；16—炉箅子

传统型内燃式热风炉基本结构见图 6-6。它由炉衬、燃烧室、蓄热室、炉壳、炉箅子、支柱、管道及阀门等组成。燃烧室和蓄热室砌在同一炉壳内，它们之间砌有隔墙。煤气和空气由管道经阀门送入燃烧器并在燃烧室内燃烧，燃烧的热烟气向上运动经拱顶改变方向，向下穿过蓄热室，然后进入烟道，经烟囱排入大气。在热烟气穿过蓄热室时，将蓄热室内的格子砖加热。格子砖被加热并蓄存一定热量后，热风炉停止燃烧，转入送风。送风时冷风从下部冷风管道经冷风阀进入蓄热室。空气通过格子砖被加热，经拱顶进入燃烧室，再经热风出口、热风阀、热风总管送至高炉。

6.2.1.1　炉墙

炉墙起隔热作用并在高温下承载，因此各部位炉墙的材质和厚度要根据砌体所承受的温度、荷载和隔热需要而定。

炉墙一般由砌体(大墙)、填料层、隔热层组成。大墙通常由 345 mm 耐火砖砌筑，砖缝小于 2 mm。隔热砖一般为 65 mm 硅藻土砖，紧靠炉壳砌筑。在隔热砖和大墙之间留有 60～80 mm 的水渣—石棉填料层，以吸收膨胀和隔热。近年来有的厂将水渣—石棉填料层去掉，用两层 30 mm 厚的硅铝纤维贴于炉壳上，同时将轻质砖置于硅铝纤维与大墙之间，取得较好效果，在炉壳内壁上喷涂 20～40 mm 不定形耐火材料，可起到隔热、保护炉壳的作用。为减少热损失，在上部高温区大墙外增加一层 113 mm 或 230 mm 的轻质高铝砖；在两种隔热砖之间填充 50～90 mm 隔热填料层，其材料为水渣石棉粉、干水渣、硅藻土粉、蛭石粉等。

6.2.1.2　燃烧室

燃烧室是燃烧煤气的空间，位于炉内一侧紧靠大墙。它的断面形状有 3 种：圆形、眼睛形和复合形，如图 6-7 所示。

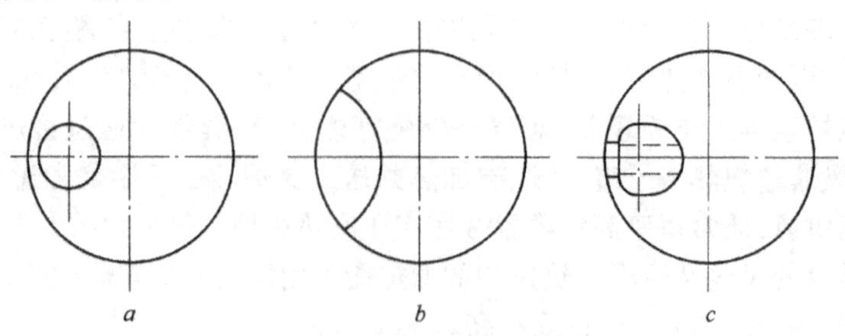

图 6-7　燃烧室断面形状

a—圆形；*b*—眼睛形；*c*—复合形

圆形燃烧室煤气燃烧较好,隔墙独立而较稳定,但占地面积大,蓄热室死角面积大,相对减少了蓄热面积。目前除外燃式外,新建的内燃式热风炉均不采用圆形的燃烧室。眼睛形燃烧室占地面积小,烟气流在蓄热室分布较均匀,但燃烧室当量直径小,烟气流阻力大,对燃烧不利,在隔墙与大墙的咬合处容易开裂,故一般用于小高炉。复合形燃烧室也叫苹果形燃烧室,兼有上述二者的优点,但砌筑复杂,一般多用于大中型高炉。

燃烧室隔墙由两层互不错缝的高铝砖砌成,大型高炉用一层345 mm和一层230 mm高铝砖砌成,中、小型高炉用两层230 mm高铝砖砌成。互不错缝是为受热膨胀时,彼此没有约束。燃烧室比蓄热室要高出300~500 mm,以保证烟气流在蓄热室内均匀分布。

燃烧室断面积(包括隔墙面积)占热风炉总断面积的22%~30%,大高炉取小值,小高炉取大值。烟气在燃烧室内的标态流速为3~3.5 m/s(金属套筒式燃烧器)和6~7 m/s(陶瓷燃烧器)。

6.2.1.3 蓄热室

蓄热室是热风炉进行热交换的主体,它由格子砖砌筑而成。砖的表面就是蓄热室的加热面,格子砖就是贮存热量的介质。格子砖的特性对热风炉的蓄热能力、换热能力以及热效率有直接影响。

对格子砖的要求是:单位体积格子砖具有较大的受热面积进行热交换;有一定的砖重量来蓄热,保证送风周期内,不引起过大的风温降;能引起气流扰动,保持高流速,提高对流体传热效率;格子砖堆砌后结构稳定,砖之间不产生错动。

格子砖的主要特性指数有:

(1) 有效通道面积 φ(m²/m²),其计算公式为:

$$\varphi=\frac{A}{A+A_0} \tag{6-8}$$

式中 A——一块格子砖的格孔通道面积,m²;

A_0——一块格子砖的砖面积,m²。

对方孔格子砖可按下式计算:

$$\varphi=\frac{b^2}{(b+\delta)^2} \tag{6-9}$$

式中 b——格子砖的格孔边长,m;

δ——格子砖厚度,m。

由于热风炉中对流传热方式占比重较大,φ 值小可提高流速,从而提高传热效率。但 φ 值过小会导致气流阻力损失的增加,消耗较多的能量。一般 φ 值在0.36~0.46之间。

(2) 1 m³格子砖中耐火砖的体积或称填充系数 V(m³/m³),其计算公式为:

$$V=1-\varphi \tag{6-10}$$

它表示格子砖的蓄热能力,填充系数大的砖型,由于蓄热量多,风温降小,能维持较长的送风周期,但 V 大加热面积必然小,砖量不能有效利用。反之,V 小蓄热量少,风温降落大,送风周期短,砌体强度差。一般 $V=0.55\sim0.67$ m³/m³,要综合考虑 V 和 φ 两个指标,不要追求其中一个指标而影响另一指标。

(3) 格孔的水力学直径 d_h(m),其计算公式为:

$$d_h=\frac{4A}{L} \tag{6-11}$$

式中　L——一块格子砖中气流与格孔通道的接触周边长度，m。

d_h也叫当量直径，是表示任意形状孔道相当于圆孔道的直径。截面积越小周界越长的孔道，其当量直径越小，能提高气流速度，改善传热条件。一般 $d_h = 0.04 \sim 0.06$ m。减小格孔可增大砖占有的体积，也就增大了蓄热能力。格孔大小取决于燃烧用煤气的含尘量，如果含尘量大，格孔小时就容易堵塞。随煤气净化水平的提高，格孔有减小的趋势。

(4) 1 m^3格子砖的受热面积 $S(m^2/m^3)$，其计算公式为：

$$S = \frac{L}{A + A_0} = \frac{4\varphi}{d_h} \tag{6-12}$$

对方孔格子砖可按下式计算：

$$S = \frac{4b}{(b + \delta)^2} \tag{6-13}$$

同样体积的格子砖，受热面积大则风温和热效率高，一般 S 为 $24 \sim 40\ m^2/m^3$。

(5) 当量厚度 σ(m)，其计算公式为

$$\sigma = \frac{V}{S/2} = \frac{2V}{S} = \frac{2(1 - \varphi)}{S} \tag{6-14}$$

如果格子砖是一块平板，两面受热，则当量厚度就是实际厚度。但实际上蓄热室内格子砖是互相交错的，部分表面被挡住，不起作用，所以格子砖的当量厚度总是比实际厚度大，这说明当实际砖厚度一定时，当量厚度小则格子砖利用好。一般 $\sigma = 0.03 \sim 0.053$ m。

(6).1 m^3格子砖的质量 $G(kg/m^3)$，其计算公式为：

$$G = (1 - \varphi)\gamma \tag{6-15}$$

式中　γ——格子砖的密度，kg/m^3。

G 大即体积密度大，热容量大。一般高铝砖 $G = 1500 \sim 1800\ kg/m^3$，黏土砖 $G = 1200 \sim 1500\ kg/m^3$。

现在用的格子砖是块状穿孔砖，是在整块砖上穿孔，而孔型有圆形、方形、长方形、六角形等，采用较多的是五孔砖和七孔砖，图 6-8 为五孔和七孔格子砖结构图。块状穿孔砖的优点是砌成的蓄热室稳定性好，砌筑快，受热面积大；缺点是成本高。为了引起气流扰动和增加受热面积，常在孔内增加突缘，或将孔做成有一定锥度，还可将长方形孔隔 1～3 层扭转 90°；为了防止在水平方向错位，上下层砖采用止口配合。我国部分厂家使用的五孔砖和七孔砖性能参数见表 6-5。

蓄热室的结构可以分为两类，即在整个高度上格孔截面不变的单段式和格孔截面变化的多段式。从传热和蓄热角度考虑，采用多段式较为合理。热风炉工作中，希望蓄热室上部高温段多贮存一些热量，所以上部格子砖填充系数(V)较大而有效通道截面积(φ)较小，这样送风期间不致冷却太快，以免风温急剧下降。在蓄热室下部由于温度低，气流速度也较低，对流传热效果减弱，为设法提高下部格子砖热交换能力，较好的方法是采用波浪形格子砖或截面互变的格孔，采用当量直径较小的孔形，以增加紊流程度，改善下部对流传热作用。

蓄热室是热风炉最重要的组成部分，砌筑质量必须从严要求。在炉箅子上安装合格后，先在其上用浓黏土泥浆找平，厚度不大于 5 mm，有的厂用机械加工的办法找平。炉箅子不用泥浆。第一层格子砖按炉箅子的格孔砌筑，根据炉箅子格孔中心圆画上两根相互垂直的十字中心线作为格子砖的控制线。再从中心开始砌成十字形砖列，然后在 4 个区域内，沿十

字形砖列依次向炉墙方向砌筑。第一层格子砖砌完后，清点完整的格孔数并做出记录。以后各层格子砖均为干砌，要确保格孔垂直。格子砖边缘与炉墙间留 10～15 mm 的膨胀缝，膨胀缝内填以草绳或木楔以防格子砖松动。整个格子砖砌完后，应进行格子砖清理，格孔堵塞的数量不应超过第一层格子砖完整孔的 3%。

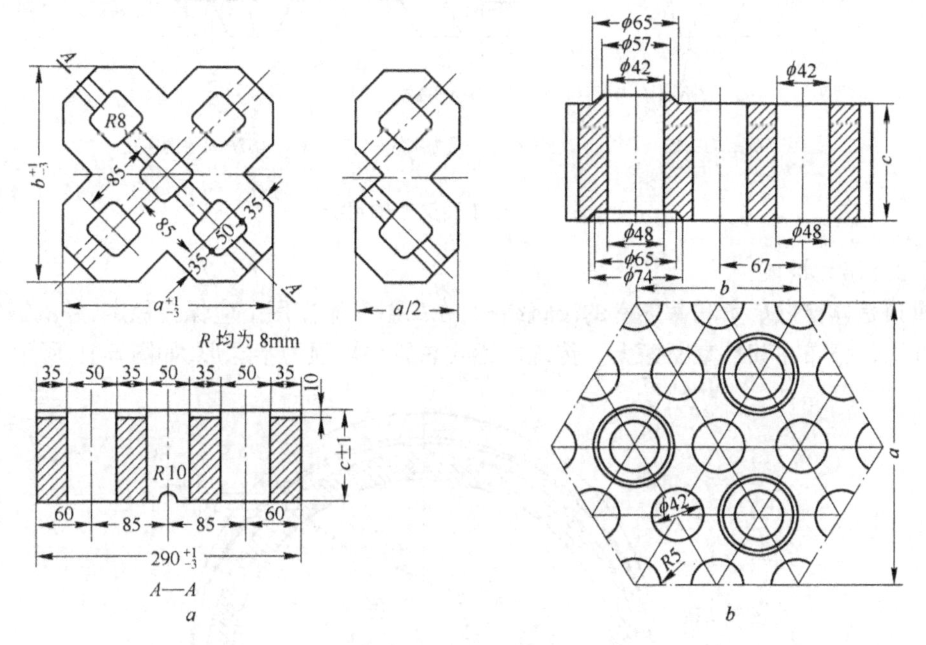

图 6-8 格子砖结构图

a—五孔格子砖；*b*—七孔格子砖

表 6-5 五孔砖和七孔砖性能参数

砖 型	格孔尺寸 /mm×mm	格子砖厚度 /mm	$\varphi/m^2\cdot m^{-2}$	$V/m^3\cdot m^{-3}$	d_h/m	$S/m^2\cdot m^{-3}$	σ/m
七孔砖	φ43		0.409	0.591	0.043	38.06	0.031
七孔砖	φ40		0.3775	0.6225	0.04	37.75	0.033
七孔砖	φ50		0.4028	0.5972	0.05	32.21	0.0371
七孔砖	φ45		0.384	0.616	0.045	33.94	0.0368
五孔砖	52×52	38	0.33	0.67	0.0538	24.65	0.0543
五孔砖	54×54	34	0.374	0.626	0.0555	26.984	0.0464
五孔砖	60×60	40	0.36	0.64	0.06	24.00	0.053
五孔砖	58×58	30	0.435	0.565	0.0588	29.58	0.0382
五孔砖	50×50	36	0.322	0.677	0.0518	24.90	0.0544

格子砖有独立砖柱和整体交错两种砌筑方式。独立砖柱结构，在砌筑高度上公差要求不太严格，砌筑后也能保证较高的通孔率，但稳定性差，送风后容易引起格孔倾斜或扭转；交错砌筑法是上、下层格子砖相互咬砌，使蓄热室形成一个整体的砌筑方法，该方法可以有效地防止格子砖的倾斜位移。整体交错砌筑对格子砖本身公差要求严格，砌筑前要认真挑选、分类，交错砌筑法如图 6-9 所示。设计格砖时，格砖尺寸应为负公差，一般以 0～－2 mm 为宜。

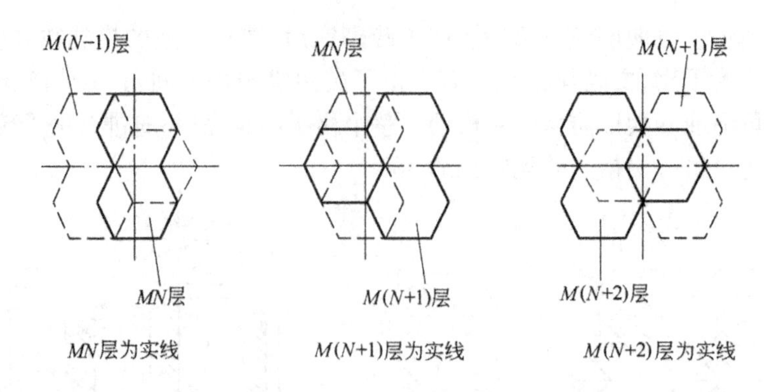

图 6-9　格子砖交错砌筑法

6.2.1.4　拱顶

拱顶是连接燃烧室和蓄热室的砌筑结构，在高温气流作用下应保持稳定，并能够使燃烧的烟气均匀分布在蓄热室断面上。传统内燃式热风炉拱顶为半球形，如图 6-10 所示。

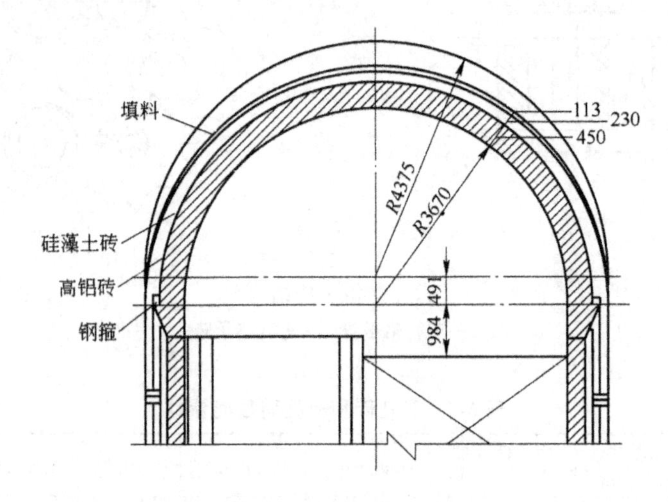

图 6-10　热风炉半球形拱顶结构

由于拱顶是热风炉温度最高的部位，必须选择优质耐火材料砌筑，并且要求绝热保温。这种结构的优点是炉壳不受水平推力，炉壳不易开裂。传统内燃式热风炉拱顶一般以优质黏土砖或高铝砖砌筑，厚 450 mm，向外是 230 mm 厚砖藻土砖和 113 mm 填料层，在拱顶砌体的上部与炉壳之间留有 300～600 mm 膨胀间隙。

由于拱顶支撑在大墙上，大墙受热膨胀，使拱顶受压容易损坏，故新设计的高风温热风炉，除加强拱顶的保温绝热外，还在结构上将拱顶与大墙分开，拱顶坐在环梁上，外形呈蘑菇状即锥球形拱顶。这样使拱顶消除因大墙热胀冷缩而产生的不稳定因素，同时也减轻了大墙的荷载。锥球形拱顶如图 6-11 所示。

对拱顶温度大于 1400℃ 的热风炉，应在拱顶砖外砌两层隔热砖，一层是 230 mm 轻质高铝砖，另一层是 65～113 mm 硅藻土砖。最近有的热风炉用硅酸铝耐火纤维板贴于炉壳上隔热，有较好的效果。如果炉壳上喷涂不定形耐火材料，则硅酸铝纤维贴于不定形耐火材料上。

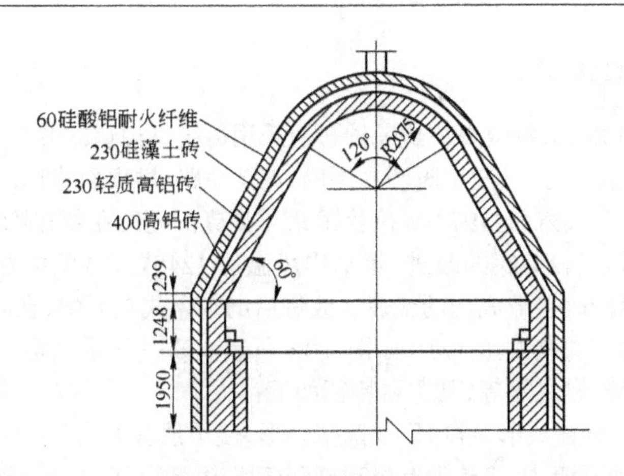

图 6-11 热风炉锥球形拱顶

综上所述各部位砌体所用的材质应与工作条件相适应。在热风炉上部1/3高度高温区所用的耐火材料,应具有良好的抗蠕变和抗侵蚀性,国内多用Al_2O_3的质量分数大于65%的高铝砖,国外有的用SiO_2的质量分数为94%~96%的硅砖或Al_2O_3的质量分数为72%~76%的莫来石砖。热风炉中下部温度不高,但荷重较大,故多用黏土砖或高铝砖。

6.2.1.5 支柱及炉箅子

蓄热室全部格子砖都通过炉箅子支承在支柱上,当废气温度不超过350℃,短期不超过400℃时,用普通铸铁就能稳定地工作。当废气温度较高时,可用耐热铸铁(镍的质量分数为0.4%~0.8%,铬的质量分数为0.6%~1.0%)或高锰耐热铸铁。

为避免堵住格孔,支柱和炉箅子的结构应和格孔相适应,如图6-12所示。支柱高度要满足安装烟道和冷风管道的净空需要,同时保证气流畅通。炉箅子的块数与支柱数相同,而炉箅子的最大外形尺寸,要能从烟道口进出。

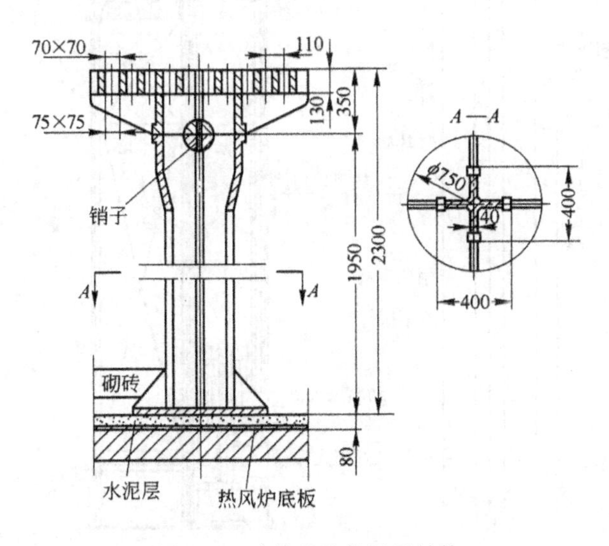

图 6-12 支柱及炉箅子的结构

6.2.2 改进型内燃式热风炉

20世纪60年代以前,各国高炉热风炉普遍采用传统型内燃式热风炉,这种结构热风炉风温提高到1000℃以上时,燃烧室隔墙易倒塌,甚至短路;拱顶裂缝掉砖,寿命缩短。

为了提高风温,延长寿命,1972年荷兰霍戈文艾莫伊登厂在新建的7号高炉(3667 m^3)上对内燃式热风炉做了较彻底的改进,年平均风温达1245℃,热风炉寿命超过两代高炉炉龄,成为内燃式热风炉改造最成功的代表。改进后的内燃式热风炉,在国外称霍戈文内燃式热风炉,我国称改进型内燃式热风炉,如图6-13所示。改进的重点是:拱顶的结构形式、燃烧室与蓄热室的隔墙、燃烧器等,其主要特征如下:

(1) 拱顶砌体呈悬链线形、锥球形或圆拟合形,使炉顶受力均匀,拱顶与大墙脱开;

(2) 自立式滑动隔墙,隔墙砖设有滑动缝和膨胀缝,砌体可以沿着垂直方向和水平方向自由移动;

(3) 燃烧室下部隔墙增设绝热砖和耐热不锈钢板;

(4) 眼睛形火井和与之相配的矩形陶瓷燃烧器;

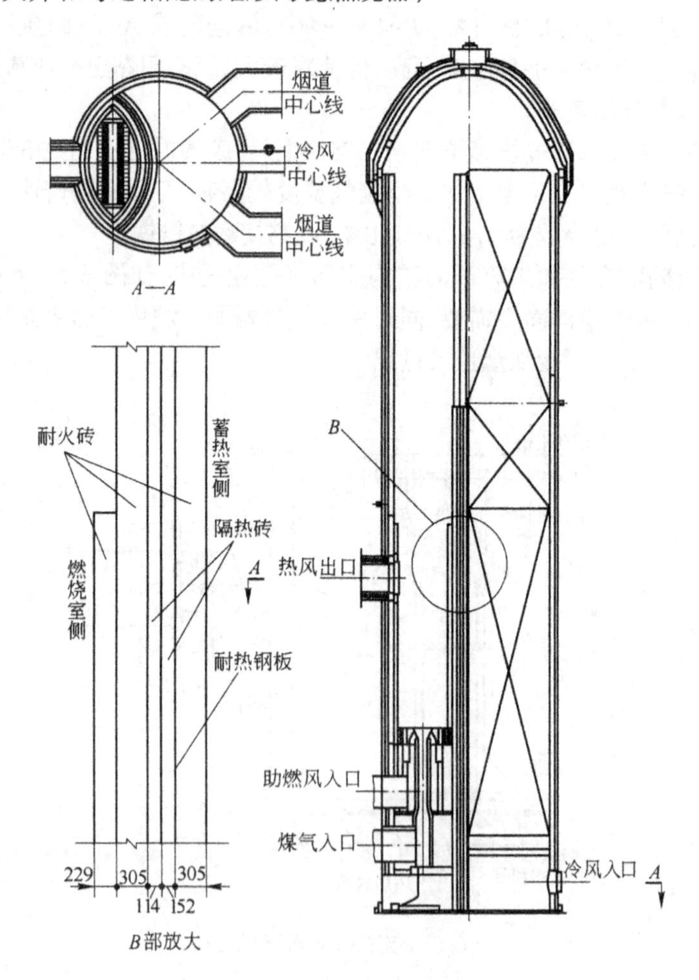

图6-13 改进型内燃式热风炉

(5) 高温区域用硅砖砌筑。

由于霍戈文内燃式热风炉与同级别外燃式热风炉相比,具有体积小、占地面积少、材料用量少、投资省(30%~35%)等优点更由于其卓越的生产效果,因此有些企业认为,经过全面改进的新型内燃式热风炉与其他形式的热风炉一样,可以满足高风温长寿命的要求。

6.2.3 外燃式热风炉

外燃式热风炉由内燃式热风炉演变而来,其工作原理与内燃式热风炉完全相同,只是燃烧室和蓄热室分别在两个圆柱形壳体内,两个室的顶部以一定方式连接起来。不同形式外燃式热风炉的主要差别在于拱顶形式,就两个室的顶部连接方式的不同可以分为 4 种基本结构形式,见图 6-14。

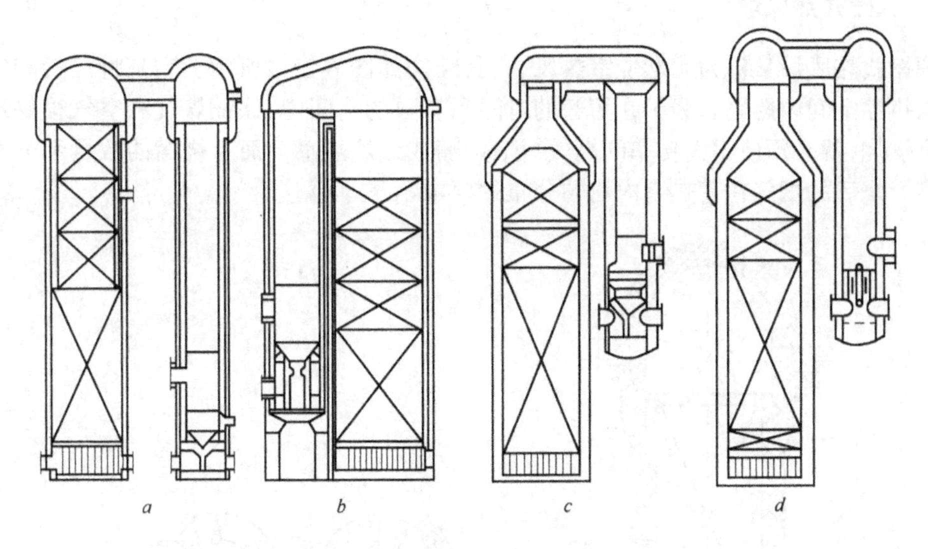

图 6-14 外燃式热风炉结构示意图
a—拷贝式;*b*—地得式;*c*—马琴式;*d*—新日铁式

地得式外燃热风炉拱顶由两个直径不等的球形拱构成,并用锥形结构相互连通。拷贝式外燃热风炉的拱顶由圆柱形通道连成一体。马琴式外燃热风炉蓄热室的上端有一段倒锥形,锥体上部接一段直筒部分,直径与燃烧室直径相同,两室用水平通道连接起来。

地得式外燃热风炉拱顶造价高,砌筑施工复杂,而且需用多种形式的耐火砖,所以新建的外燃式热风炉多采用拷贝式和马琴式。

地得式、拷贝式和马琴式这 3 种外燃式热风炉的比较情况如下;

(1) 从气流在蓄热空中均匀分布看,马琴式较好,地得式次之,拷贝式稍差;

(2) 从结构看,地得式炉顶结构不稳定,为克服不均匀膨胀,主要采用高架燃烧室,设有金属膨胀圈,吸收部分不均匀膨胀;马琴式基本消除了由于送风压力造成的炉顶不均匀膨胀。

新日铁式外燃热风炉是在拷贝式和马琴式外燃热风炉的基础上发展而成的,其主要特点是:蓄热室上部有一个锥体段,使蓄热室拱顶直径缩小到和燃烧室直径相同,拱顶下部耐火砖承受的荷重减小,提高了结构的稳定性;对称的拱顶结构有利于烟气在蓄热室中的均匀分布,提高传热效率。

外燃式热风炉的优点是：

(1) 由于燃烧室单独存在于蓄热室之外，消除了隔墙，不存在隔墙受热不均而造成的砌体裂缝和倒塌，有利于强化燃烧，提高热风温度。

(2) 燃烧室、蓄热室、拱顶等部位砖衬可以单独膨胀和收缩，结构稳定性较内燃式热风炉好，可以承受高温作用。

(3) 燃烧室断面为圆形，当量直径大，有利于煤气燃烧。气流在蓄热室格子砖内分布均匀，提高了格子砖的有效利用率和热效率。送风温度较高，可长时间保持1300℃风温。

外燃式热风炉的缺点是：结构复杂，占地面积大，钢材和耐火材料消耗多，基建投资比同等风温水平的内燃式热风炉高15%～35%，一般应用于新建的大型高炉。

6.2.4　顶燃式热风炉

顶燃式热风炉又称为无燃烧室热风炉，其结构如图6-15*a*所示。它是将煤气和空气直接引入拱顶空间内燃烧。为了在短暂的时间和有限的空间内，保证煤气和空气很好地混合并完全燃烧，就必须使用大功率的高效短焰烧嘴或无焰烧嘴。而且烧嘴的数量和分布形式应满足燃烧后的烟气在蓄热室内均匀分布的要求。

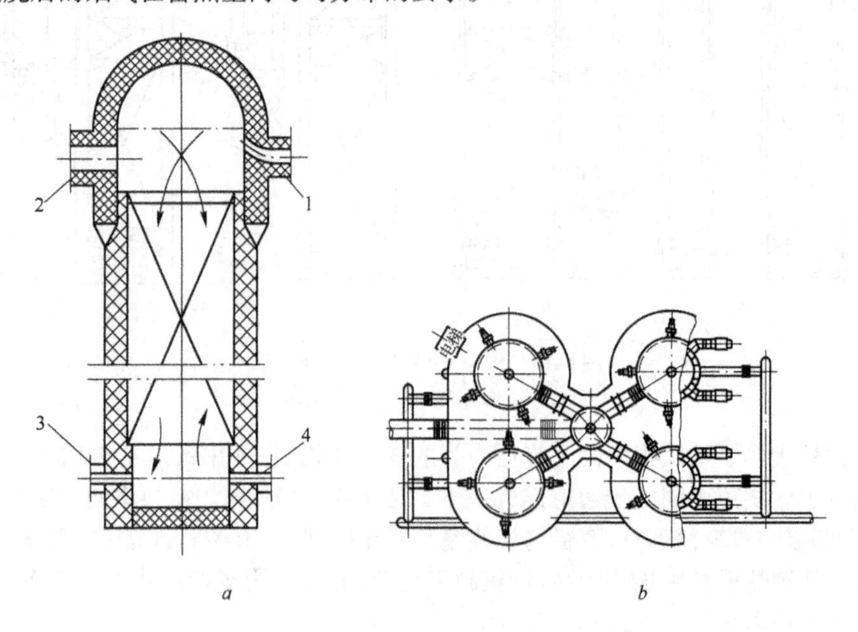

图6-15　顶燃式热风炉

a—结构示意图；*b*—平面布置图

1—燃烧器；2—热风出口；3—烟气出口；4—冷风入口

首钢顶燃式热风炉采用4个短焰燃烧器，装设在热风炉拱顶上，燃烧火焰成涡流状态，进入蓄热室。图6-15*b*所示为顶燃式热风炉平面布置图，4座热风炉呈方块形布置，布置紧凑；占地面积小；而且热风总管较短，可提高热风温度20～30℃。

顶燃式热风炉的耐火材料工作负荷均衡，上部温度高，重量载荷小；下部重量载荷大，温度较低。顶燃式热风炉结构对称，稳定性好。蓄热室内气流分布均匀，效率高，更加适应高炉大型化的要求。顶燃式热风炉还具有节省钢材和耐火材料、占地面积较小等优点。

顶燃式热风炉存在的问题是拱顶负荷较重，结构较为复杂，由于热风出口、煤气和助燃空气的入口、燃烧器集中于拱顶，给操作带来困难，冷却水压也要求高一些；并且高温区开孔多，也是薄弱环节。

顶燃式热风炉是很有前途的，它是高炉热风炉的发展方向，目前顶燃式热风炉广泛应用于 300 m^3级以下的高炉。在国外，前苏联的全苏冶金热工研究院对顶燃式热风炉进行了较全面的研究，并于 1982 年在下塔吉尔冶金公司建成一座“卡罗金式”顶燃式热风炉，成功地使用至今，并从 1998 年开始推广到 1380 m^3、1719 m^3、3000 m^3高炉上。

6.2.5 球式热风炉

球式热风炉的结构与顶燃式热风炉相同，所不同的是蓄热室用自然堆积的耐火球代替格子砖。由于球式热风炉需要定期卸球，故目前仅用于小型高炉的热风炉。球式热风炉分落地式与架空式两种，如图 6-16 所示。

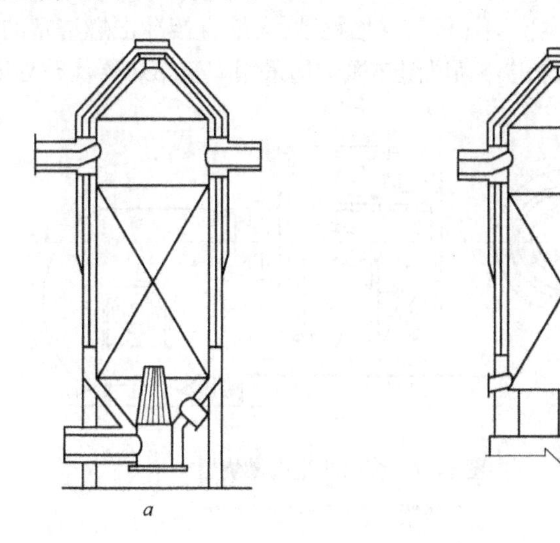

图 6-16 球式热风炉
a—架空式；*b*—落地式

由于每立方米球的加热面积高于每立方米格子砖的加热面积，ϕ25 mm 球加热面积为 151 m^2/m^3，ϕ40 mm 球加热面积为 94.5 m^2/m^3，而 ϕ43 mm 七孔格子砖加热面积为 38.06 m^2/m^3，并且耐火球重量大，因此蓄热更多。从传热角度分析，气流在球床中的通道不规则，多呈紊流状态，有较大的热交换能力，热效率较高，易于获得高风温。

热风炉清灰时打开卸球孔耐火球即自动流出，经清理后重新装入，但球的破损率较高，一般补充量为 10%，有的达 15%，炉子大补充量也大。

球式热风炉要求耐火球质量好，煤气要干净，煤气含尘量小于 15 mg/m^3，煤气含尘量大时耐火球通道会被堵塞，球床空隙率设计为 37%，堵塞后煤气压力迅速升高，甚至热风炉不进风。煤气含尘多时，会造成耐火球表面渣化黏结，变形破损，使热交换变差，风温降低。另外煤气压力和助燃空气压力大，才能充分发挥球式热风炉的优越性。

6.3 燃烧器

燃烧器是用来将煤气和空气混合,并送入燃烧室内燃烧的设备。它应有足够的燃烧能力,即单位时间能送进、混合、燃烧所需要的煤气量和助燃空气量,并排出生成的烟气量,不致造成过大的压头损失(即能量消耗)。其次还应有足够的调节范围,空气过剩系数可在1.05~1.50范围内调节。应避免煤气和空气在燃烧器内燃烧、回火,保证在燃烧器外迅速混合、完全而稳定地燃烧。燃烧器种类很多,我国常见的有套筒式金属燃烧器和陶瓷燃烧器。

6.3.1 套筒式金属燃烧器

套筒式金属燃烧器的构造见图6-17。煤气道与空气道为一套筒结构,煤气和空气进入燃烧室后相互混合并燃烧。这种燃烧器的优点是结构简单,阻损小,调节范围大,不易发生回火现象,因此,过去国内热风炉广泛采用这种燃烧器。其主要缺点是煤气和助燃空气混合不均匀,需要较大体积的燃烧室;燃烧不稳定,火焰跳动;火焰直接冲击燃烧室的隔墙,隔墙容易被火焰烧穿而产生短路。目前国内外高风温热风炉均采用陶瓷燃烧器代替套筒式金属燃烧器。

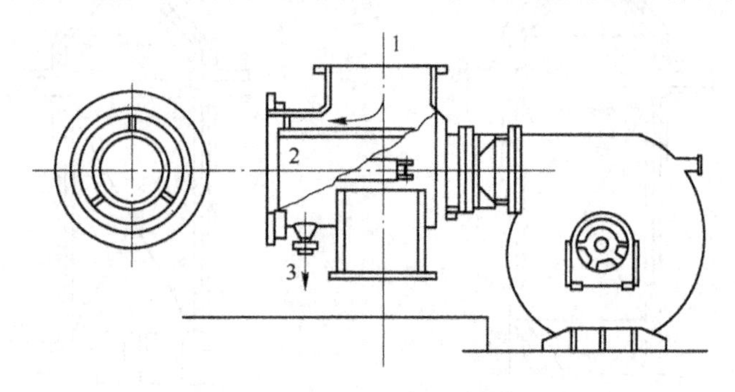

图6-17 套筒式金属燃烧器
1—煤气;2—空气;3—冷凝水

6.3.2 陶瓷燃烧器

陶瓷燃烧器是用耐火材料砌成的,安装在热风炉燃烧室内部。一般是采用磷酸盐耐火混凝土或矾土水泥耐火混凝土预制而成,也有采用耐火砖砌筑成的,图6-18为几种常用的陶瓷燃烧器结构示意图。

陶瓷燃烧器有如下优点:

(1) 助燃空气与煤气流有一定交角,并将空气或煤气分割成许多细小流股,因此混合好,燃烧完全而稳定,无燃烧振动现象;

(2) 气体混合均匀,空气过剩系数小,可提高燃烧温度;

(3) 燃烧器置于燃烧室内,气流直接向上运动,无火焰冲击隔墙现象,减小了隔墙被烧穿的可能性;

(4) 燃烧能力大,为进一步强化热风炉燃烧和热风炉大型化提供了条件。

套筒式陶瓷燃烧器的主要优点是:结构简单,构件较少,加工制造方便,但燃烧能力较小,一般适合于中、小型高炉的热风炉。栅格式陶瓷燃烧器和三孔式陶瓷燃烧器的优点是:空气与煤气混合更均匀,燃烧火焰短,燃烧能力大,耐火砖脱落现象少,但其结构复杂,砖形制造困难多,并要求加工质量高,一般大型高炉的外燃式热风炉,多采用栅格式和三孔式陶瓷燃烧器。

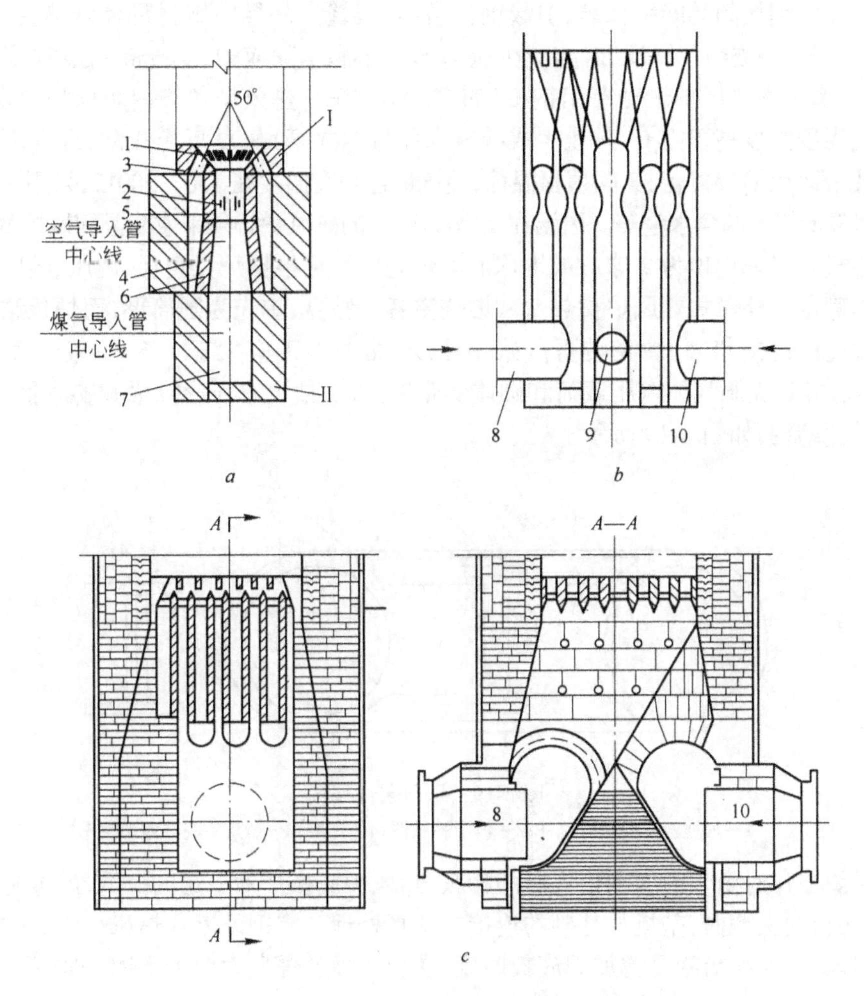

图 6-18 几种常用的陶瓷燃烧器

a—套筒式陶瓷燃烧器;*b*—三孔式陶瓷燃烧器;*c*—栅格式陶瓷燃烧器

Ⅰ—磷酸混凝土;Ⅱ—黏土砖

1—二次空气引入孔;2——次空气引入孔;3—空气帽;4—空气环道;5—煤气直管;6—煤气收缩管;7—煤气通道;8—助燃空气入口;9—焦炉煤气入口;10—高炉煤气入口

6.4 炉壳及基础

热风炉炉壳是一种密封和支撑设施,它主要承受鼓风压力、耐火砖衬热膨胀压力,以及一定的温度作用,还要支撑拱顶砌体载荷。炉壳由普通碳素钢钢板焊接而成,为了确保密封,炉壳和炉底封板焊成一个密闭的整体,施工过程中必须保证焊接质量,炉壳椭圆度不得大于0.2%,在整个高度上倾斜不得超过 30 mm。砌砖后用工作压力的 1.25 倍压力检漏,每小时压降不大于 1.5%。

研究表明,当热风炉拱顶温度长时间在 1400℃ 以上时,燃烧期的火焰温度超过 1500℃,助燃空气和煤气中的 N_2 与 O_2 结合形成 NO_x,煤气中的硫燃烧成 SO_x,这些氧化物与冷凝的水形成硝酸、亚硝酸、硫酸、亚硫酸的混合物,对炉壳钢板腐蚀。它的实质是这些酸类在钢板表面形成电解质，有较高的电势，在电化学的作用下侵蚀钢板。热风炉炉壳存在着拉应力，这种侵蚀破坏钢板的晶间结合键，引起钢板裂缝，裂缝沿晶界向钢材母体延伸、扩大。预防的方法是：设计和施工要采取措施减少应力的产生和消除应力，炉壳转折点都采用曲线连接；使用抗腐蚀的热风炉炉壳专用钢板（如 SM41C-BF）；热风炉炉壳内表面加涂层；控制腐蚀区钢壳周围温度高于露点，防止生成冷凝水并与 NO_x 和 SO_x 反应成酸，最常用的办法是在炉壳外表面用铝板覆盖，其间填保温棉，使该部位炉壳温度在 150～300℃；采用干法除尘或煤气脱水降低煤气的含水量等。风温在 1200℃以上的热风炉必须采取防晶间腐蚀的措施。

内燃式热风炉炉顶为半球形或锥球形。炉壳厚度可根据炉壳直径、内压、温度以及各种载荷计算确定。外燃式热风炉蓄热室和燃烧室各自独立，炉壳为圆筒形，而炉顶结构为两个半球通过过桥连接起来，炉壳转折点采用曲线，曲率半径应大于 1.5 m，截体倾角应大于 45°，为了适应和克服气体内压载荷和砌体膨胀应力，炉顶设有环形拉梁和膨胀器，使两拱顶间形成柔性结构，如图 6-19 所示。

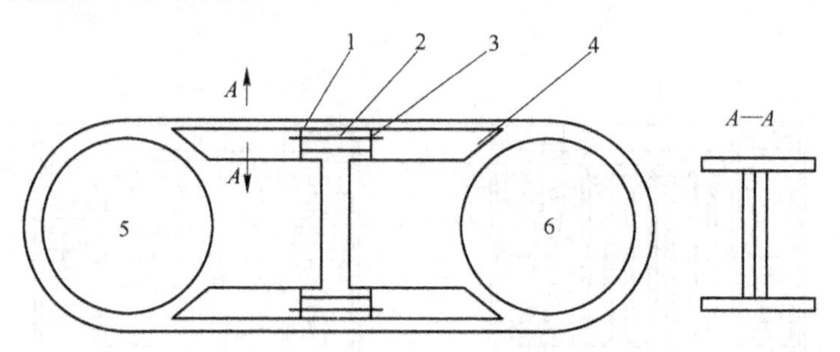

图 6-19　拱顶柔性连接

1—加强板；2—张力拉杆；3—波形膨胀器；4—环梁；5—燃烧室；6—蓄热室

热风炉工作时由于内压和耐火砖的膨胀，热风炉底板受到一定的拉力，严重时会拉断地脚螺栓，底板向上翘曲，基板与基础的连接应认真处理。宝钢外燃式热风炉为了防止底板变形引起漏风，采取的措施是增加炉底板厚度，在炉底板上焊上大型工字钢，再浇耐热混凝土，以增加其刚度。炉底板和直筒段采用弧线连接，炉底板下垫一层干砂，既方便施工，又吸收部分炉壳膨胀反力。为使底板与干砂接触紧密，从底板上的舀浆孔向底板下进行压力灌浆。高温内燃式圆弧形底板也据此简化而成。宝钢的圆弧形底板如图 6-20 所示

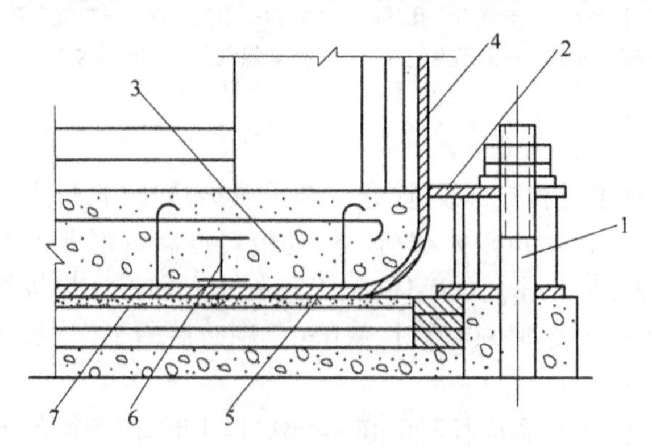

图 6-20　宝钢圆弧形底板

1—地脚螺栓；2—基础钢圈；3—钢筋混凝土；4—炉壳；5—底板；6—钢梁；7—砂

6.5 热风炉管道与阀门

热风炉是高温、高压的装置，其燃料易燃、易爆并且有毒，因此设备必须工作可靠，能够承受高温及高压的作用，所有阀门必须具有良好的密封性；设备结构应尽量简单，便于检修，方便操作；阀门的启闭传动装置均应设有手动操作机构，启闭速度应能满足工艺操作的要求。热风炉管道、阀门等设备的配置情况如图 6-21 所示。

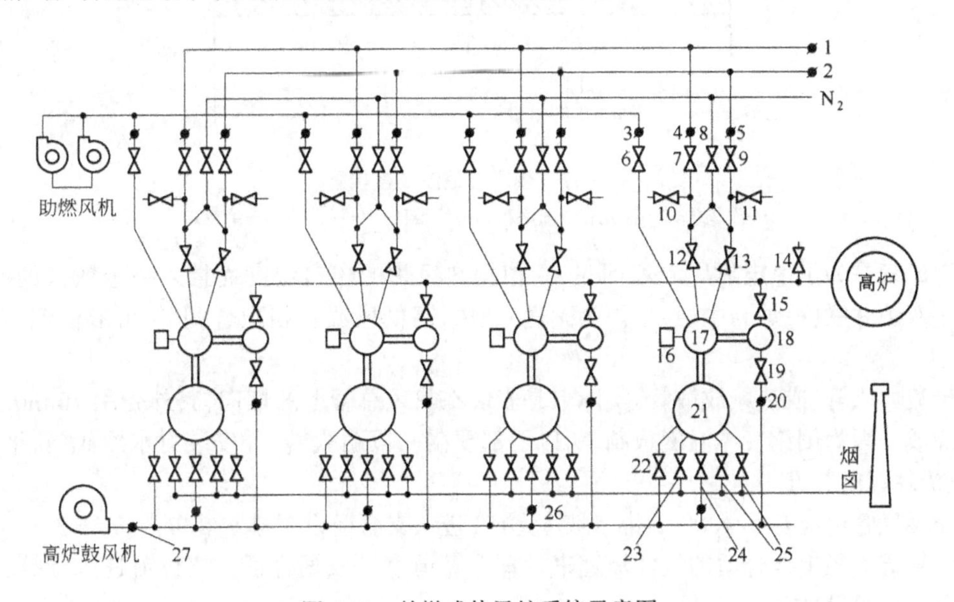

图 6-21 外燃式热风炉系统示意图

1—焦炉煤气压力调节阀；2—高炉煤气压力调节阀；3—空气流量调节阀；4—焦炉煤气流量调节阀；5—高炉煤气流量调节阀；6—空气燃烧阀；7—焦炉煤气阀；8—吹扫阀；9—高炉煤气阀；10—焦炉煤气放散阀；11—高炉煤气放散阀；12—焦炉煤气燃烧阀；13—高炉煤气燃烧阀；14—热风放散阀；15—热风阀；16—点火装置；17—燃烧室；18—混合室；19—混风阀；20—混风流量调节阀；21—蓄热室；22—充风阀；23—废风阀；24—冷风阀；25—烟道阀；26—冷风流量调节阀；27—放风阀

6.5.1 热风炉管道

热风炉系统设有冷风管、热风管、混风管、燃烧用净煤气管和助燃风管、倒流休风管等。

冷风管应保证密封，常用厚为 4～12 mm 钢板焊成，为了消除由于冷风温度在夏季和冬季的不同而产生的热应力，故在冷风管道上设置伸缩圈，冷风管的支柱要远离伸缩圈，而支柱上的管托与风管间制成活接，以免妨碍冷风管自由伸缩。

热风管道由约 10 mm 厚的普通钢板焊成，要求管道的密封性好，热损失小。热风管道一般用标准砖砌筑，内砌黏土砖或高铝砖，外层砌隔热砖（轻质黏土砖或硅藻土砖），最外层垫石棉板以加强绝热，大中型高炉还在管道内壁喷涂不定形耐火材料。耐火砖应错缝砌筑，砖缝不大于 1.5 mm。热风管道因温度和压力的变化，引起了管道砌体的膨胀和收缩，故一般每隔 3～4 m 留 20～30 mm 的膨胀缝，缝内填塞石棉绳，内外两圈砌筑的膨胀缝位置要相互错开并不得留设在叉口与人孔的砌体上。目前广泛采用如图 6-22 所示的波纹连接管，能显著减缓金属构件所承受的各种应力，消除或减缓耐火砌体的破损，延长使用寿命。热风管及其支柱之间采用活动连接，管子托在辊子上允许自由伸缩。

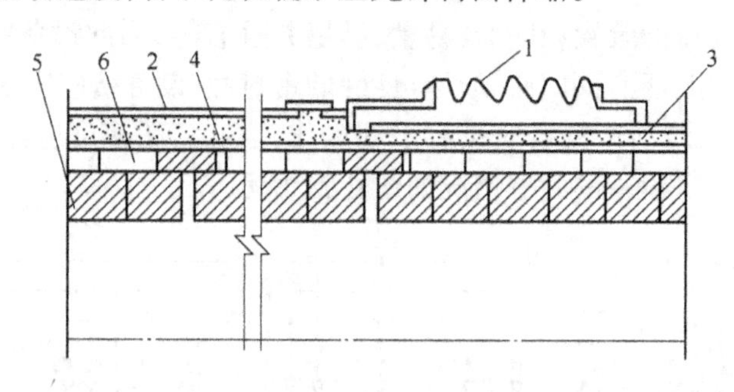

图 6-22 热风管道波纹连接管

1—波纹管；2—钢壳；3—喷涂料；4—纤维毡；5—耐火砖；6—绝热砖

混风管是为了稳定热风温度而设，它根据热风炉的出口温度而掺入一定数量的冷风。若采用双炉并联（一炉为主送，一炉为副送）送风，高低风温互相配合调节，可取消混冷风操作。

倒流休风管（或热风放散管）实际上是安装在热风总管上的烟囱，其外壳用 10 mm 厚的钢板焊成。因为倒流气体温度很高，所以下部要砌一段耐火砖，并安装有水冷阀门，平时关闭，倒流休风时打开。

净煤气管道应有 5/1000 的排水坡度，并在进入支管前设置排水装置。

各管道直径根据合适的气体流速来计算。管道直径根据合适的气体流速来计算，如表 6-6 所示，计算公式为：

$$D=\sqrt{4V/(\pi w)} \tag{6-16}$$

式中 D——圆形管道内径，m；

V——气体的实际流量，m^3/s；

w——气体的实际流速，m/s。

表 6-6 气体在管道内的流速

名称		实际流速/$m\cdot s^{-1}$
冷风管道	风压＞0.09 MPa	15～20
	风压＜0.05 MPa	10～15
热风管道	风压＞0.09 MPa	30～35
	风压＜0.05 MPa	25～30
净煤气管道		6～12
助燃空气管道		6～8

6.5.2 热风炉阀门

根据热风炉周期性工作的特点，可将热风炉阀门分为控制燃烧系统的阀门以及控制鼓风系统的阀门两类。

控制燃烧系统的阀门及其装置的作用是把助燃空气及煤气送入热风炉燃烧，并把废气排出热风炉。它们还起着调节煤气和助燃空气的流量，以及调节燃烧温度的作用。当热风炉送风时,燃烧系统的阀门又把煤气管道、助燃空气风机及烟道与热风炉隔开,以保证设备的安全。燃烧系统的阀门有:空气燃烧阀、高炉煤气燃烧阀、高炉煤气阀、高炉煤气放散阀、焦炉煤气燃烧阀、焦炉煤气阀、吹扫阀、焦炉煤气放散阀、助燃空气流量调节阀、高炉煤气流量调节阀、焦炉煤气流量调节阀及烟道阀等。除高炉煤气放散阀、焦炉煤气放散阀及吹扫阀以外,其余阀门在燃烧期均处于开启状态,在送风期又均处于关闭状态。

鼓风系统的阀门将冷风送入热风炉,并把热风送到高炉。其中一些阀门还起着调节热风温度的作用。送风系统的阀门有:热风阀、冷风阀、混风阀、混风流量调节阀、充风阀、废气阀及冷风流量调节阀等。除充风阀和废气阀外,其余阀门在送风期均处于开启状态,在燃烧期均处于关闭状态。

热风阀直径的选择十分重要,在允许条件下用大直径的热风阀,对延长热风阀寿命有好处。热风在热风阀处的实际流速不应高于75m/s。其他阀门的截面积与热风阀的截面积之比有如下关系:

阀门名称	阀门的截面积与热风阀截面积之比
热风阀	1.0
冷风阀	0.8~1.0
放风阀	1.0~1.2
煤气切断阀	0.7~1.0
空气燃烧阀	0.7~1.0
燃烧阀	0.7~1.0
烟道阀	2.0~2.8
混风阀	0.2~0.4
废风阀	0.05~0.12
充风阀	0.05~0.12

各调节阀、切断阀直径应与管道直径相适应。

6.5.2.1 热风阀

热风阀安装在热风出口和热风主管之间的热风短管上。热风阀在燃烧期关闭,隔断热风炉与热风管道之间的联系。

热风阀在900~1300℃和0.5 MPa左右压力的条件下工作,是阀门系统中工作条件最恶劣的设备。常用的热风阀是闸板阀,如图6-23所示,一般采用铸钢和锻钢、钢板焊接结构。它由阀板(闸板)、阀座圈、阀外壳、冷却进出水管组成。阀板(闸板)、阀座圈、阀壳体都有水冷。为了防止阀体与阀板的金属表面被侵蚀,在非工作表面喷涂不定形耐火材料,这样也可降低热损失。

6.5.2.2 切断阀

切断阀用来切断煤气、助燃空气、冷风及烟气。切断阀结构有多种,如闸板阀、曲柄盘式阀、盘式烟道阀等,如图6-24所示。

闸板阀如图6-24*a*所示。闸板阀起快速切断管道的作用,要求闸板与阀座贴合严密,不泄漏气体,关闭时一侧接触受压,装置有方向性,可在不超过250℃温度下工作。

曲柄盘式阀亦称大头阀,也起快速切断管路作用,其结构如图6-24*b*所示。该种阀门常作为冷风阀、混风阀、煤气切断阀、烟道阀等。它的特点是结构比较笨重,用做燃烧阀时因一侧受热,可能发生变形而降低密封性。

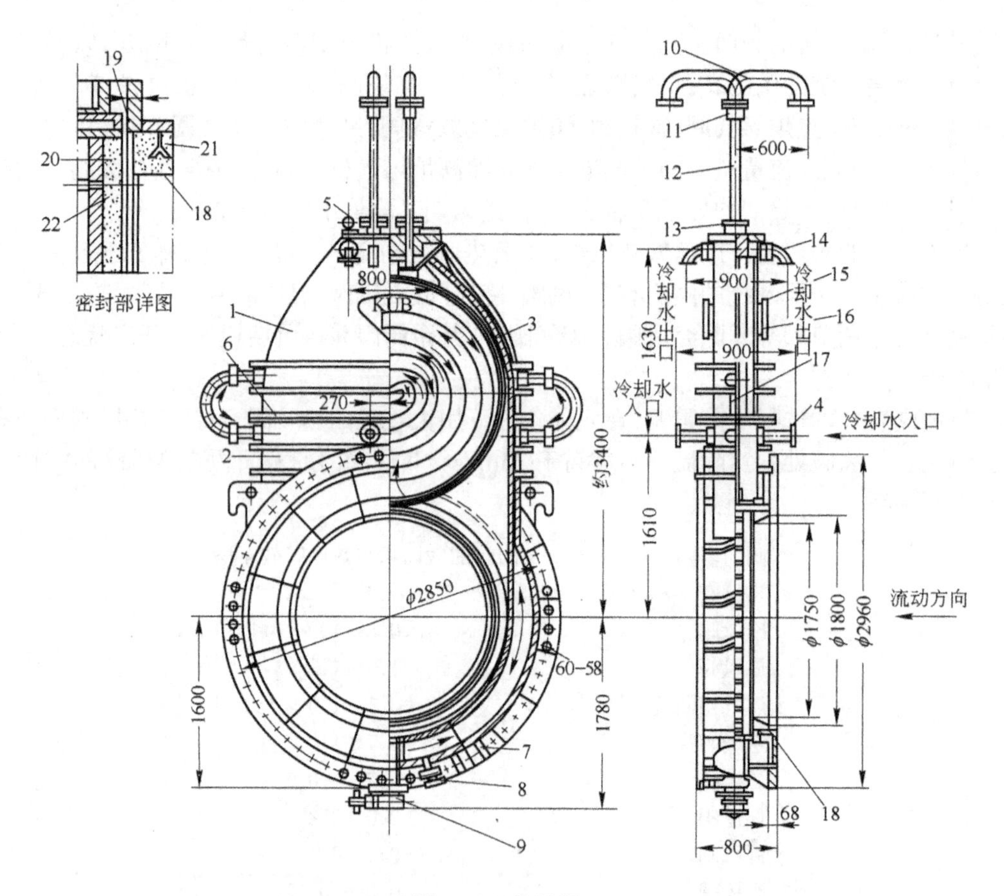

图 6-23　热风阀

1—上盖；2—阀箱；3—阀板；4—短管；5—吊环螺钉；6—密封垫片；7、16—防蚀镀锌片；8—排水阀；9—测水阀；10—弯管；11—连接管；12—阀杆；13—金属密封填料；14—弯头；15—标牌；17—连接软管；18—阀箱用不定形耐火料；19—密封用堆焊合金；20—阀体用不定形耐火料；21—阀箱用挂桩；22—阀体用挂桩

盘式烟道阀装在热风炉与烟道之间，曾普遍用于内燃式热风炉。为了使格子砖内烟气分布均匀，每座热风炉装有两个烟道阀。其结构如图 6-24*c* 所示。

6.5.2.3　调节阀

一般采用蝶形阀作为调节阀，它用来调节煤气流量、助燃空气流量、冷风流量等。

煤气流量调节阀用来调节进入燃烧器的煤气量。混风调节阀用来调节混风的冷风流量，使热风温度稳定。调节阀只起流量调节作用，不起切断作用。蝶形调节阀结构如图6-25 所示。

6.5.2.4　充风阀和废风阀

热风炉从燃烧期转换到送风期，当冷风阀上没有设置均压小阀时，在冷风阀打开之前必须使用充风阀提高热风炉内的压力。反之，热风炉从送风期转换到燃烧期时，在烟道阀打开之前需打开废风阀，将热风炉内相当于鼓风压力的压缩空气由废风阀排放掉，以降低炉内压力。

有的热风炉采用闸板阀作充风阀及废风阀，有的采用角形盘式阀作废风阀。

热风炉充风阀直径的选择与换炉时间、换炉时风量和风压的波动，以及高炉鼓风机的控制有关。

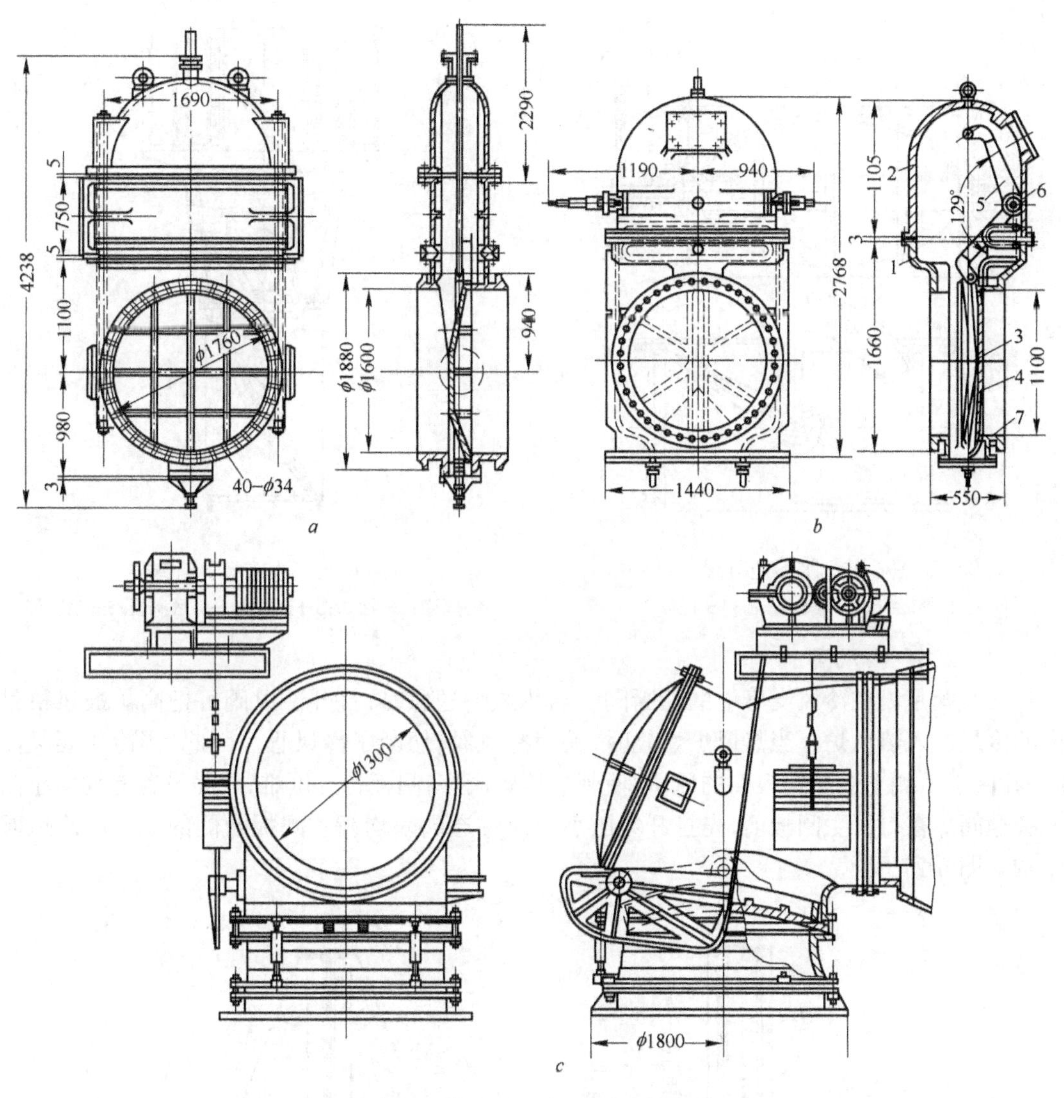

图 6-24 切断阀

a—闸板阀；*b*—曲柄盘式阀；*c*—盘式烟道阀

1—阀体；2—阀盖；3—阀盘；4—杠杆；5—曲柄；6—轴；7—阀座

6.5.2.5 放风阀

放风阀安装在鼓风机与热风炉组之间的冷风管道上，在鼓风机不停止工作的情况下，用放风阀把一部分或全部鼓风排放到大气中，以此来调节入炉风量。

放风阀是由蝶形阀和活塞阀用机械连接形式组合的阀门，如图 6-26 所示。送入高炉的风量由蝶形阀调节，当通向高炉的通道被蝶形阀隔断时，连杆连接的活塞将阀壳上通往大气的放气孔打开(图中位置)，鼓风从放气孔中逸出。放气孔是倾斜的，活塞环受到均匀磨损。

放风时高能量的鼓风激发强烈的噪声，影响劳动环境，危害甚大，放风阀上必须设置消音器。

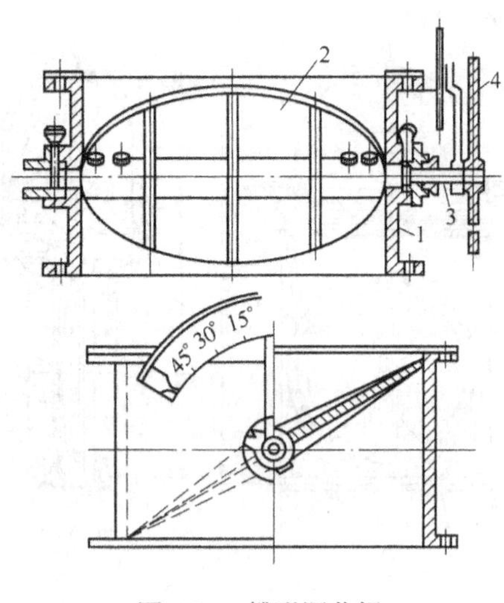

图 6-25 蝶形调节阀

1—外壳;2—阀板;3—轴;4—杠杆

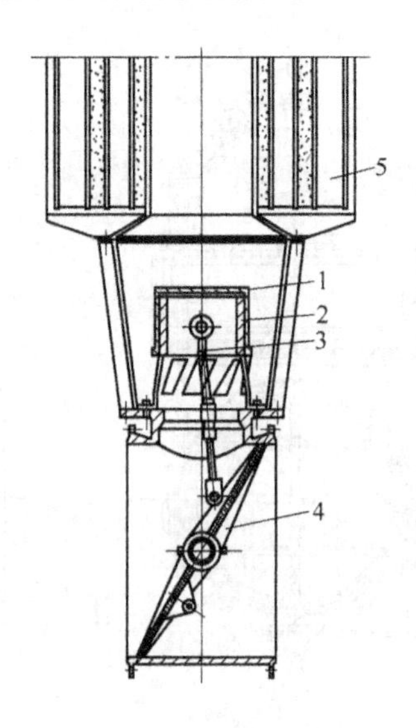

图 6-26 放风阀及消音器

1—阀壳;2—活塞;3—连杆;4—蝶形阀板;5—消音器

6.5.2.6 冷风阀

冷风阀是设在冷风支管上的切断阀。当热风炉送风时,打开冷风阀可把高炉鼓风机鼓出的冷风送入热风炉。当热风炉燃烧时,关闭冷风阀,切断了冷风管。因此,当冷风阀关闭时,在闸板一侧上会受到很高的风压,使闸板压紧阀座,闸板打开困难,故需设置有均压小门或旁通阀。在打开主闸板前,先打开均压小门或旁通阀来均衡主闸板两侧的压力。冷风阀结构如图 6-27 所示。

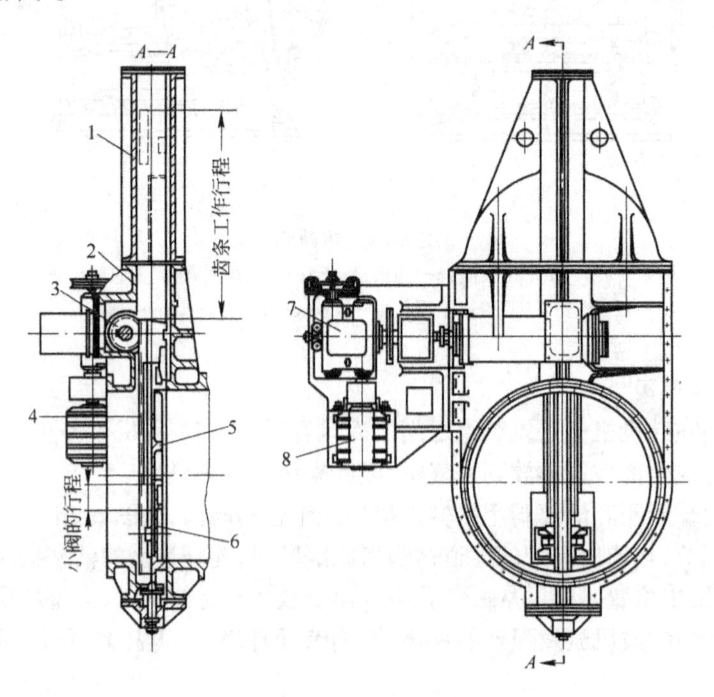

图 6-27 冷风阀

1—阀盖;2—阀壳;3—小齿轮;4—齿条;5—主闸板;6—小通风闸板;7—差动减速器;8—电动机

6.6 热风炉用耐火材料及特性

热风炉耐火材料砌体在高温、高压下工作，而且温度和压力又在周期性变化，条件比较恶劣。因此，结合其工作条件，选择合理的耐火材料、正确设计其结构形式、保证砌筑质量等是达到高风温长寿命的关键所在。

6.6.1 热风炉砌体破损机理

热风炉内砌体破损最严重的地方，一般是温度最高、温差较大及结构较复杂等部位。内燃式热风炉的拱顶和隔墙易破损，外燃式热风炉的燃烧室和蓄热室的拱顶以及连接通道容易破损。热风炉炉衬破损机理如下：

(1) 热震破损。热风炉是个换热器，不仅有高温作用，而且有周期性的升温和降温变化。燃烧期拱顶温度可达到1300～1500℃，燃烧室温度也很高，烟道废气温度在300℃左右；送风期热风温度一般为1200℃左右，冷风温度约80℃；因此，热风炉炉衬和格子砖经常在加热和冷却之间变化，承受着热应力的作用，到一定时间砌体便产生裂纹或剥落，严重时砌体倒塌。

(2) 烟气粉尘的化学侵蚀。煤气中含有一定量的粉尘，其主要成分是铁的氧化物和碱性氧化物。煤气燃烧后，粉尘随烟气进入蓄热室，部分粉尘将黏附在砖衬和格子砖表面，并与砖中的矿物质起化学反应，形成低熔点化合物，使砖表面不断剥落，或熔化成液态不断向砖内渗透，改变了耐火材料的耐火性能，导致组织破坏，发生龟裂。蓄热室的上部化学侵蚀较为严重。

(3) 机械荷载作用。热风炉是一种较高的构筑物。蓄热室格子砖下部最大载荷可达到0.8 MPa，燃烧室下部砖衬静载荷可达到0.4 MPa。过去认为热风炉拱顶变形、格子砖下陷等故障是由于耐火材料的耐火度不够所造成。近年来随着高炉煤气精细除尘设备的发展，煤气质量逐渐提高，热风炉燃烧操作实现自动控制，燃烧状态基本稳定，但仍出现拱顶下沉、格子砖下陷等破坏事故。经研究认为这是由于耐火材料在使用温度下，长期负载，发生蠕变变形而损坏。

6.6.2 热风炉用耐火材料的主要特性与选用原则

热风炉选用耐火材料，应依其工作温度、操作条件、热风炉形式及使用部位不同而选择。

热风炉用耐火材料的主要特性与选用原则有以下几个方面：

(1) 耐火度。要求热风炉用耐火材料具有较高的耐火度和荷重软化温度，特别是载荷大的部位，耐火材料应具有高的耐火度和荷重软化温度。砌体砖的最高表面温度作为选择耐火材料耐火度的标准。

(2) 抗蠕变性。耐火材料在高温下承受低于其临界强度的恒定力长期作用下，将产生变形，且变形量随时间的延续而不断增大，这种现象称为蠕变。可以用材料的变形量和时间的关系曲线表示蠕变速率，典型的蠕变曲线如图6-28所示。耐火材料的蠕变温度应比实际工作温度高100℃。该温度以燃烧末期的温度和实际使用的载荷为基准，耐火材料在50 h产生的蠕变值应小于1%。硅砖抗蠕变性最好，适宜用在高温部位；黏土砖抗蠕变性最差，一般只用于中低温部位。

(3) 体积稳定性。耐火材料的热膨胀特性，直接表现在砌体温度变化带来的体积变化，在工作温度变化幅度范围之内，耐火材料的线膨胀系数应当小。耐火砌体的膨胀缝主要取决于温度和耐火材料的热膨胀特性。在温度波动幅度较大的部位应选择线膨胀系数小、热稳定性好的耐火砖。

(4) 抗压强度。热风炉蓄热室下部承受很大压力，应选择耐压强度高的耐火材料，例如大高炉热风炉蓄热室最下部往往用几层高铝砖。

(5) 导热性。导热性好热交换能力强，耐火材料抗热震性好，对于温度高并经常有较大变化的部位，应选用导热性好的材料；而绝热层用的耐火材料，应选择导热性能差、气孔率大、密度小的耐火材料，且其使用温度以重烧线收缩率小于2%的温度再加50℃为基准。

(6) 热容量。热容量大的耐火材料蓄热能力强，格子砖应该用热容量大的耐火材料。

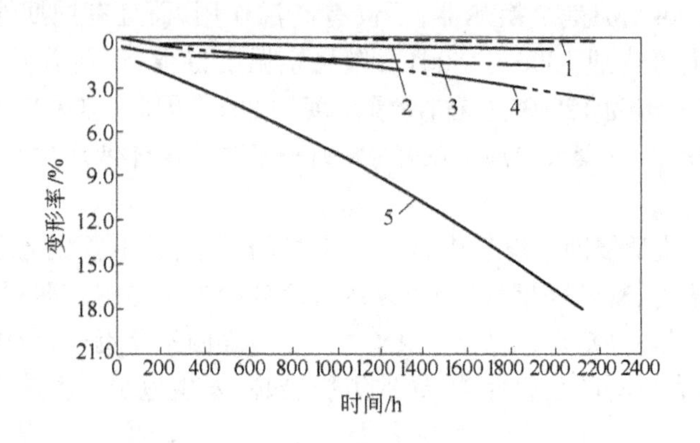

图 6-28　各种耐火砖的蠕变性

1—硅砖(1550℃,0.098 MPa)；2—高铝砖($Al_2O_3$70%,1300℃)；3—高铝砖($Al_2O_3$60%,1300℃)；4—高铝砖($Al_2O_3$70%,1300℃)；5—黏土砖(日本牌号 SK35,1350℃)

表6-7列出了热风炉常用耐火材料的性能和使用部位。

表 6-7　热风炉各部位耐火材料性能和使用部位

材质	使用部位	化学成分(质量分数)/%			耐火度/℃	抗蠕变温度/℃ (0.196 MPa,50 h)	显气孔率/%	体积密度/g·cm^{-3}	重烧线收缩率/%	抗压强度/MPa
		SiO_2	Al_2O_3	Fe_2O_3						
硅砖	拱顶、燃烧室、蓄热室上部	95~97	0.4~0.6	1~2.2	1710~1750	1550	16~18	1.8~1.9		39.2~49.0
高铝砖	拱顶、燃烧室	20~24	72~77	0.3~0.7	1820~1850	1550	17~20	1350℃时 2.5~2.7	0~−0.3	58.8~98.1
	蓄热室上部	26~30	62~70	0.8~1.5	1810~1850	1350~1450	16~22	2.4~2.6	0~−0.5	53.9~98.1
	蓄热室中部	35~43	50~60	1.0~1.8	1780~1810	1270~1320	18~24	2.1~2.4	0~−0.5	39.2~88.3
黏土砖	蓄热室中部	约 52	约 42	约 1.8	1750~1800	1250	16~20	2.1~2.2	1400℃时 0~0.5	29.4~49.0
	蓄热室下部	约 58	约 37	约 1.8	1700~1750	1150	18~24	2.0~2.1	0~0.5	24.5~44.1
半硅砖	蓄热室、燃烧室	约 75	约 22	约 1.0	1600~1700		25~27	1.9~2.0	1450℃时 0~1.0	19.6~39.2

6.6.3 热风炉用耐火材料

热风炉用耐火材料主要包括：

(1) 硅砖。硅砖主要成分是 SiO_2，其含量在 95%左右，由鳞石英、方石英和玻璃相组成。硅砖高温性能好，耐火度及荷重软化温度较高，蠕变温度高且蠕变率小，有利于热风炉稳定；不足的是它的体积密度小，蓄热能力差。硅砖在 600℃以下发生相变，体积有较大的膨胀，容易破坏砌体的稳定性。因此，硅砖的使用温度应大于 600℃。在热风炉内硅砖一般用于拱顶、燃烧室和蓄热室炉衬的上部以及上部格子砖。热风炉用硅砖的性能见表 6-8。

表 6-8 热风炉用硅砖的性能

国家	中国	日本			德国		荷兰
产地或牌号	鞍钢	黑崎	SIH	Hariman 公司	黑硅砖	SW1	Meltham
耐火度/℃	1710	1710	1730		1680		1710
假密度/g·cm⁻³	2.36	2.31～2.33	2.31～2.33		<2.36	2.35	
体积密度/g·cm⁻³	1.87		1.83	1.83	1.85	1.85	1.78
耐压强度/MPa	33.3	44.1	50.0	50.0	>24.5		29.3～28.0
显气孔率/%	21	22	20	20	22	21	22.5
荷重软化点/℃	1670	1620	>1630	1640～1660	1660	1670	
线膨胀率/%(1000℃时)	1.27	1.15～1.25	1.15～1.25	1.3(1200℃时)	1.4(800℃时)		
重烧线收缩率/%(1500℃,2 h)		0	0.2～0				0.2
蠕变率/%(荷重 0.196 MPa)			(1550℃,50 h)0～0.5	(1550℃,50 h)0.1	(1550℃,50 h)0.2	(1350℃,50 h)0.1	
化学成分(质量分数)/% SiO_2	93.02	94.5	94～96	95.7	>93	93	95.6
化学成分(质量分数)/% Al_2O_3	0.45	1.10	0.6～0.8	1.10	<2.0		0.7
化学成分(质量分数)/% Fe_2O_3	1.36	1.20	0.5～1.2	1.30	约 2		0.7

(2) 高铝砖。高铝砖质地坚硬、致密，抗压强度高，有很好的耐磨性和较好的导热性，在高温下体积稳定，蠕变性仅次于硅砖。普遍应用于高温区域，如拱顶、中上部格子砖、燃烧室隔墙等。热风炉用高铝砖的性能见表 6-9。

表 6-9 热风炉用高铝砖的性能

国家	中国				德国		
产地或牌号	鞍钢	山东	唐山	唐山格砖	燃烧室用	格子砖用	合成莫来石
耐火度/℃	1790	1770	1790				
假密度/g·cm⁻³					3.3	3.05	3.21
体积密度/g·cm⁻³					2.65	2.50	2.50～2.70
显气孔率/%	12～15	19.2	16～22	17～20	17	18	14～19
耐压强度/MPa	58.8	111.1			58.8	57.9	
荷重软化点/℃(荷重 0.196 MPa)	1530～1610	1530	1520～1550	1550～1590	>1700	1640	

续表 6-9

国家		中国				德国		
线膨胀率/% (1500℃时)						0.85	0.85 (1350℃时)	
重烧线收缩率/%(2 h)		0.2	0.2	0.2~0.3	0.1~0.3	0.1~0.3		
蠕变率/%(荷重 0.196 MPa,50 h)						0.15 (1500℃时)	0.40 (1400℃时)	
化学成分(质量分数)/%	Al_2O_3	73.5~75.0	71.3	73.2~75.2	59.4~72.5	75	63	72~76
	SiO_2							23~24
	Fe_2O_3		1.9		1.5~1.8	0.4	1.0	0.2~0.7

(3) 黏土砖。黏土砖的主要成分是Al_2O_3和SiO_2。随着Al_2O_3和SiO_2含量的不同,性质也发生变化。黏土砖热稳定好,高温烧成的黏土砖残余收缩小。黏土砖耐火度和荷重软化温度低,蠕变温度低,蠕变率较大,但是黏土砖容易加工,价格低廉,广泛应用于热风炉中、低温度区域,中下部格子砖及砖衬。黏土砖用量约占热风炉用砖总量的 30%~50%。

(4) 隔热砖。热风炉用隔热砖有硅藻土砖、轻质硅砖、轻质黏土砖、轻质高铝砖以及陶瓷纤维砖等。隔热砖气孔率大,密度小,导热性差,机械强度低,但在使用中应可以支承自身质量。

(5) 不定形材料。热风炉用不定形材料有耐火、隔热及耐酸 3 种喷涂料。耐火喷涂料主要用于高温部位炉壳及热风管道内,以防止窜风烧坏钢壳。隔热喷涂料导热系数低,可以减少热损失。耐酸喷涂料用于拱顶、燃烧室及蓄热室上部钢壳,其作用是防止高温生成物中 NO_x 等酸性氧化物对炉壳的腐蚀。当采用双层喷涂料时,隔热喷涂料靠钢壳喷涂,然后再喷涂耐酸或耐火涂料。热风炉用喷涂料的性能见表 6-10。

表 6-10 热风炉用喷涂料的性能

牌号		CN130	CL130	耐酸不定形耐火材料
性能		耐火	隔热	耐酸
假密度/$g \cdot cm^{-3}$		≥1.7	≤1.4	
热导率/$W \cdot (m^2 \cdot ℃)^{-1}$			350℃时≤0.30	
安全使用温度/℃		1300	1300	1300
线膨胀率/% (1300℃时加热 3 h 后)		±0.1	±0.1	±0.1
耐火度	SK ℃	≥20 ≥1530		≥20 ≥1530
抗弯强度/MPa	110℃干燥后 1300℃热状态	≥3.9 ≥0.29	≥1.96 ≥0.29	≥1.47 酸处理后>0.98
化学成分(质量分数)/%	Al_2O_3	≥35		≥35

我国内燃式热风炉炉衬和格子砖普遍采用高铝砖和黏土砖砌筑;外燃式热风炉,高温部位一般用硅砖砌筑,中低温部位则依次用高铝砖和黏土砖砌筑。

美国热风炉高温部位一般采用硅砖砌筑,蓄热室上部温度高于 1420℃ 的部位采用抗碱性强、导热性好和蓄热量大的方镁石格子砖。日本热风炉用砖处理得比较细致,不同部位选用不同的耐火砖,同时还考虑到耐火材料的高温蠕变性能。热风炉寿命可达到 15~20 年。日本高炉热风炉用耐火砖的性能及使用部位见表 6-11。

表 6-11 日本高炉热风炉用耐火砖的性能及使用部位

砖种	牌号	$w(Al_2O_3)$/%	体积密度/$g\cdot cm^{-3}$	显气孔率/%	耐压强度/MPa	荷重软化点(T_1)/℃	高温蠕变率①/%	使用部位
硅砖	S21	94~95(SiO_2)	2.31~2.33(视密度)	19~22	40.0~60.0	1610~1620	0~0.5(1550℃)	拱顶，上部大墙和格子砖
		>96(SiO_2)	2.31~2.33(视密度)	19~21	45.0	1620	>0.1(1550℃)	
高铝砖	CRN-155	76~79	2.65~2.70	16~19	65.0~90.0	≥1700	0.4~0.7	燃烧室隔墙
	CRN-150	81~84	2.75~2.80	17~20	60.0~80.0	1630~1660	0.4~0.7	燃烧室隔墙
	CRN-145	68~71	2.50~2.55	14.5~17.5	70.0~90.0	1560~1600	0.3~0.6	拱顶，上部大墙和格子砖
	CRN-140	66~69	2.45~2.50	17~20	55.0~80.0	1530~1570	0.3~0.6	拱顶，上部大墙和格子砖
	CRN-135	66~69	2.40~2.45	19~22	45.0~70.0	1480~1520	0.3~0.6	中部大墙和格子砖
	CRN-130	≥60	2.35~2.40	18~21	50.0~70.0	1450~1500	0.3~0.6	中部大墙和格子砖
	CRN-127	52~55	2.25~2.30	19~22	45.0~70.0	1400~1450	0.4~0.7	中部大墙和格子砖
黏土砖	SF-125		2.20~2.25	14~21	45.0~65.0	1460~1480	0.3~0.7	中部大墙和格子砖
	SF-120		2.1~2.2	19~21	40.0~60.0	1400~1450	0.3~0.6	中部大墙和格子砖
	SF-115		2.10~2.15	20~22	35.0~55.0	1370~1400	0.3~0.6	中部大墙和格子砖
	U-7	42~43	2.35~2.40	12~15	60.0~80.0	1550~1600		烧嘴
硅线石砖	HIMF	75~78	2.55~2.60	23~25	45.0~65.0	≥1700		烧嘴

① 在0.2 MPa荷重和保温50 h的条件下加热，加热温度为牌号中的数字乘以10℃，如CRN-155，其加热温度为1550℃。

我国几座典型热风炉选用的耐火材料见表6-12。

表 6-12 我国几座典型热风炉选用的耐火材料

高炉	宝钢2号	武钢新3号	首钢2号	重钢5号
拱顶	蠕变率<0.8%硅砖	高密度硅砖	低蠕变高铝砖(莫来石-硅线石砖)	高铝砖
蓄热室大墙上部	硅砖	高密度硅砖	低蠕变高铝砖	高铝砖
蓄热室大墙中部	高铝砖	低蠕变硅线石砖	高铝砖	高铝砖
蓄热室大墙下部	黏土砖	黏土砖	黏土砖	黏土砖
格子砖上部	硅砖	高密度硅砖	低蠕变高铝砖	高铝砖
格子砖中部	高铝砖	低蠕变高铝砖	高铝砖	高铝砖
格子砖下部	黏土砖	黏土砖	黏土砖	黏土砖
燃烧室隔墙中、上部	硅砖	莫来石砖		高铝砖
燃烧室隔墙下部	高铝砖	黏土砖		高铝砖
陶瓷燃烧器材质	上部：青石砖 下部：黏土砖		4个短焰燃烧器	磷酸盐耐热混凝土
设计风温/℃	1200~1250	1200	1100~1150	1200

6.7 蓄热式热风炉的热交换公式

6.7.1 热效率

蓄热式热风炉的热效率一般较高，约为70%～85%。它表示加热空气的有效热量，占助燃空气、煤气带入和煤气燃烧时放出热量的百分数。

6.7.2 拱顶温度

拱顶温度（即实际燃烧温度）t_y是由燃料燃烧时所能达到的最高温度所决定的，即：

$$t_y = \frac{Q_{低} + Q_{空} + Q_{燃} - Q_{失}}{V_u c} \tag{6-17}$$

式中 $Q_{低}$——燃料燃烧时放出的热量，kJ；

$Q_{空}$——助燃空气带进的物理热，kJ；

$Q_{燃}$——燃料带进的物理热，kJ；

$Q_{失}$——燃料产物损失的热量，kJ；

V_u——燃料产物的体积，m^3；

c——燃料产物的比热容，kJ/(m^3·℃)。

6.7.3 实际燃烧温度与热风温度间的关系

实际燃烧温度 t_y即烟气温度比理论燃烧温度 t_0要低，一般低70～90℃，即：

$$t_y = t_0 - (70 \sim 90) \tag{6-18}$$

而热风温度 t_f与拱顶温度（实际燃烧温度）t_y之间有温度效率 η_t的关系，即：

$$t_f = \eta_t t_y \tag{6-19}$$

一般 $\eta_t = 84\% \sim 86\%$，正常情况下拱顶温度比热风温度约高150～250℃。温差过大降低了温度效率；温差过小必须加大蓄热面积，耐火材料用量增大。

6.7.4 热交换公式

蓄热式热风炉的传热过程比较复杂，属不定态传热，格子砖作为传热的中间介质进行热交换，其公式为：

$$Q = KF\Delta t \tag{6-20}$$

式中 Q——周期内烟气传给鼓风的热量，kJ；

K——周期内的综合传热系数，W/(m^2·℃)；

F——蓄热室的总蓄热面积，m^2；

Δt——烟气和鼓风的平均温度差，℃。

从公式知，蓄热面积 F 是进行热交换的基础，若 K 和 Δt 值一定，则 F 大，热交换量大，故 F 要用计算所得。当条件改善提高 K 和 Δt 值时，则 F 可减小一些。

提高烟气进出口温度或降低空气进出口温度，都能提高平均温度差。但在实际操作中冷风温度基本不变，热风温度是指定的，烟气出口温度因受炉箅子和支柱材质的限制，以及考虑热风炉热效率的因素，不可能提高，因此只有提高烟气进口温度，才是强化热风炉热交换最有效的办法。凡是能提高拱顶烟气温度的措施，都能提高热风温度和热风炉热效率。一般热风炉烟气与空气的平均温度差 $\Delta t = 150 \sim 250$℃。

6.8 提高风温的途径

近代高炉冶炼，由于原燃料条件的改善和喷煤技术的发展，具备了接受高风温的可能性。目前大型高炉设计风温多在1200～1350℃。获得高风温的主要途径是改进热风炉的结构和操作。

6.8.1 增加蓄热面积

热交换公式表明，蓄热面积大则热交换的热量就多。当格子砖质量相同并采用相同工作制度时，蓄热面积大的供热能力大。近代大型高炉多采用4座热风炉，蓄热面积由过去的50～60 m^2/m^3 增加到 80～100 m^2/m^3，甚至更高。前苏联 5000 m^3 高炉蓄热面积为104 m^2/m^3，设计风温1440℃，为目前最高设计风温水平。

6.8.2 采用高效率格子砖

格子砖的主要参数包括：单位体积的蓄热面积、单位体积格子砖的质量、孔道直径、当量厚度和有效通道面积。随着热风炉操作水平的提高，格子砖的厚度逐渐减薄，现在多采用七孔格子砖。考虑格子砖的强度，一般砖壁厚度为22～30 mm，最薄不低于20 mm。蓄热室格子砖的热工参数主要取决于煤气净化程度、蓄热室的允许压力损失以及预定的燃烧制度和送风制度。

6.8.3 提高煤气热值

随着高炉生产水平的提高，燃料比逐渐降低，高炉煤气的发热值也随之降低。这就存在一个矛盾，高炉生产时要降低煤气中CO含量，以提高煤气的利用率，而热风炉则希望煤气中CO含量高些，提高煤气的发热值。为了解决这一矛盾，保证热风炉的风温水平，就要提高高发热值燃料的比例。简单易行的方法是在高炉煤气中混入焦炉煤气或天然气或转炉煤气。另外，高炉煤气除尘系统采用干法除尘时，也可以提高高炉煤气的发热值。

6.8.4 预热助燃空气和煤气

预热助燃空气和煤气可以提高拱顶温度。利用热风炉烟道废气预热助燃空气和煤气的形式有多种，如热管式换热器、热媒式换热器等。

6.8.5 控制空气过剩系数

在保证煤气完全燃烧的条件下，控制空气过剩系数于最小值，可以减少烟气生成量，获得最高的理论燃烧温度，也可减少烟气带走的热量。

6.8.6 热风炉工作

6.8.6.1 热风炉工作周期

热风炉一个工作周期包括燃烧、送风和换炉3个过程。在每一个工作周期内，热风炉内温度周期性地变化。

送风时间与热风温度的关系如图 6-29 所示，随着送风时间的延长，风温逐渐降低。送风时间由 2 h 缩短到 1 h 时，风温可提高 50～70℃。但缩短送风时间，燃烧时间也随之缩短了，因此在一定条件下应有一个合适的热风炉工作周期。合适的送风时间取决于保证热风炉获得足够的温度水平（表现为拱顶温度）和蓄热量（表现为废气温度）所必要的燃烧时间。

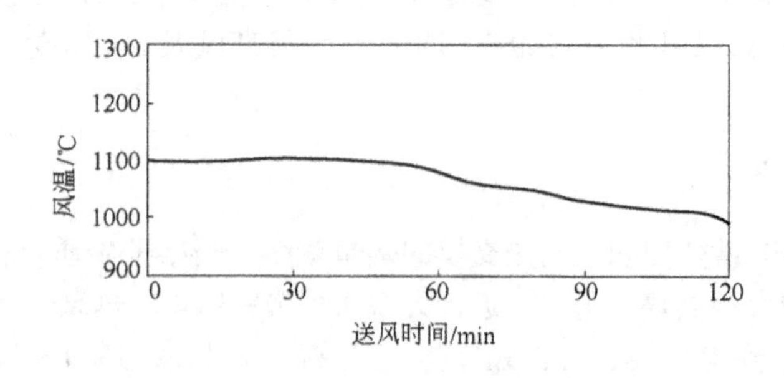

图 6-29　热风炉送风时间与风温变化曲线

（拱顶温度 1250℃，废气温度 200℃，热风炉蓄热面积 17800 m²）

6.8.6.2　热风炉燃烧制度

热风炉燃烧制度是为送风周期储备热量而进行的。其控制原理是用调节煤气热值的方法控制热风炉拱顶温度，用调节煤气总流量的方法控制废气温度，助燃空气流量则根据煤气成分和流量设定的空燃比例（加上合理的过剩空气系数）来控制。拱顶温度和烟道温度的控制不能超过热风炉原始设计的最高温度，以保护热风炉耐火材料砌体、下部炉箅和支柱等，延长热风炉整体寿命。

燃烧原则是以煤气压力为根据，以煤气流量为参考，以调节空气量和煤气量为手段，达到炉顶温度上升的目的。热风炉燃烧制度有 3 种：固定煤气量，调节空气量；固定空气量，调节煤气量；空气量和煤气量都不固定。各种燃烧制度的特性见表 6-13，各种燃烧制度的比较见图 6-30。

表 6-13　各种燃烧制度的特性

分　类	固定煤气量，调节空气量		固定空气量，调节煤气量		煤气量、空气量都不固定	
期别	升温期①	蓄热期②	升温期	蓄热期	升温期	蓄热期
空气量	适量	增大	不变	不变	适量	减少
煤气量	不变	不变	适量	减少	适量	减少
空气过剩系数	最小	增大	最小	增大	较小	较小
拱顶温度	最高	不变	最高	不变	最高	不变或降低
废气量	增加		稍减少		减少	
热风炉蓄热量	加大，利于强化		减小，不利于强化		减小，不利于强化	
操作难易	较难		易		难	
适用范围	空气量可调		空气量不可调，或助燃风机容量不足		空气量、煤气量均可调，并可用以控制废气温度	

① 图 6-30 中 t_0至 t_1；②图 6-30 中 t_1至 t_2。

燃烧制度的选择原则为：

（1）结合热风炉设备的具体情况，充分发挥助燃风机、煤气管网的能力；

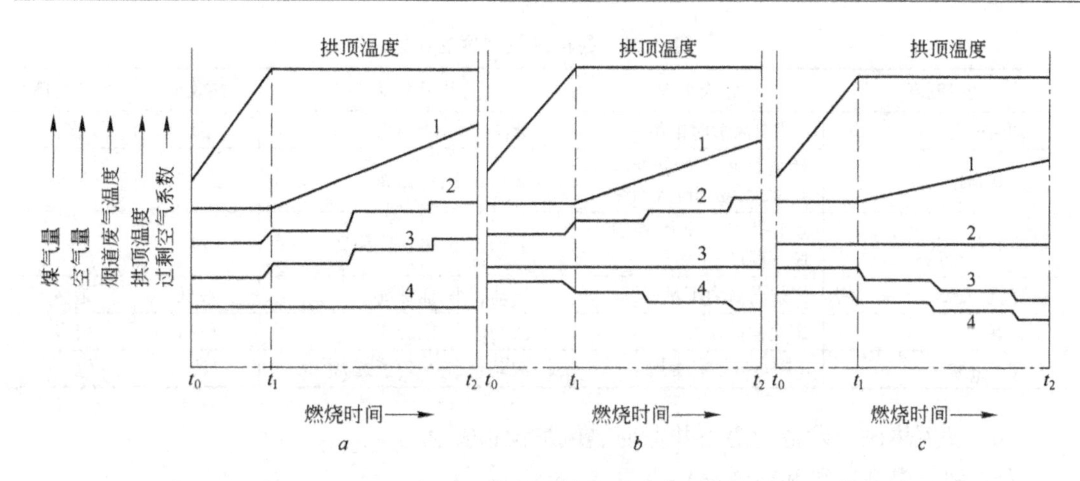

图 6-30　各种燃烧制度示意图

a—固定煤气量，调节空气量；*b*—固定空气量，调节煤气量；*c*—煤气量、空气量都不固定

1—烟道废气温度；2—过剩空气系数；3—空气量；4—煤气量

(2) 在允许范围内最大限度地增加热风炉蓄热量，利于提高风温；

(3) 燃烧完全，热损小，效率高，降低能耗。

6.8.6.3　热风炉送风制度

当高炉配备 3 座热风炉时，送风制度有：两烧一送、一烧两送、半并联交叉。当高炉配备 4 座热风炉时，送风制度有：三烧一送、并联（两烧两送）、交叉并联，如图 6-31 所示。各种送风制度的比较见表 6-14。

送风制度的选择原则为：

(1) 根据热风炉座数和蓄热面积选择；

(2) 助燃风机和煤气管网能力选择；

(3) 高炉对风温、风量的要求选择；

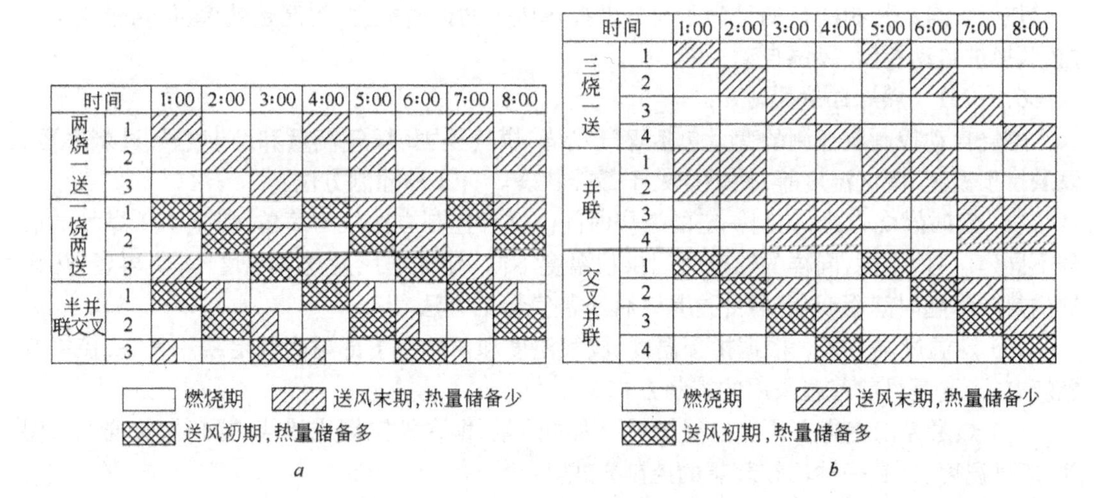

图 6-31　热风炉送风制度示意图

a—3 座热风炉；*b*—4 座热风炉

表 6-14 各种送风制度的比较

送风制度	适应范围	热风温度	热效率	煤气耗量
两烧一送	3 座热风炉时常用	波动较大,难提高	低	多
一烧两送	燃烧期短,需燃烧期能力足够大,控制废气温度	波动较小,能提高	最高	最少
半并联交叉	燃烧器能力较大,控制废气温度	波动较小,平均值提高	高	少
三烧一送	燃烧器能力不足	波动较小,能提高	最低	最多
并联	燃烧器能力大	波动稍大,能提高	较高	较多
交叉并联	4 座热风炉时常用	波动较小,平均值提高	高	少

(4) 发挥热风炉设备的潜力并保证热风炉设备安全;

(5) 利于提高风温和热效率;

(6) 降低能耗。

大型高炉多设置 4 座热风炉,几乎都采用交叉并联送风,即两座热风炉同时送风,其中一座热风炉送风温度高于指定风温(后行炉),另一座热风炉送风温度低于指定风温(先行炉)。进入两座热风炉的风量由设在冷风阀前的冷风调节阀控制,因此,在理想状态下的交叉送风,混风调节阀只用来调节换炉时的风温波动。中小型高炉若热风炉能力有富余可采用一烧两送制,这样在相同废气温度条件下可提高风温,或在相同风温时降低废气温度,缩短燃烧期,减少总煤气用量,但需增大单位时间内的燃烧煤气量。

交叉并联送风时,由于先行炉可在低于指定风温条件下送风,因此蓄热室格子砖的周期温差大,蓄热室的有效蓄热能力增加,燃烧期热交换效率提高,废气温度降低。交叉并联送风比单炉送风可提高风温 20~40℃,据日本君津 4 号高炉经验,热效率可提高 10%。这样,在相同的热负荷条件下,可以降低拱顶温度,如果维持相同的拱顶温度,则可以提高风温。

6.8.7 热风炉自动控制

热风炉自动控制的目的是为了充分发挥热风炉的设备能力,提高热效率,包括燃烧自动控制、换炉自动控制、风温自动控制。

6.8.7.1 燃烧自动控制

燃烧自动控制所控制的变量包括煤气热值、煤气压力、煤气流量和助燃空气过剩系数,以及拱顶温度、废气温度等,使燃烧处于最佳状态。有 3 种控制方法:

(1) 定时燃烧方式,控制一定的燃烧时间。这种控制方法较为简单,但是由于煤气的成分不同,其热值不同,同样的燃烧时间拱顶温度不同,导致送风期送风温度不同;再者,热风炉的热效率随时间而变化,因此这是一种不甚完善的方法。

(2) 定温燃烧方式。根据拱顶温度、废气温度和蓄热室下部温度判定蓄热状态,控制其燃烧方式,这是目前普遍采用的控制方式。

(3) 热量控制燃烧方式。控制加入炉内的热量,即在控制燃烧热值的同时,监视拱顶温度、废气温度,这是一种比较理想的控制方式。

6.8.7.2 换炉自动控制

换炉自动控制是按预定的程序,控制热风炉各阀门和助燃风机的动作。换炉操作可分为手动、半自动和自动 3 种。现代大型热风炉换炉多已实现全自动操作。根据人工设定的时间或者由计算机根据热风炉状态发出换炉指令,热风炉各阀门及助燃风机按给定的程序进行动作。一般设计时要考虑自动控制和手动控制两种,当自动控制系统发生故障时,可以采用手动操作,使热风炉仍能正常工作。

6.8.7.3 风温自动控制

由于送风和混风方式不同,风温自动控制方式有所不同。在交叉并联操作中,可以由风温调节器来控制每座热风炉的冷风调节阀的开度,调整两座热风炉的风量比例控制风温。也有的考虑到冷风调节阀直径太大,调节风量比较困难,因而有些热风炉不控制冷风调节阀,而是在两座热风炉送风量相等的情况下,通过控制混风阀调节风温。

6.8.7.4 热风炉计算机控制

热风炉操作需要严格控制操作参数,诸如煤气热值、助燃空气和煤气的比例、拱顶温度、火焰温度、废气温度及成分等,用计算机迅速计算热风炉的热状态,然后向各控制系统发出操作给定值,以期获得最高热效率和最经济的指标,这些就是用计算机控制热风炉所要解决的问题。目前世界各国在热风炉控制的数学模型研究中做了大量工作,燃烧控制大多已实现了计算机控制,但是由于热工计算的复杂性,用计算机控制换炉还有待进一步研究。

1. 高炉对鼓风机有哪些要求?
2. 离心式风机和轴流式风机有何特点?
3. 什么叫风机的特性曲线? 什么叫风机的飞动线?
4. 提高风机出力的措施有哪些? 气温、湿度和气压对风机出力有何影响?
5. 高炉的鼓风是如何在热风炉内加热的?
6. 热风炉格子砖有哪些热工特性? 它们如何计算?
7. 热风炉用耐火材料主要特性有哪些? 对它们有什么要求?
8. 热风炉有哪些阀门? 它们的作用是什么?
9. 高炉蓄热式热风炉有几种类型? 各有何特点?
10. 提高风温的措施有哪些?
11. 燃烧制度的选择原则是什么? 送风制度的选择原则是什么?

7 煤气处理系统

高炉生产过程中，每冶炼 1 t 生铁大约能产生 1700～2500 m^3的煤气。高炉煤气中含有 CO(20%～30%)、H_2(1%～3%)可燃气体，发热值一般为 2900～3800 kJ/m^3，具有很好的使用价值。因此，高炉煤气可以作为热风炉、加热炉、锅炉、烧结以及各种冶金炉的燃料，用途广泛。

7.1 概述

7.1.1 煤气处理的主要任务和要求

从炉顶排出的煤气(又称荒煤气)，其温度为 150～300℃，含有粉尘约 10～40 g/m^3。高炉煤气虽然是一种良好的气体燃料，但其中含有大量的灰尘，不经处理，用户就不能直接使用，因为煤气中的灰尘不仅会堵塞管道和设备，还会引起耐火砖的渣化和导热性变坏，甚至污染环境。同时从炉顶排出的煤气还含有饱和水，易降低煤气的发热值，煤气温度较高，管道输送也不安全。因此，高炉煤气需经除尘降温脱水后才能使用。

高炉煤气中的灰尘主要来自矿石和焦炭中的粉末，含有大量的含铁物质和含碳物质，回收后可以作为烧结原料加以利用。

高压高炉煤气中的压力能，可采用余压透平发电加以利用。

煤气中灰尘的清除程度，应根据用户对煤气的质量要求和可能达到的技术条件而定。一般工业燃烧器要求煤气含有粉尘要小于 5～10 mg/m^3。因此，煤气中的含尘量应清除到 5～10 mg/m^3以下。为了降低煤气中的饱和水，提高煤气的发热值，煤气温度应降至 40℃以下。

7.1.2 除尘原理与设备的分类

实用中的除尘技术，都是借外力作用来使尘粒和气体分离的。可借用的外力种类有：

(1) 惯性力，当气流方向突然改变时，尘粒具有惯性力，使它继续前进而分离出来。

(2) 加速度力，即靠尘粒具有比气体分子更大的重力、离心力和静电引力而分离出来。

(3) 束缚力，主要是用过滤和过筛的办法，挡住尘粒继续运动。

按除尘后煤气所能达到的净化程度，除尘设备可分为三类：

(1) 粗除尘设备：能除去粒径在 100～60 μm 及其以上大颗粒粉尘的除尘设备。常采用重力除尘器、旋风除尘器等。效率可达 70%～80%，粗除尘后煤气含尘量为 2～10 g/m^3。

(2) 半精细除尘设备：能除去粒径大于 20 μm 粉尘的除尘设备。常采用洗涤塔、一级文氏管、一次布袋除尘等。效率可达 85%～90%，除尘后的煤气含尘量降至 0.8 g/m^3以下。

(3) 精细除尘设备：能除去粒径小于 20 μm 粉尘的除尘设备。常采用电除尘设备、二级文氏管、二次布袋除尘等。除尘后煤气含尘量降至 10 mg/m^3以下。

其中，重力除尘器、旋风除尘器及布袋除尘器等在除尘过程中不加水，为干式除尘器设备。洗涤塔、一级文氏管、二级文氏管等在除尘过程中须加水清洗，为湿式除尘器设备。电除尘则是干湿两用设备。

7.1.3 评价煤气除尘设备的主要指标

评价煤气除尘设备的主要指标包括：

(1) 生产能力。生产能力是指单位时间处理的煤气量，一般用每小时所通过的标准状态的煤气体积流量来表示。

(2) 除尘效率。除尘效率是指标准状态下单位体积的煤气通过除尘设备后所捕集下来的灰尘重量占除尘前所含灰尘重量的百分数。

除尘设备对不同粒径的灰尘除尘效率见表7-1。

表 7-1 除尘设备的除尘效率

除尘器名称	除尘效率/%		
	灰尘粒度≥50 μm	灰尘粒度为 5～50 μm	灰尘粒度为 1～5 μm
重力除尘器	95	26	3
旋风除尘器	96	73	27
洗涤塔	99	94	55
湿式电除尘	>99	98	92
文氏管	100	99	97
布袋除尘器	100	99	99

(3) 压力降。压力降是指煤气压力能在除尘设备内的损失，以入口和出口的压力差表示。

(4) 水的消耗和电能消耗。水、电消耗一般以每处理 1000 m^3标态煤气所消耗的水量和电量表示。

评价除尘设备性能的优劣，应综合考虑以上指标。对高炉煤气除尘的要求是生产能力大、除尘效率高、压力损失小、耗水量和耗电量低、密封性好等。

7.1.4 高炉煤气除尘工艺流程

高炉煤气带出的粉尘常在 0～500 mm 之间，其中绝大部分为 200～500 mm。不同除尘器只能除去某些粒度范围的灰尘。为了将煤气中的含尘量清除到 5～10 mg/m^3以下，宜采用多个或多种除尘设备组合的循序渐进的除尘形式，前阶段工作后阶段的设备去完成总是不经济的，甚至是不可能的。煤气除尘分为湿式除尘系统和干式除尘系统两种。

湿法除尘常采用重力除尘器→洗涤塔→文氏管→脱水器系统，或重力除尘器→一级文氏管→脱水器→二级文氏管→脱水器系统。高压高炉还需经过调压阀组→消音器→快速水封阀或插板阀，常压高炉当炉顶压力过低时，需增设电除尘器。湿法除尘效果稳定，清洗后的煤气质量好；缺点是产生污水，既消耗大量的水，还要进行污水处理。

干法除尘有两种：重力除尘器→布袋除尘器，或重力除尘器→板式电除尘器。干法的最大优点是消除了污水，有利于环保，提高了余压透平发电能力，但是工作不稳定，净煤气含尘量有波动。干法除尘正广泛受到重视，我国 420 m^3 以下高炉采用纯干除尘，在大高炉还没有纯干除尘的,大都干、湿并联,在干法达不到清洗要求时切换成湿法。

近年来一般采用的高炉煤气干法除尘系统如图 7-1 所示,现代大型高炉(当炉顶压力在 147～245 MPa 时)采用的煤气清洗系统如图 7-2 所示,大中型高炉一般采用的除尘系统如图 7-3 和图 7-4 所示。

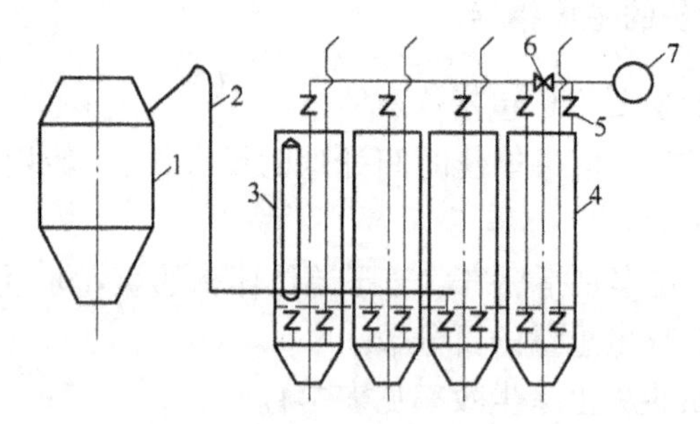

图 7-1 高炉煤气干法除尘系统

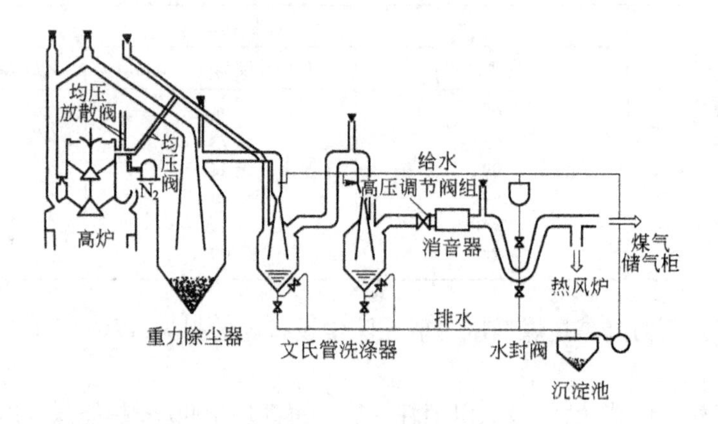

图 7-2 大型高炉煤气清洗系统流程

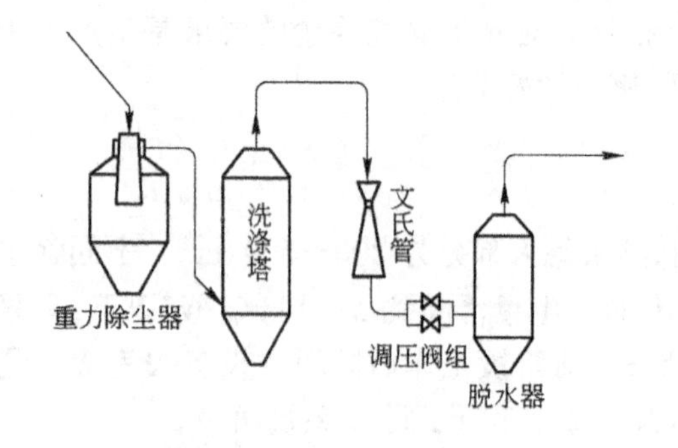

图 7-3 塔后文氏管系统

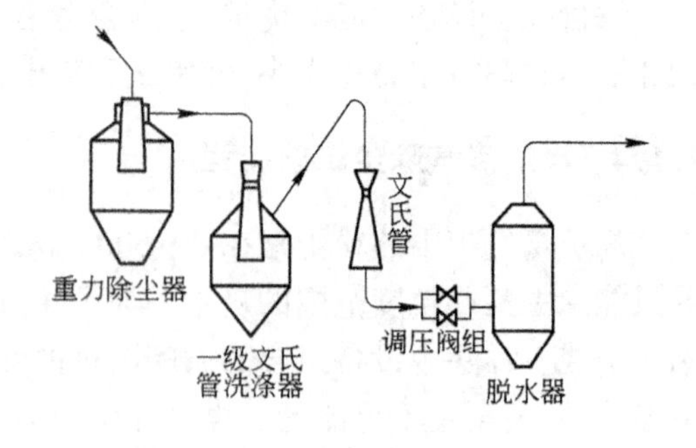

图 7-4 串联双级文氏管系统

7.2 除尘设备

7.2.1 粗除尘

重力除尘器是荒煤气进行除尘的第一步除尘装置,无论是湿式除尘系统还是干式除尘系统几乎都用到它。中心导入管为直形的重力除尘器的结构如图 7-5 所示。

其工作原理是:经下降管流出的荒煤气从重力除尘器上部进入,沿中心导入管下降,在中心导入管出口处流向突然倒转 180°向上流动,流速也突然降低,荒煤气中的灰尘因惯性力和重力的作用而离开气流,沉降到重力除尘器的底部,通过清灰阀和螺旋出灰器定期排出。

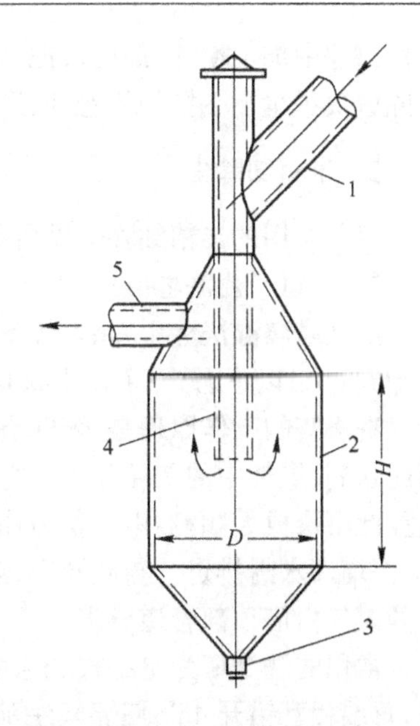

图 7-5 重力除尘器
1—煤气下降管;2—除尘器;3—清灰口;4—中心导入管;5—塔前管

重力除尘器的尺寸主要是直筒部分的直径和高度。除尘器的尺寸越大,煤气在除尘器里流动的速度越小,除尘效率也越高,但过分增大尺寸,不但增大设备投资,并受到空间限制,还不能显著提高除尘效率。除尘器的直径必须保证气流在除尘器内的流速不超过 0.6~1.0 m/s,即除尘器的直径与中心导入管的直径有一合理的比例关系,通常根据经验数据来选取。除尘器直筒部分的高度决定于煤气在除尘器内的停留时间,一般要保证煤气停留时间为 12~15 s。导入管以下的高度决定于贮灰的体积,一般要满足三天贮灰量。为了便于清灰,除尘器的底部做成锥形,其倾角不小于 50°。除尘器的外壳一般采用厚为 6~12 mm 的 Q235 钢板焊接而成。我国高炉用的除尘器的尺寸如表 7-2 所示。

重力除尘器的特点是结构简单,除尘率可达 80%~85%,出口的煤气含尘量为 2~10 g/m^3。除尘器的阻损较小,只有 50~200 Pa。

表 7-2 某些高炉重力除尘器的尺寸

炉容/m^3	255	620	1000	1513	2025	2516
除尘器直径/mm	5894	8000	8028	11012	12032	13258
直筒部分的高度/mm	7000	10000	11484	12080	13400	13860

重力除尘器的排灰装置是底部排灰口设置一个清灰阀,这种结构的清灰阀在放灰时会尘土飞扬,当煤气压力高时尤为严重。因此,高压操作的大高炉一般采用螺旋出灰器,如图 7-6 所示。它通过开启清灰阀将高炉灰从排灰口经筒形给料器均匀给到出灰槽中,在螺旋推

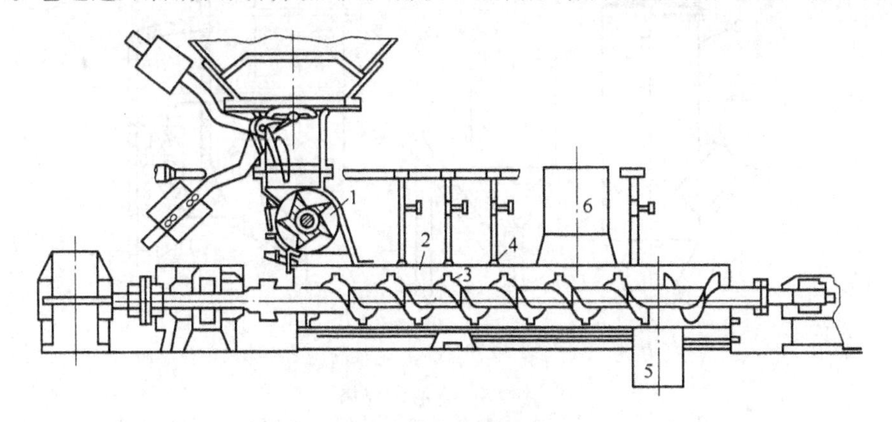

图 7-6 螺旋清灰器
1—筒形给料器;2—出灰槽;3—螺旋推进器;4—喷嘴;5—水和灰泥的出口;6—排气管

进的过程中加水搅拌，最后灰泥从下口排出落入车皮中运走，蒸汽则从排气管排出。这种装置除解决了尘土飞扬的问题外，还可按一定的速度排灰。

7.2.2　半精细除尘

目前常用的半精细除尘设备是洗涤塔和一级文氏管。

7.2.2.1　洗涤塔

洗涤塔属湿法除尘，除尘效率达 80%～85%。洗涤塔有两个作用，一个是冷却，把煤气冷却到 40℃以下，另一个作用就是除尘，可使煤气的含尘量降到 1.0 g/m³以下。

洗涤塔的工作原理是：煤气自洗涤塔下部入口进入，自下而上运动时，遇到自上向下喷洒的水滴，煤气中的灰粒和水进行碰撞而被水吸收，同时煤气中携带的灰尘被水滴湿润，灰尘彼此凝聚成大颗粒，由于重力作用，这些大颗粒灰尘便离开煤气流随水一起流向洗涤塔下部，由塔底水封排走。与此同时，煤气和水进行热交换，煤气温度降低。最后，经冷却和洗涤后的煤气由塔顶部管道导出。

常用的洗涤塔为空心式洗涤塔。空心式洗涤塔塔内布满水雾，在塔下部设 2～3 层气格栅，每层相互错开 45°，使煤气主流均匀分布在整个塔内截面上。生产实践表明，由于不断改进喷水嘴的结构和气流的均匀分布装置，提高塔内气、水的相对运动速度，强化空心洗涤塔内部传热传质的强度，其冷却和除尘效果较好。空心洗涤塔具有结构简单、投资少、建设速度快、维护简单、不易堵塞等特点。小于 1500 m³的高炉大都用一座洗涤塔。

空心洗涤塔的构造如图 7-7*a* 所示。外壳用 6～12 mm 厚的 Q235 钢板焊成，一般在中

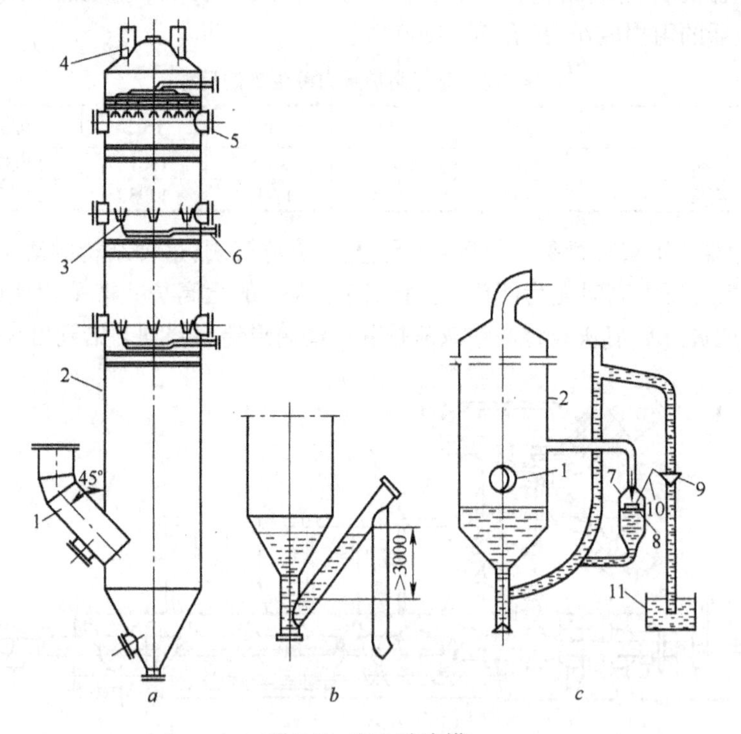

图 7-7　空心洗涤塔

a—空心洗涤塔的构造；*b*—常压洗涤塔水封装置；*c*—高压煤气洗涤塔的水封装置

1—煤气导入管；2—洗涤塔外壳；3—喷嘴；4—煤气导出管；5—人孔；6—给水管；

7—水位调节器；8—浮标；9—蝶式调节阀；10—连杆；11—排水沟

型高炉设三层喷水嘴，上面一层向下，喷水量占50%～60%，水压不小于0.15 MPa；下面两层向上，各占喷水量的20%～25%。小型高炉只设两层，上层向下，喷水量占70%；下层向上，喷水量占30%。

洗涤塔筒体直径与高度可根据煤气在洗涤塔内的平均流速和停留时间来计算，一般取1.5～2.5 m/s及10～15 s，压力损失为80～200 Pa。

洗涤塔的排水机构，常压高炉可采用水封排水，水封高度与煤气压力相适应，不小于29.4 kPa，如图7-7*b* 所示。当塔内煤气压力加上洗涤水超过29.4 kPa时，水就不断从排水管排出，当小于29.4 kPa时则停止，既保证了塔内煤气不会经水封逸出，又能保证塔内水位不会把荒煤气入口封住。在塔底还安设了排放淤泥的放灰阀。高压洗涤塔上设有自动控制的排水装置，如图7-7*c* 所示。高压塔由于压力高，需采用浮子式水面自动调整机构，当塔内压力突然增加时，水面下降，通过连杆将蝶阀关小，则水面又逐步回升。反之，则将蝶阀开大。

7.2.2.2 溢流文氏管

溢流文氏管结构见图7-8，它由煤气入口管、溢流水箱、收缩管、喉口和扩张管等组成，工作时溢流水箱的水不断沿溢流口流入收缩段，保持收缩段至喉口连续地存在一层水膜，当高速煤气流通过喉口时与水激烈冲击，使水雾化，雾化水与煤气充分接触，使粉尘颗粒湿润聚合并随水排出，同时起到降低煤气温度的作用。其排水机构与洗涤塔的相同。

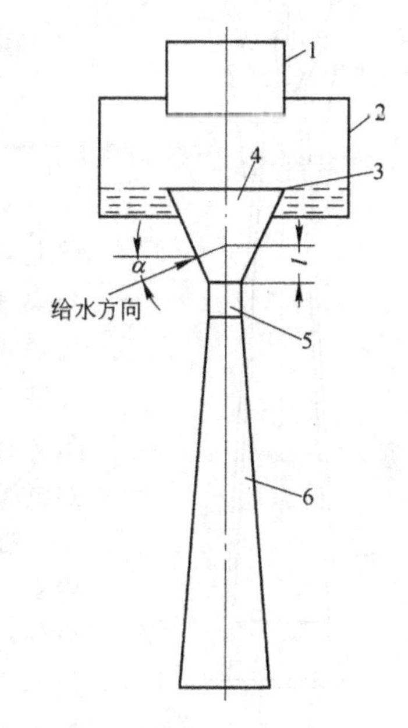

图7-8 溢流文氏管示意图
1—煤气入口管；2—溢流水箱；3—溢流口；4—收缩管；5—喉口；6—扩张管

溢流文氏管与洗涤塔比较，具有结构简单、体积小的优点，可节省钢材50%～60%，但阻力损失大，约1500～3000 Pa。溢流文氏管主要设计参数见表7-3，喉口直径不大于500 mm，其断面为圆形，如需扩大断面，可采用矩形或椭圆形断面。为了提高溢流文氏管除尘效率，也可采用调径文氏管。

表7-3 溢流文氏管的主要设计参数

收缩角/(°)	扩张角/(°)	喉口长度/mm	喉口流速/$m \cdot s^{-1}$	喷水单耗/$t \cdot 10^{-3} \cdot m^{-3}$	溢流水量/$t \cdot 10^{-3} \cdot m^{-3}$
20～25	6～7	300	40～50	3.5～4	0.4～0.5

7.2.3 精细除尘

精细除尘设备有文氏管(二级)、静电除尘器、布袋除尘器等，高压高炉的调压阀也能起一定的除尘作用。

7.2.3.1 文氏管

二级文氏管的除尘原理与溢流文氏管相同，只是煤气通过喉口的流速更大，水和煤气的扰动也更为剧烈，因此，能使更细颗粒的灰尘被湿润而凝聚并与煤气分离。常用的文氏管如

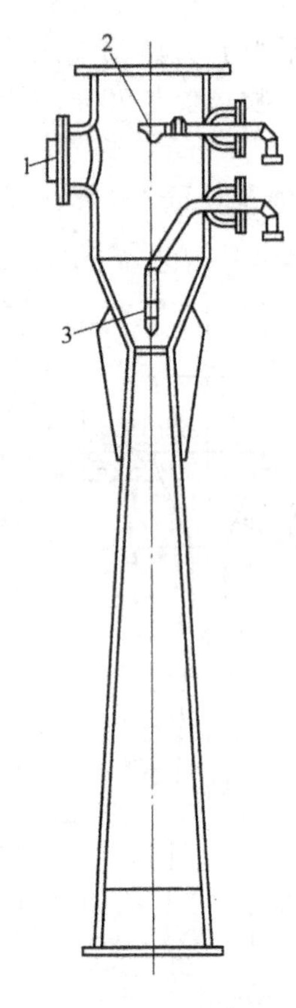

图 7-9　文氏管
1—人孔；2—螺旋形喷水嘴；3—弹头式喷水嘴

图 7-9 所示，文氏管一般在收缩管前有两层喷水管，在收缩管中心设有一个喷嘴。供水装置分外喷和内喷两种方式。文氏管一般用 Q235 钢板卷焊，喉口部分厚 12～16 mm，其余部分厚 8～12 mm。文氏管的主要设计参数如表 7-4 所示。

表 7-4　文氏管的主要设计参数

收缩角 /(°)	扩张角 /(°)	喉口部位 L/d	喉口流速 $/m\cdot s^{-1}$	喷水单耗 $/t\cdot 10^{-3}\cdot m^{-3}$	压力降/Pa
20～25	6～7	1	100～200	0.5～1.0	$(8\sim12)\times10^3$

文氏管在高压高炉上可以起到精细除尘的效果，在常压高炉上只起半精细除尘作用。这是因为文氏管的除尘效果主要与煤气在喉口处的速度、耗水量有关，煤气的流速愈大，耗水量愈多，除尘效率愈高。二级文氏管能耗控制在 12～15 kPa，超大型高炉达 25～30 kPa。压力降与喉口流速、水气比的关系如图 7-10 所示。压力降与煤气含尘量的关系如图 7-11 所示（鞍钢试验结果）。

高炉冶炼条件的变化，常使煤气发生很大的波动，这将影响文氏管除尘效率。为了保持文氏管操作稳定，可采用多根异径（或同径）文氏管并联来调节。当煤气量大大减少时，可以关闭 1～2 根文氏管，保证喉口处煤气流速相对稳定，亦可采用调径文氏管。调径文氏管在喉口部位装置调节机构，可以改变喉口断面积，以适应煤气流量的改变，保证喉口流速恒定，保证除尘效率。调径文氏管调径机构见图 7-12。

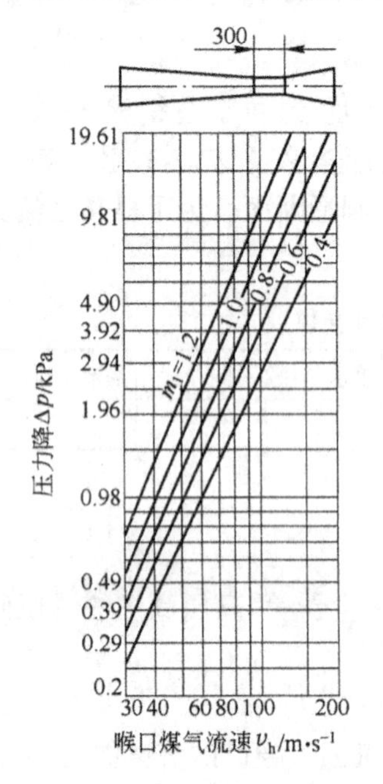

图 7-10　压力降与喉口流速、水气比的关系

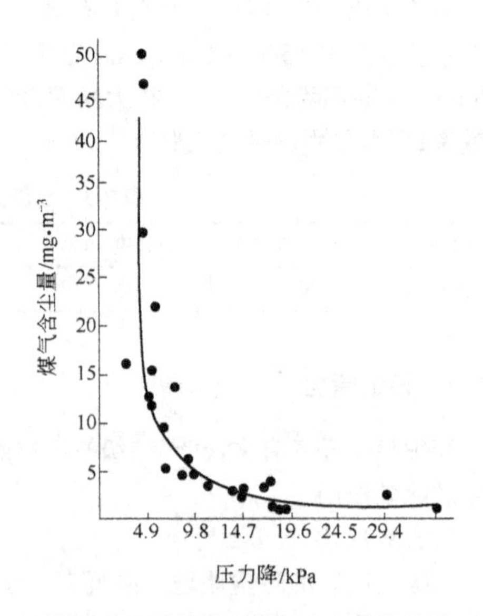

图 7-11　压力降与煤气含尘量的关系

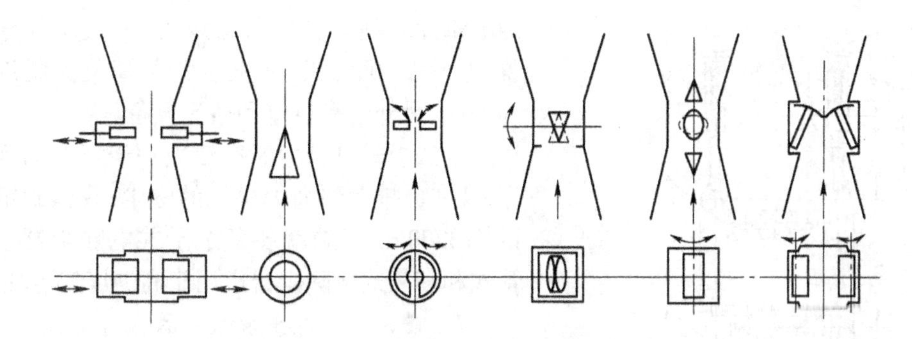

图 7-12 各种改变喉口断面的机构示意图

7.2.3.2 静电除尘器

在高炉炉顶煤气压力不超过 15000 Pa 的高炉上，为了得到含尘量更低的煤气，可用静电除尘器作精细除尘设备，且高炉操作波动对其影响较小，阻损小，耗电量少，一般每立方米煤气的耗电量为 0.7 kW·h/m^3，但设备投资较高。

静电除尘器的除尘原理是利用电晕电极放电，即含尘煤气通过两极间的高压(1.5～8 万 V)电场时，由于电场不均匀，在电晕电极附近电场强度大，煤气通过时，被电离为正负两种离子，离子附着在尘粒上，也使尘粒带有电荷。在电场力的作用下，荷电粉尘移向电极，并与电极上的异性电中和，尘粒沉积在电极上。在干式电除尘器上，当灰尘达到一定的厚度时，电极板被捶击或振动，使尘粒脱离极板而落存于灰斗中；在湿式电除尘器上，则通过向电极表面喷水，使集尘电极上形成水膜，水往下流动而去除电极上的灰泥，灰泥收集于电除尘器下部，定期排走。

静电除尘器有平板式、管式和套筒式几种，其结构形式如图 7-13 所示。管式静电除尘器的沉淀极是一些直径为 200～300 mm 的无缝钢管，电晕极是穿过这些无缝钢管中心的钢丝，钢丝两端用绝缘器悬挂；板式静电除尘器的沉淀极由许多并列的钢板组成；套筒式电除尘器的沉淀极则是由许多直径不同的同心套筒构成，如图 7-14 所示。后两种的电晕极是按一定间距均匀分布在两沉淀极间的钢丝。为加强放电，电晕极上固定着许多星形或正方形

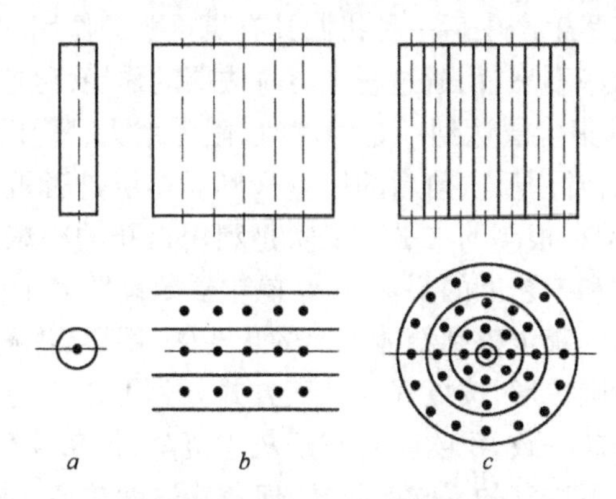

图 7-13 电除尘器结构形式

a—管式(单管)；*b*—板式；*c*—套筒式

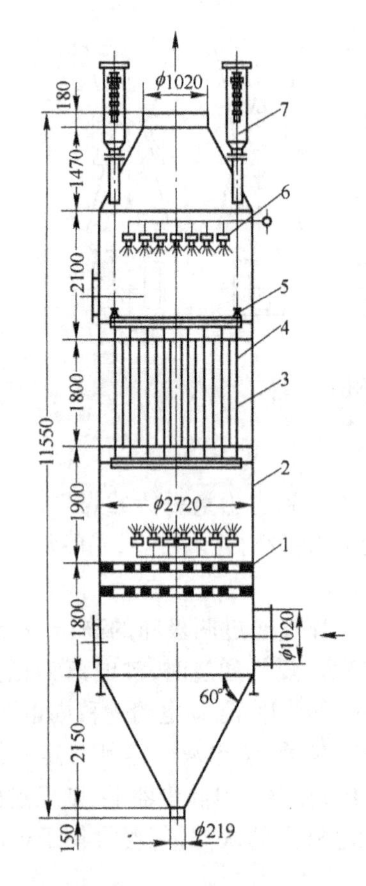

图 7-14　5.5 m² 套筒式电除尘器
1—分配板;2—外壳;3—电晕极;4—沉淀极;
5—框架;6—连续冲洗喷嘴;7—绝缘箱

的电晕片。静电除尘器由煤气入口、煤气分配装置、电晕极、沉淀极、冲洗装置及高压瓷瓶绝缘箱等构成,另外还有供电和整流设备。

干法板式电除尘器广泛应用于环保的烟尘处理,现在已推广到高炉煤气的除尘,我国武钢和邯钢的 3200 m³高炉就装备了干式电除尘器。湿法管式和套筒式电除尘器常用于高炉煤气清洗。

7.2.3.3　干式布袋除尘器

干式布袋除尘器是利用织物对气体进行过筛的,能处理 0.1～90 μm 的尘粒。它的最大优点是不用水,能减少脱水设备的投资,减少污染,还能提高煤气的发热值。干式布袋除尘器除尘效果稳定,效率高,达 99.5%以上,且基本不受高炉煤气压力与流量波动的影响,净煤气含尘量能经常保持在 10 mg/m³以下;缺点是不能在高温下工作,要求煤气的温度不大于 350℃,因为一般织物要求气体温度不大于 100℃,玻璃纤维的不大于 350℃。另外煤气的温度不能低于 70℃,以免水分凝结,堵塞滤孔。

煤气的布袋除尘与喷吹煤粉的布袋受粉是一个机理,不过布袋除尘是要煤气不要其炉尘,而布袋受粉却是要煤粉而将载体烟气放散。这个过程看似简单,实际上布袋纤维过滤是一个很复杂的过程。带有粉尘的气体通入箱体经过布袋时,借助于筛滤、惯性、拦截、扩散、重力沉降以及静电等诸多的作用把粉尘沉积下来。尘粒被滤布分离出来经历了两个步骤,一是布袋的纤维对尘粒的捕集在布袋上形成灰膜,即初层,二是初层对尘粒的捕集。在实际生产中后一种机制具有更重要的作用,因为在初层形成前,单纯靠布袋纤维捕集的除尘效率不高,而通过粉尘自身成层的作用,可捕集 1 μm 左右的微粒,效率达到 99%。当布袋上的集尘层达到一定厚度时,阻力增大,需要用反吹的办法去掉集尘层。反吹时不应破坏初层,常用反吹前后的压差来判断初层是否被破坏。反吹后的布袋再投入使用,除尘效率可保持在很高的水平。反吹是利用自身的净煤气或氮气进行的。为保持煤气净化过程的连续性和工艺上的要求,一个除尘器要设置多个(4～10 个)箱体,反吹时分箱体轮流进行。反吹后的灰尘落到箱体下面的灰斗中,用螺旋输送机回收。

布袋除尘器的箱体为圆柱形,按煤气的进气方式分为上进气与下进气两种。上进气的气流方向和灰尘降落的方向一致,反吹时有利于灰尘沉降,但灰斗部分易形成煤气死区,温度低,易结露,卸灰困难。下进气的反吹效果差,但灰斗温度较高,易卸灰。

上进气布袋除尘器结构如图 7-15 所示,其工艺流程如图 7-16 所示。

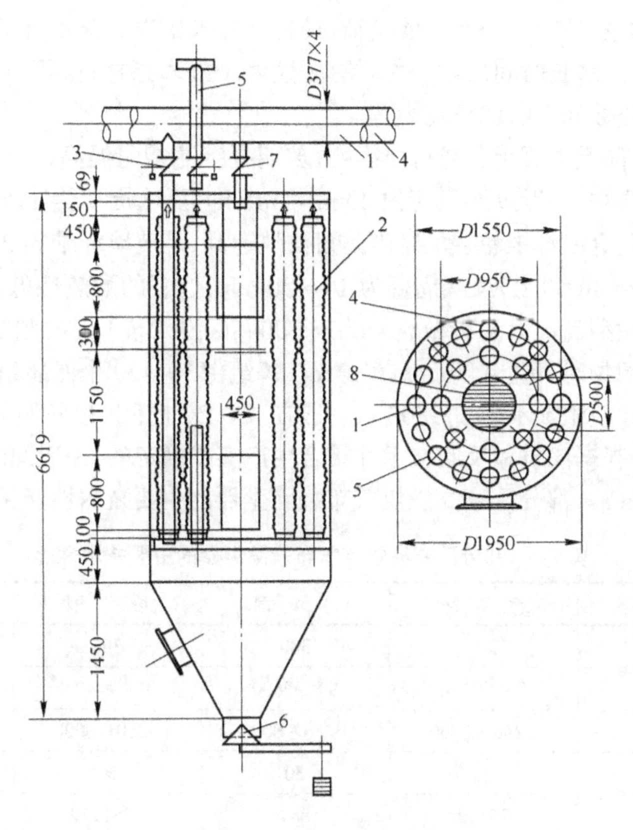

图 7-15 布袋除尘器结构

1—脏煤气管;2—滤袋;3—电动密闭蝶阀;4—净煤气管;
5—放散管;6—放灰阀;7—密闭蝶阀;8—操作平台

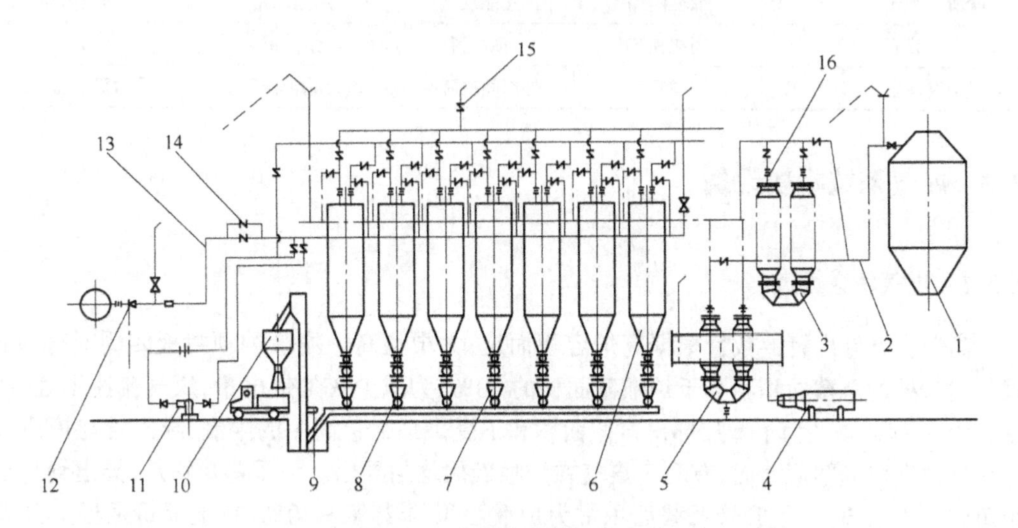

图 7-16 布袋除尘器工艺流程

1—重力除尘器;2—脏煤气管;3—降温装置;4—燃烧炉;5—换热器;6—布袋箱体;
7—卸灰装置;8—螺旋输送机;9—斗式提升机;10—灰仓;11—煤气增压机;
12—叶式插板阀;13—净煤气管;14—调压阀组;15—蝶阀;16—翻板阀

布袋除尘器的技术特性：一是过滤负荷，即每平方米滤袋的有效面积每小时通过的煤气量；二是反吹周期，即多长时间反吹一次。有了这两个技术指标，就可以根据高炉煤气量设计除尘箱体数、布袋数和反吹风机能力等。

这两个指标的高低主要受布袋材质影响，玻璃纤维滤袋耐温高，价格便宜，但抗折性较差，适用于中小型高炉，一般过滤负荷为 45 $m^3/(m^2 \cdot h)$，反吹周期为 1.5 h 左右。而耐热尼龙针刺毡抗折性好，合成纤维滤袋的特点是过滤风速高，是玻璃纤维的 2 倍，抗折性好，过滤负荷可达 70 $m^3/(m^2 \cdot h)$以上，反吹周期为 10～20 min；但它的耐热性低，一般在 300℃以下且价格高，适用于大型高炉。滤袋做成 ϕ150～300 mm、长 2～4 m 的圆筒形袋，上下和法兰固定，使用高强度织物时可达 ϕ450 mm×10 m。每组由 10～50 个滤袋组成。单位面积上的气流速度，常控制在使阻损不超过 980 Pa（一般在 490 Pa 上下），以防撕坏织物。

反吹压差值是根据滤材和反吹技术并结合生产实践确定的，一般间隙反吹为 5～7 kPa，连续反吹为 2～3 kPa。部分厂家高炉煤气布袋除尘器的主要技术性能见表 7-5。

表 7-5　部分厂家高炉煤气布袋除尘器的主要技术性能

技术性能	涟　钢	承　钢	凌　钢	太　钢
高炉有效容积/m^3	329	300	306	1200
布袋箱体/mm	7×ϕ3176	9×ϕ2600	8×ϕ3424	6×ϕ3500
滤袋规格/mm×mm	ϕ250×8000	ϕ250×8000	ϕ250×8000	ϕ306×10000
滤袋数量/个	40	30	56	46
滤袋过滤面积/m^2	251.2	188.4	351.7	442.2
一个箱体过滤面积/m^2	1758	1695	2813	2653.2
过滤煤气量/$m^3 \cdot h^{-1}$	48000	42000	52000	150000～180000
反吹清灰方式	加压闭路	蓄能反吹	加压闭路	加压闭路
煤气升温装置	间接换热	预　留	预　留	无
煤气降温装置	炉顶喷水	外冷间接降温	重力除尘器喷水	重力除尘器喷水

7.3　煤气系统附属设备

7.3.1　煤气输送管道

高炉煤气导出管的数目根据高炉容积而定，大中型高炉均沿炉顶封板四周对称布置 4 根。出口处的总截面积不小于炉喉截面积的 40%，为减少灰尘带出量，煤气流速不宜过大，一般为 3～4 m/s。为了增加导出口截面积和不受炉顶封板高度的限制，导出管与炉顶封板接触处常做成椭圆形断面，有利于煤气在炉喉四周均匀导出。为了避免积灰，导出管与水平倾角应不小于 50°。上升管总截面积常为炉喉面积的 25%～30%，在上部每两根上升管合在一起，导出管与上升管处的煤气流速为 5～7 m/s。下降总管的截面积约为上升管总截面积的 80%，可按合适的流速公式验算，煤气流速为 6～10 m/s，下降管应有不小于 40°的倾角，如图 7-17 所示。日本、英国、法国等常在两个上升管上用一根横管连起来，然后在横管中央用一个单管引至除尘器。这种方法在除尘器位置受到限制时采用，或者在具有两个以上出铁场的大高炉使用此法有一定的优越性。

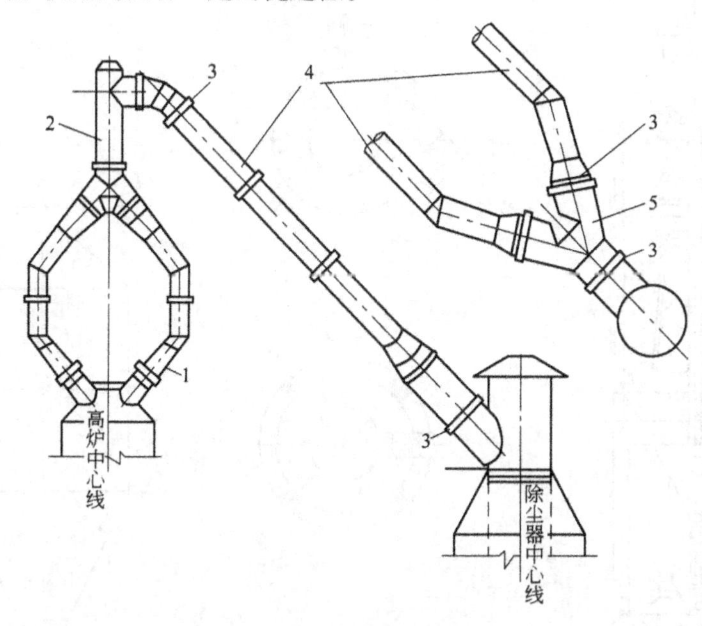

图 7-17 高炉炉顶煤气管道

1—导出管；2—煤气上升管；3—安装接头；4—煤气下降管；5—裤衩管

煤气导出、上升、下降管用壁厚为 8～14 mm 的 Q235 钢板焊成，内砌一层 113 mm 厚的黏土砖。每隔 1.5～2.0 m 焊有托板，以保护砌牢固。管道拐弯、岔口和接头处常衬以锰钢板加以保护。

重力除尘器以后的管道，用普通钢板焊制。要求管内流速高(12～15m/s)，以免管内积灰尘。管内衬以耐火砖或铸钢板，在弯头、岔头、接头处应避免急剧变化，管外应涂以防腐的耐热漆。为了煤气系统的安全，应设有通入蒸汽的管道阀门和煤气管道上的放散阀。

7.3.2 脱水器

高炉煤气经洗涤塔、文氏管等除尘设备湿法清洗后，带有一定的水分。水分不仅会降低煤气发热值，而且水滴所带的灰尘又会影响煤气的实际除尘效果。所以，必须用脱水器把水除去。

常用的脱水器有挡板式、重力式、填料式及旋风式等几种。其工作原理是：使水滴受离心力或本身的重力作用或直接碰撞使水滴失去动能而凝集，与煤气分离。

7.3.2.1 挡板式脱水器

挡板式脱水器结构如图 7-18 所示。它是利用改变煤气流方向，使水滴撞于挡板上面与气体分离的脱水设备。煤气入口为切线式。气流在脱水器内一面旋转一面沿伞形挡板曲折上升，靠离心力、重力和直接碰撞而脱水，脱水效率约为 80%，入口煤气流速不小于 12 m/s，筒体内流速为 4～5 m/s，产生的压力降为 490～980 Pa。这种脱水器应用于高压操作的高炉煤气系统中，一般要设在高压调节阀组之后。

7.3.2.2 重力式脱水器

重力式脱水器结构如图 7-19 所示，水滴与煤气流分离的原理与重力除尘器相同，煤气在重力式脱水器内的流速为 4～6 m/s。

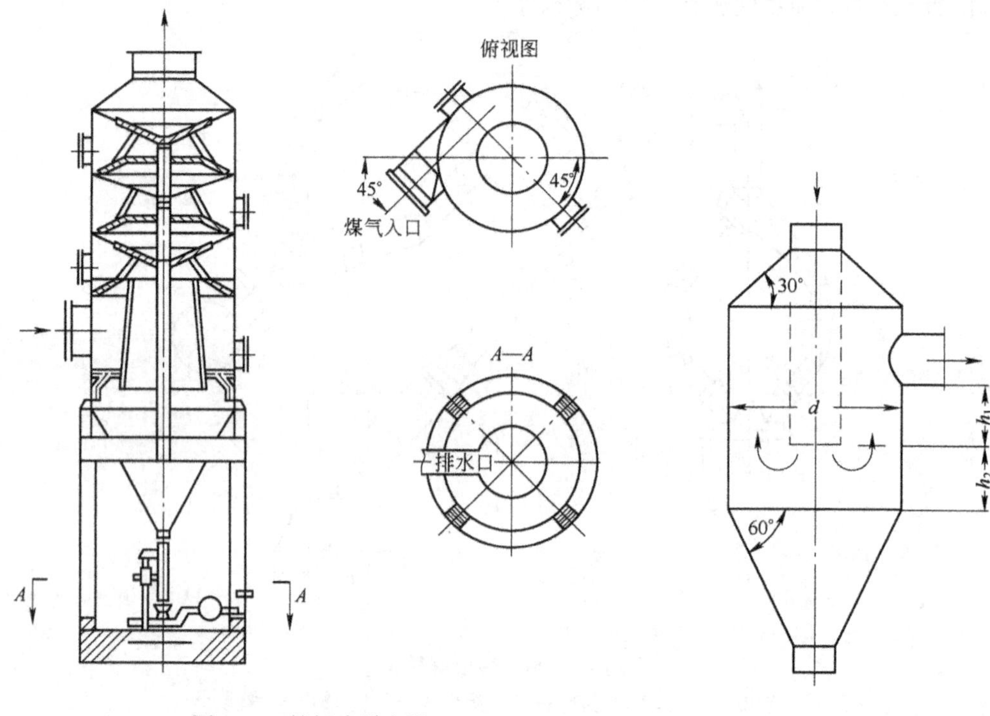

图 7-18　挡板式脱水器　　图 7-19　重力式脱水器

7.3.2.3　填料脱水器

填料脱水器如图 7-20 所示，可作为最后一级的脱水设备，筒体高度约为筒体直径的 2 倍，填料多用角钢代替木材，脱水煤气压力降为 500～1000 Pa，脱水效率为 85%。

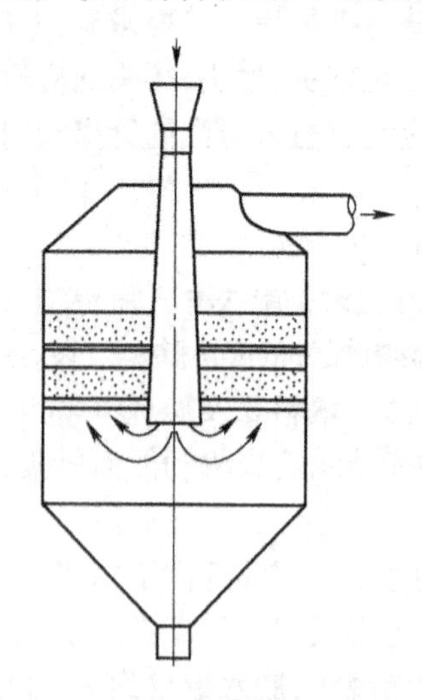

图 7-20　填料脱水器

7.3.3　煤气系统的阀门

7.3.3.1　煤气放散阀

煤气放散阀是迅速地将高炉煤气排放到大气中的设备。均压放散管的顶端，炉顶煤气上升管的顶端,除尘器的上圆锥体及煤气切断阀圆管的顶端,均装有不同直径的煤气放散阀。高压操作时加平衡锤压住。阀盖和阀座接触处,加焊硬质合金。在阀壳中有防料块飞出的挡帽。大、中型高炉采用揭盖式的盘式煤气放散阀,如图 7-21 所示。一些压力较低、流量不大的煤气管道上,一般用构造简单的普通盘式放散阀。

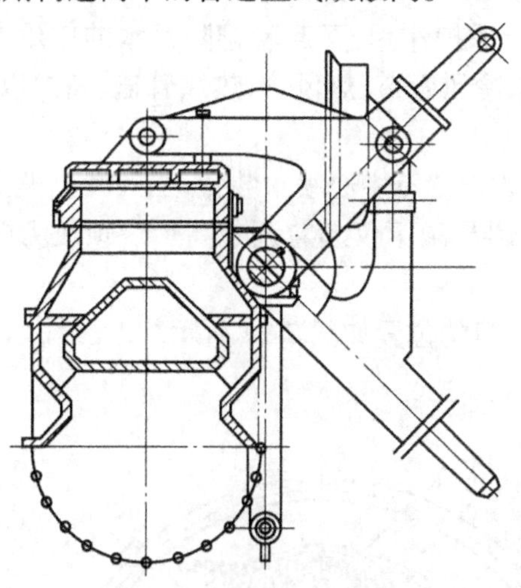

图 7-21　盘式煤气放散阀

7.3.3.2　煤气遮断阀与切断阀

当高炉休风时,煤气遮断阀能迅速将高炉与煤气系统分隔开来,它安装在高炉下降管与重力除尘器之间,遮断阀的构造如图 7-22 所示。正常生产时阀盘是提起的,高炉煤气与重力除尘器的管道相通,当关闭时将阀盘放下。目前,一般使用的都是带两个锥形的盘式阀。

为了把高炉煤气的清洗系统与整个钢铁企业的煤气管网隔开,在精细除尘设备的后面净煤气管道上,设有煤气切断阀。常用的切断阀有机械式叶形插板和热力式插板两种。热力式插板操作维护不便,已很少采用。机械式叶形插板依靠人力经机械传动,将插板的两个法兰分开或压紧。机械形插板在切断状态时,应使煤气只能进入大气而不能漏入下面的管道。

7.3.3.3　煤气调压阀组

煤气调压阀组是用于高压操作的高炉调节炉顶煤气压力的一种装置,安装在文氏管后,其结构如图 7-23 所示。它由 5 根支管组成,其中 3 根内径为 750 mm 的管道中设有可手动控制的电动蝶形阀,它通常用电传动,并装有同步发送机,由高炉值班室

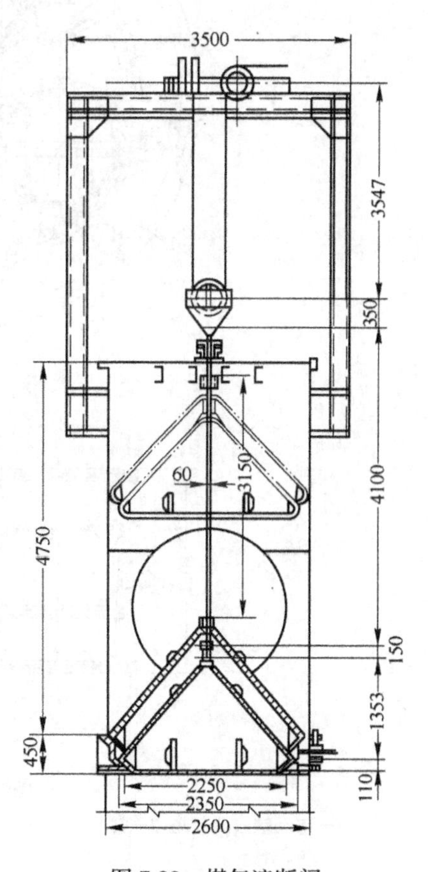

图 7-22　煤气遮断阀

遥控操作。一根内径为400 mm的管道中设有自动控制的蝶形阀，它的尺寸较小，控制比较灵活，另一根内径为250 mm的管道为常通管。当3个直径为750 mm的阀门逐次关闭后，高炉进入高压操作状态。正常生产时，3个直径为750 mm的阀门通常是关闭的，只需控制好 ϕ400 mm 自动控制阀门的开启程度，便可使炉顶的煤气压力达到并稳定在规定水平。ϕ250 mm 常通管既起着安全保护作用，又起着排除污水的作用。高压操作时，凡属压力调节阀前的系统，包括鼓风机、冷风管道、热风炉、热风管道、高炉以及压力调节阀前的煤气除尘系统，都处于高压状态。

在各调节阀的入口处，均设置有中心喷水装置，当煤气高速通过时，还能对煤气进行除尘和降温。因此，煤气压力调节阀不仅起着调节高炉炉顶压力的作用，还起着煤气除尘的作用。

高炉煤气处理系统各阀门的位置如图7-24所示。

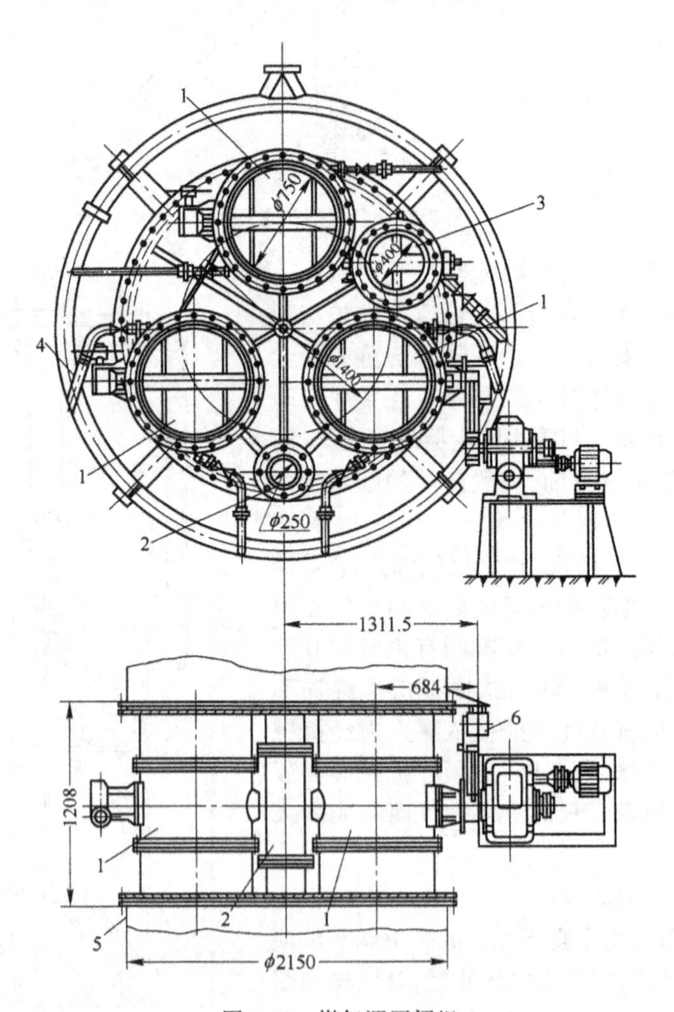

图7-23　煤气调压阀组

1—电动蝶式调节阀；2—常通管；3—自动控制蝶式调节阀；4—给水管；5—煤气主管；6—终点开关

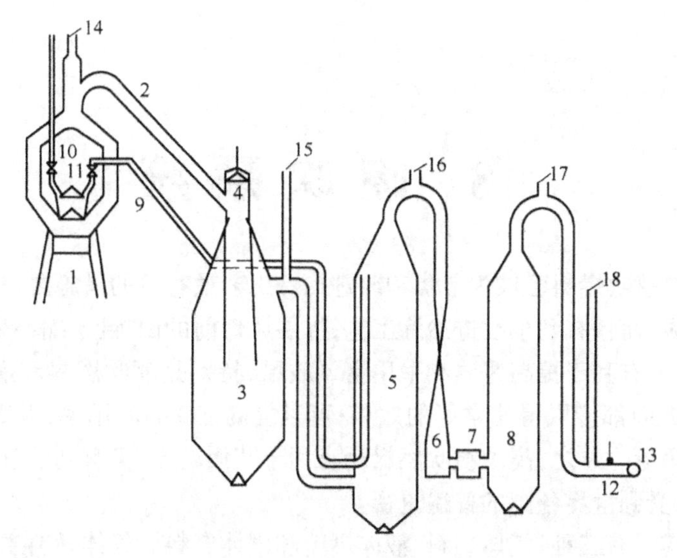

图 7-24　高炉煤气处理系统的各阀门的位置示意图

1—高炉;2—荒煤气管;3—重力除尘器;4—煤气切断阀;5—洗涤塔;6—文氏管;7—高压阀组;8—脱水器;9—均压管;10—小钟均压阀;11—大钟均压阀;12—叶形插板;13—煤气总管;14～18—各放散阀

1. 煤气为什么要进行除尘？除尘程度如何？
2. 煤气除尘设备有哪些？除尘基本原理有哪些？
3. 简述煤气除尘工艺流程。
4. 画出重力除尘器结构示意图,在图中标出各部位名称并阐述其工作原理。
5. 洗涤塔的作用有哪些？阐述其工作原理。
6. 文氏管可分为几类？它由哪几个主要部分构成？阐述其工作原理。
7. 电除尘器由哪几个主要部分构成？阐述其工作原理。
8. 布袋除尘器由哪几个主要部分构成？布袋除尘器的工作原理和技术特性是什么？
9. 煤气系统附属设备有哪些？其作用有哪些？
10. 怎样降低净化煤气的含水量？

8 喷吹系统

高炉经风口喷吹燃料已成为节焦和改进冶炼工艺最有效的措施之一。它不仅可以代替日益紧缺的焦炭,而且有利于改进冶炼工艺;扩展风口前的回旋区,缩小呆滞区;降低风口前的理论燃烧温度,有利于提高风温和采用富氧鼓风,特别是喷吹燃料和富氧鼓风相结合,在节焦和增产两方面都能取得非常好的效果;可以提高 CO 的利用率,提高炉内煤气含氢量,改善还原过程等等。总之,高炉喷吹燃料既有利于节焦增产,又有利于改进高炉冶炼工艺和促进高炉顺行,受到世界各国的普遍重视。

高炉喷吹燃料有三种:气体燃料、液体燃料和固体燃料。气体燃料主要有天然气和焦炉煤气等,其中以喷吹天然气最多。气体燃料输送方便,喷吹设备简单,效果良好,一些资源丰富的国家广泛采用,如独联体国家等。液体燃料主要有重油和焦油等,液体燃料发热值高,设备简单,操作简单,日本等国家采用。固体燃料主要有无烟煤粉和气煤、瘦煤等有烟煤粉。煤粉价格低,喷煤量大,喷吹效果也好,但灰分较高,置换比低,目前我国高炉主要喷吹煤粉。据此,本章以介绍煤粉的喷吹为重点。

8.1 概述

8.1.1 高炉冶炼对喷吹燃料的要求

高炉冶炼对喷吹燃料的要求是:

(1) 燃料中可燃性碳、氢及其化合物的含量要多,发热值越高越好。喷入高炉的燃料是以其放出的热量和形成的还原剂(CO、H_2)来代替焦炭。燃料的发热值越高,置换的焦炭越多。

(2) 煤的灰分含量低,一般要求小于15%。有害杂质硫、磷含量要少,硫的含量一般要求小于1%。

(3) 煤的可磨性要好,可磨性指数 HGI 应大于 50。

(4) 煤的燃烧性和反应性要好,燃烧性和反应性好的煤允许大量喷吹,并允许适当放粗煤粉粒度,降低制粉能耗。

(5) 喷吹煤粉水分含量少,一般要求含水量不大于1%。减少煤粉中的含水量,可减少风口前高温区的吸热反应和便于煤粉的制备、分离和输送。

(6) 喷吹煤粉粒度要细。除喷吹粒煤外,一般喷吹用煤粉要求粒度较细,无烟煤 -200 目的占 70%~80%以上,烟煤 -200 目的占 50%以上。粒度要求细,主要是利于煤粉在风口前迅速而完全地燃烧。

(7) 液体燃料要求黏度低,这样可降低油的加热温度,进行管道输送和喷吹雾化,利于燃料的充分燃烧。

8.1.2　喷煤系统的组成

高炉喷煤系统主要由原煤贮运、煤粉制备、煤粉输送、煤粉喷吹、热烟气及供气等部分组成。其工艺流程如图 8-1 所示，如果是直接喷吹工艺，则取消煤粉输送系统。另外，最新设计的高炉喷煤系统还包括整个喷煤系统的计算机控制中心。

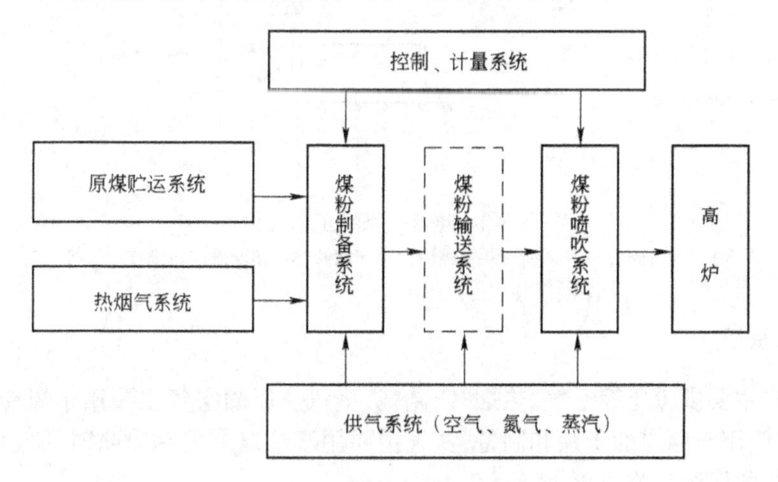

图 8-1　高炉喷煤的工艺流程

8.2　原煤及气体的供应系统

8.2.1　原煤贮运系统

为保证高炉喷煤作业的连续性和有效性，在喷煤工艺系统中，首先应具有合适的原煤贮运系统。该系统包括综合煤场、煤棚、贮运方式。综合煤场应能分别堆放两种或两种以上的原煤及其他喷吹物，并方便存取或按工艺要求进行配煤作业。煤棚主要用于原煤的风干，以便于制粉。煤场与煤棚之间的运输方式可以采用火车、汽车或皮带。煤棚到制粉车间通常用皮带运输。

8.2.2　热烟气系统

制粉系统中，为了使煤粉便于研磨、输送和分离，要对原煤进行干燥，使煤粉含水量不大于 1%，以提高煤粉的研磨性和输送能力。热烟气系统就是向制粉系统提供 280℃ 左右的少氧烟气，用来干燥煤粉和输送煤粉。该系统由燃烧炉(加热炉或烟气炉)、风机、输送管道及阀门等设备组成。燃烧炉是一个由保温耐火材料砌筑的封闭的燃烧空间，壁上装有煤气烧嘴，有输烟气的烟道、烟囱及观测人孔等。

近来，用热风炉烟道废气作为干燥介质来干燥煤粉被大力推广。热风炉废气具有 150～350℃ 的温度和含氧量低(<1%)且量大，在质和量方面均能保证喷吹烟煤的生产需求和安全要求。使用热风炉废气可使高炉与喷吹同步，同时节省了能源。因此，采用燃烧炉热风和热风炉废气一道作为干燥介质是目前制粉干燥用气的最佳选择。图 8-2 为热烟气系统工艺流程图。

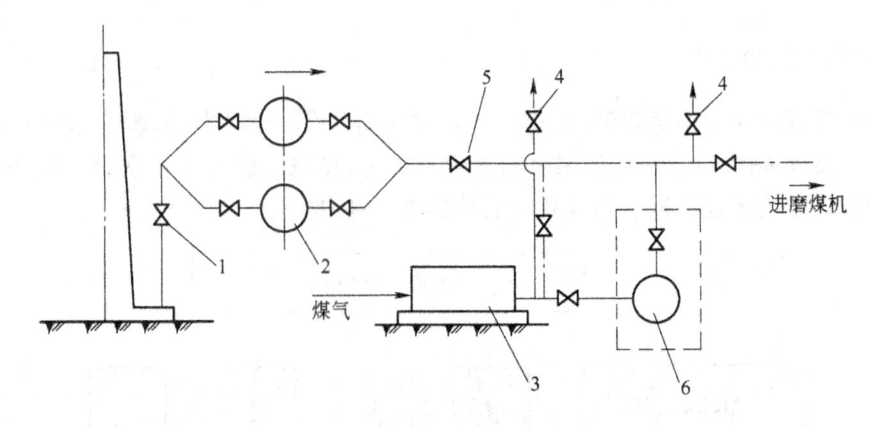

图 8-2　热烟气系统工艺流程

1—调节阀;2—引风机;3—燃烧炉;4—烟囱阀;5—切断阀;6—烟气引风机

8.2.3　供气系统

供气系统主要供应压缩空气、热烟气、氮气、蒸汽。压缩空气主要用于煤粉的输送和喷吹,热烟气主要用于原煤的干燥和制备,氮气主要用于烟煤制粉和喷吹时的气氛惰化,蒸汽主要用于设备的保湿和临时灭火。

8.3　煤粉的制备系统

煤粉制备是通过磨煤机将原煤加工成粒度和含水量均符合高炉喷吹需要的煤粉。制粉系统主要由给料、干燥与研磨、收粉等几部分组成。在烟煤制粉中,设有相应的惰化防爆抑爆及相应监测控制装置。

8.3.1　制粉工艺流程

8.3.1.1　球磨机制粉工艺

图 8-3*a* 所示为 20 世纪 80 年代广为采用的球磨机制粉工艺流程示意图。原煤仓 1 中的原煤由给煤机 2 送入球磨机 9 内进行研磨。干燥气经切断阀 14 和调节阀 15 送入球磨机,干燥气温度通过冷风调节阀 13 调节混入的冷风量来实现,干燥气的用量通过调节阀 15 进行调节。

干燥气和煤粉混合物中的木屑及其他大块杂物被木屑分离器 10 捕捉后由人工清理。煤粉随干燥气垂直上升,经粗粉分离器 11 分离,分离后不合格的粗粉返回球磨机再次碾磨,合格的细粉再经一级旋风分离器 4 和二级旋风分离器 5 进行气粉分离,分离出来的煤粉经锁气器 12 落入煤粉仓 8 中,尾气经布袋收粉器 6 过滤后由二次风机排入大气。

一次风机出口至球磨机入口之间的连接管叫返风管。设置此管的目的是利用干燥气余热提高球磨机入口温度和在风速不变的情况下减轻布袋收粉器的负荷,但生产实践证明此目的并没有达到。

此流程要求一次风机前常压运行,一次风机后负压运行,在实际生产中很难控制。因此,在 20 世纪 90 年代初很多厂家对上述工艺流程进行了改造,改造后的工艺流程如图8-3*b* 所示。改造的主要内容有:(1)取消一次风机,使整个系统负压运行;(2)取消返风管,减少煤粉爆炸点;(3)取消二级旋风分离器或完全取消旋风分离器。改造后大大简化了工艺流程,减小了系统阻力损失,减少了设备故障点。

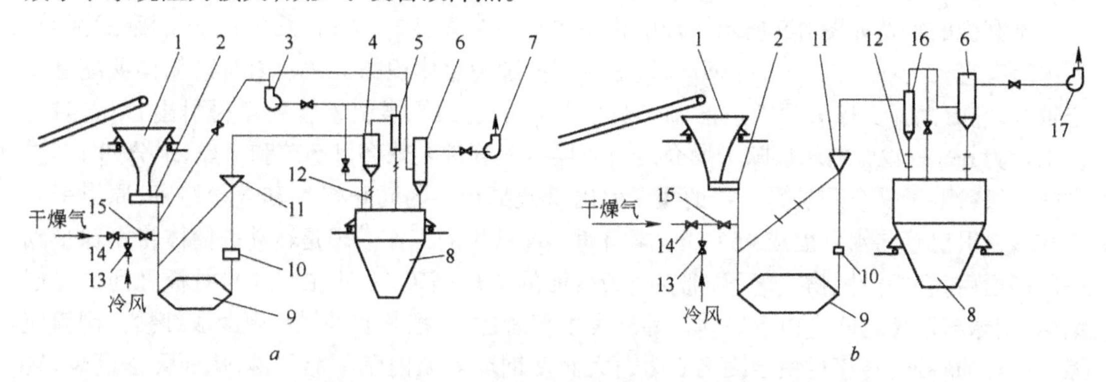

图 8-3 球磨机制粉工艺流程图

a—传统式;*b*—改进式

1—原煤仓;2—给煤机;3—一次风机;4—一级旋风分离器;5—二级旋风分离器;6—布袋收粉器;7—二次风机;8—煤粉仓;9—球磨机;10—木屑分离器;11—粗粉分离器;12—锁气器;13—冷风调节阀;14—切断阀;15—调节阀;16—旋风分离器;17—排粉风机

8.3.1.2 中速磨制粉工艺

中速磨制粉工艺流程如图 8-4 所示。原煤仓 1 中的原煤经给料机送入中速磨煤机 8 中进行碾磨,干燥气与冷风混合后对磨煤机内的原煤进行干燥,当磨制烟煤时,干燥气应采用高炉热风炉废气。中速磨煤机自身带有粗粉分离器,从磨煤机出来的气粉混合体进入细粉分离器或直接进入布袋收集器,被捕捉的煤粉落入煤粉仓 7,净气由抽风机 5 抽入大气。中速磨煤机不能磨碎的粗硬煤粒或杂物从主机下部的清渣孔排出。

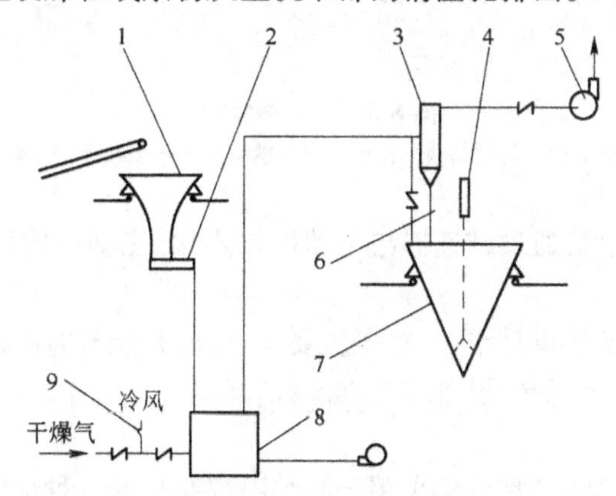

图 8-4 中速磨制粉工艺流程图

1—原煤仓;2—给料机;3—布袋收集器;4—塞头阀;5—抽风机;6—锁气器;7—煤粉仓;8—中速磨煤机;9—阀门

8.3.2 主要设备

8.3.2.1 磨煤机

磨煤机有低速、中速、高速之分。低速磨煤机又称球磨机,其转速为 16～25 r/min;中速磨煤机有平盘型、E型和碗型,转速为20～50 r/min;高速磨煤机转速为500～1500 r/min。

A　球磨机

球磨机的构造如图8-5所示。球磨机主体是一个直径2～4 m,长3～8 m的卧式圆筒。筒内装有直径为30～60 mm的钢球,钢球体积占圆筒总体积的15%～25%。筒体两端有空心轴颈,它由大瓦支撑。两端空心轴颈分别与不活动的原煤引入管和煤粉引出管相连接。含水量为6%～12%的原煤随干燥介质由原煤引入管进入球磨机磨碎和干燥,水分达1%左右的细煤粉随干燥介质从另一端的煤粉引出管被抽出。为防止煤块和煤粉堵塞,原煤引入管和煤粉引出管与水平面成45°～60°倾斜角。球磨机的工作原理是转动的筒体将钢球带到一定高度后,它们沿抛物线落下,把在衬板表面的原煤砸碎,而处在钢球与衬板之间的底层钢球,钢球与钢球之间也由于筒体的移动发生相对运动,把其间的煤粒碾磨成细粉。圆筒应控制一定的转速,转速过快会因离心力过大而使钢球紧贴内壁不能下落,从而无法磨煤,转速过小则会因钢球提升高度不够而减弱粉碎作用。

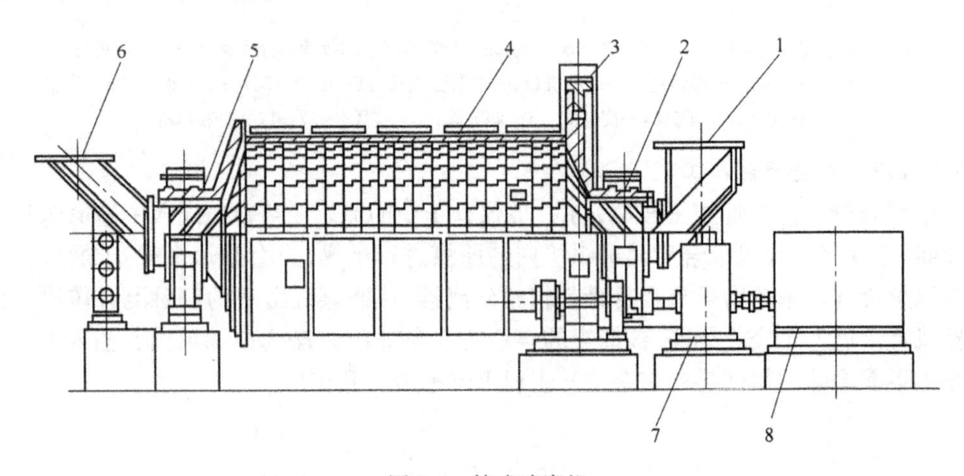

图8-5　筒式球磨机

1—进料部;2—轴承部;3—传动部;4—转动部;5—螺旋管;6—出料部;7—减速机;8—电动机

球磨机的驱动是电动机通过减速器与主动齿轮连接,主动齿轮带动筒体上的被动大齿轮使球磨机旋转。

球磨机的特点是设备简单易维护,对煤质要求不高,且能长时间地连续运转。但是占地面积大,投资大,噪声大,电耗高,设备笨重,金属消耗多。

B　中速磨煤机

中速磨煤机(简称中速磨)是近年来用于高炉喷煤制粉的一种新的磨煤设备。国外喷煤的高炉几乎都采用中速磨煤机。国内近年所新建和改造的高炉喷煤系统,基本上也都采用了中速磨煤机。

中速磨的结构形式很多,有平盘磨、E型磨、碗型磨及MPS磨,图8-6所示是平盘磨的结构。转盘10与辊子4是平盘磨的主要部件。电动机通过减速箱9带动转盘转动,转盘又带动辊子旋转,煤在转子与辊子之间得到研磨。平盘磨是依靠碾压作用将煤磨碎的,碾压力来自辊子的自重和弹簧的拉紧力(有的来自液压力)。其工作原理是原煤经落煤管送到转盘的中部,转盘转动所产生的离心力使煤连续不断地向边缘推移,煤在辊子下面被碾碎。转盘边缘上装有一圈挡环5,可以防止煤从转盘上直接滑落出去,挡环还能保持转盘上有一定厚度的煤层,以提高磨煤效率。干燥气从风道引入气室7后,以高速通过转盘周围的环形风道进入转盘上部。气流的卷吸作用,将煤粉带入磨煤机上部的粗粉分离器中,过粗的煤粉被分离后又直接返回到转盘上重新研磨,合格的煤粉随气流进细粉收粉器或袋式收粉器。

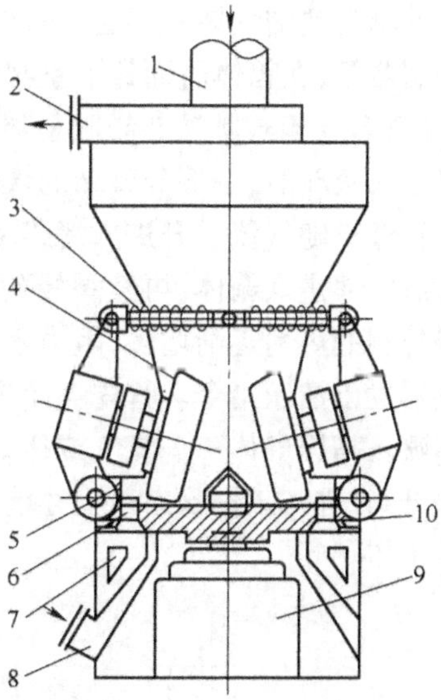

中速磨煤机与球磨机相比有如下主要优点:耗电低、噪声小、占地少、投资少、功能全、密封性能好,故中速磨对烟煤尤为合适。

图 8-6 平盘磨结构示意图
1—原煤入口;2—气粉出口;3—弹簧;4—辊子;5—挡环;6—干燥气通道;7—气室;8—干燥气入口;9—减速箱;10—转盘

8.3.2.2 木屑分离器

在球磨机之后、粗粉分离器之前设有木屑分离器,它是靠内部安置的一个筛网将木块和小杂物挡住而完成分离的,结构简单。

8.3.2.3 煤粉收集设备

煤粉分离收集设备主要有粗粉分离器、旋风分离器和布袋收粉器。

A 粗粉分离器

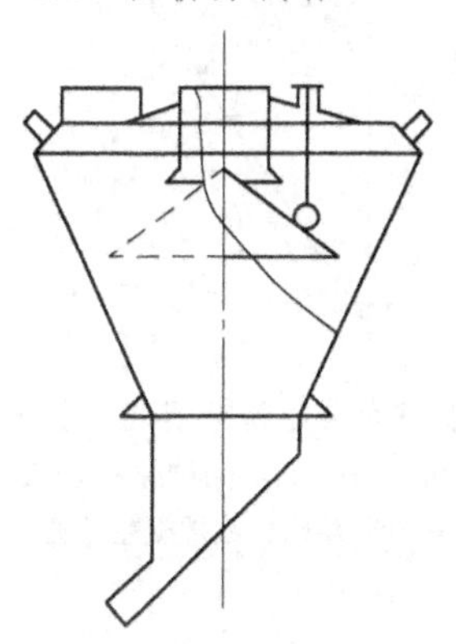

图 8-7 粗粉分离器

粗粉分离器结构如图8-7所示。当携带煤粉的气流进入分离器后,由于体积突然扩大,气流速度降低,加上碰撞钟的能量损失,粗颗粒落入回煤管,重返球磨机进行粉碎,细粒煤粉则由气流带走。分离器中的钟是可以自由升降的,以调节钟与壳体的间隙大小。若间隙越小,气流的旋转强度就越大,分离下来的煤粉就越细。为避免煤粉过粗,在低速磨煤机的后面设粗粉分离器。中速磨内部带有粗粉分离器。

B 旋风收粉器

旋风收粉器的任务是将由粗粉分离器过来的合格煤粉从气流中分离出来,然后送入煤粉仓。一般采用二级收粉,一级为旋风收粉,二级为多管收粉。图8-8为旋风收粉器结构示意图。它由外筒、内筒及进气管组成。粉气混合物经进气管进入筒内作螺旋旋转运动。由于离心力的作用,多数煤粉分离后沿外筒内壁下落,部分小颗粒煤粉随气流经内筒进入排气管。多管收粉器实际上是由若干个小的旋风管组成,由于筒体半径减小,所以能收集到较细的煤粉。旋风收粉器结构简单,能有效地收集0.01 mm以上的煤粉。部分细粉由于得不到足够大的离心力而无法分离,这部分煤粉必须由袋式收粉器来捕集。

C PPCS气箱式脉冲布袋收粉器

新建煤粉制备系统一般采用PPCS气箱式脉冲布袋收粉器一次收粉,简化了制粉系统工艺流程。PPCS气箱式脉冲布袋收粉器由灰斗、排灰装置、脉冲清灰系统等组成。箱体由多个室组成,每个室配有两个脉冲阀和一个带气缸的提升阀。进气口与灰斗相通,出风口通过提升阀与清洁气体室相通,脉冲阀通过管道与储气罐相连,外侧装有电加热器、温度计、料位控制器等,在箱体后面每个室都装有一个防爆门。

PPCS气箱式脉冲布袋收粉器的工作原理如图8-9所示。当气体和煤粉的混合物由进风口进入灰斗后,一部分凝结的煤粉和较粗颗粒的煤粉由于惯性碰撞,自然沉积到灰斗上。细颗粒煤粉随气流上升进入滤袋室,经滤袋过滤后,煤粉被阻留在滤袋外侧,净化后的气体由滤袋内部进入箱体,再经阀板孔、出口排出,达到收集煤粉的作用。随着过滤的不断进行,滤袋外侧的煤粉逐渐增多,阻力逐渐提高,当达到设定阻力值或一定时间间隔时,清灰程序控制器发出清灰指令。首先关闭提升阀,切断气源,停止该室过滤,再打开电磁脉冲阀,向滤袋内喷入高压气体——氮气或压缩空气,以清除滤袋外表面捕集的煤粉。清灰完毕,再次打开提升阀,进入工作状态。上述清灰过程是逐室进行的,互不干扰,当一个室清灰时,其他室照常工作。

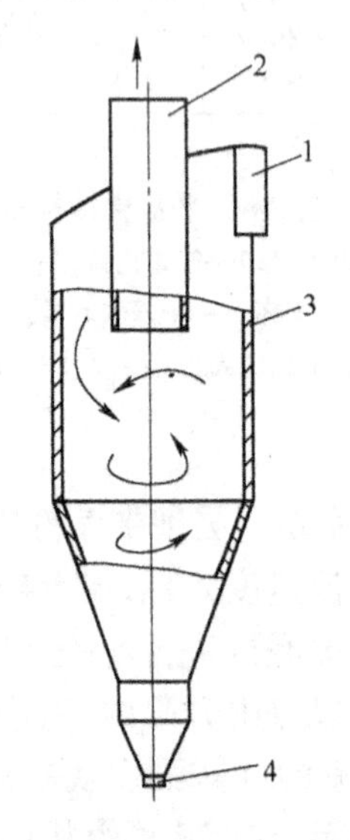

图8-8　旋风收粉器结构示意图

1—分离器入口;2—分离器出口;3—外壳体;4—排粉口

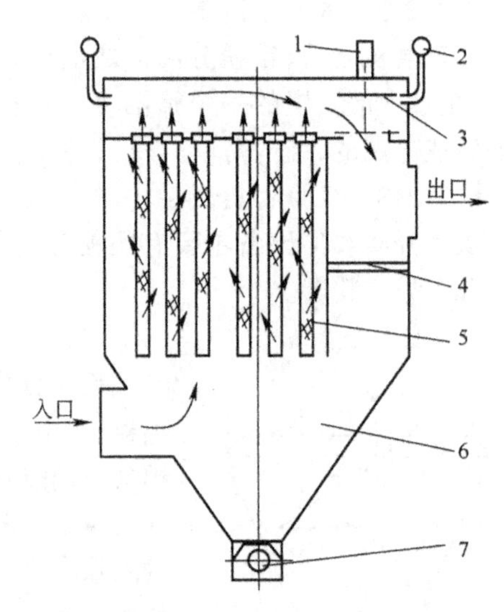

图8-9　气箱式脉冲布袋收粉器结构示意图

1—提升阀;2—脉冲阀;3—阀板;4—隔板;5—滤袋及袋笼;6—灰斗;7—叶轮给煤机或螺旋输送机

8.3.2.4　锁气器

锁气器是一种只能让煤粉通过而不允许空气流窜的设备。常用的锁气器有锥式与斜板式两种,其结构如图8-10所示。

锁气器由杠杆、平衡锤、壳体和灰门组成。灰门呈平板状的锁气器为斜板式锁气器,灰门呈圆锥状的锁气器为锥式锁气器。斜板式锁气器可在垂直通道上使用,也可在垂直偏斜度不大于20°的管道上使用。锥式锁气器只能安装在垂直通道上。当煤粉积到一定量后,灰门自动开启卸煤。当煤粉减少到一定程度后,在平衡锤的作用下灰门复位。为保证锁气可靠,一般安装有两台串联锁气器。双锁气器始终处于一开一关或双闭状态,以保证密封性,防止漏气。

8.3.2.5　排粉风机

排粉风机是制粉系统的主要设备,它是整个制粉系统中气固两相流流动的动力来源,工作原理与普通离心通风机相同。排粉风机的风叶成弧形,若以弧形叶片来判断风机旋转方向是否正确，则排粉机的旋转方向应当与普通离心风机的旋转方向相反。

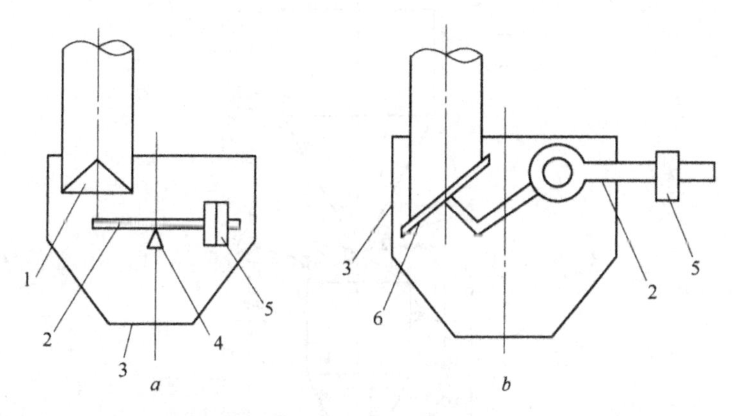

图 8-10 锁气器

a—锥式；*b*—斜板式

1—圆锥状灰门；2—杠杆；3—壳体；4—刀架；5—平衡锤；6—平板状灰门

8.4 煤粉喷吹系统

8.4.1 喷吹工艺

从制粉系统的煤粉仓后面到高炉风口喷枪之间的设施属于喷吹系统，主要包括煤粉输送、收集、喷吹、分配及风口喷吹等。在煤粉制备站与高炉之间距离小于 300 m 的情况下，把喷吹设施布置在制粉站的煤粉仓下面，不设输粉设施，这种工艺称为直接喷吹；在制粉站与高炉之间的距离较远时，制粉和喷吹分开，制备好的煤粉用罐车或仓式泵等气力输送，从制粉送到建在高炉附近的喷吹站，再向高炉喷吹的工艺称为间接喷吹。

根据煤粉容器受压情况将喷吹设施分为常压和高压两种。根据喷吹系统的布置可分为串罐喷吹和并罐喷吹两大类，根据喷吹管路的条数分为单管路喷吹和多管路喷吹。

8.4.1.1 串罐喷吹和并罐喷吹

按喷吹罐布置形式可分为串罐喷吹和并罐喷吹，通过罐的顺序倒换或交叉倒换来保证高炉不间断喷煤。

图 8-11 所示为三罐重叠式喷吹装置，它由煤粉仓、中间罐及喷吹罐上下重叠组成。打开上钟阀 6，煤粉由煤粉仓 3 落入中间罐 10 内，装满煤粉后关上钟阀。当喷吹罐 17 内煤粉下降到低料位时，中间罐开始充压，向罐内充入氮气，使中间罐压力与喷吹罐压力相等，依次打开均压阀 9、下钟阀 14 和中钟阀 12，待中间罐煤粉放空时，依次关闭中钟阀 12、下钟阀 14 和均压阀 9，开启放散阀 5，直到中间罐压力为零。

串罐喷吹系统的喷吹罐连续运行，喷吹稳定，设备利用率高，厂房占地面积小。但是在主要设备、管道检修时，必须中断喷吹。

并罐式喷吹工艺如图 8-12 所示，是由两个喷吹罐并列置于煤粉仓的下面，交替向高炉进行喷吹，即一个罐喷吹用，另一个罐泄压装煤、充压和均压，然后进入备用状态。为便于处理喷吹事故，通常并罐数最好为 3 个，占地面积大，但喷吹罐称量简单，投资较小，常用于小高炉直接喷吹。

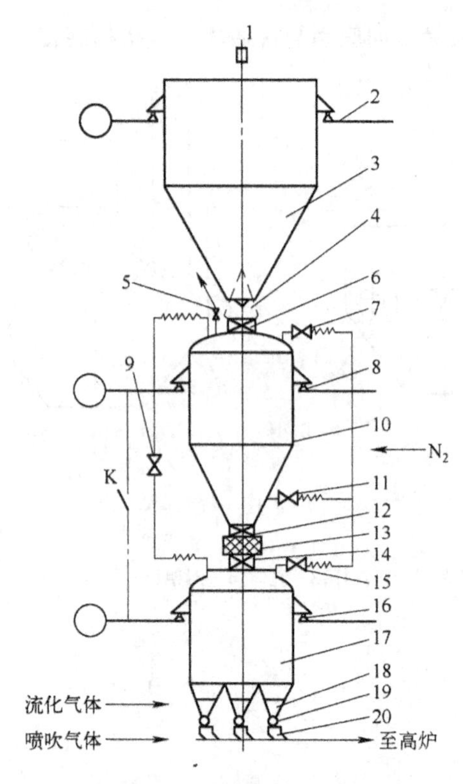

图 8-11　串罐喷吹工艺

1—塞头阀；2—煤粉仓电子秤；3—煤粉仓；4、13—软连接；5—放散阀；6—上钟阀；7—中间罐充压阀；8—中间罐电子秤；9—均压阀；10—中间罐；11—中间罐流化阀；12—中钟阀；14—下钟阀；15—喷吹罐充压阀；16—喷吹罐电子秤；17—喷吹罐；18—流化器；19—给煤球阀；20—混合器

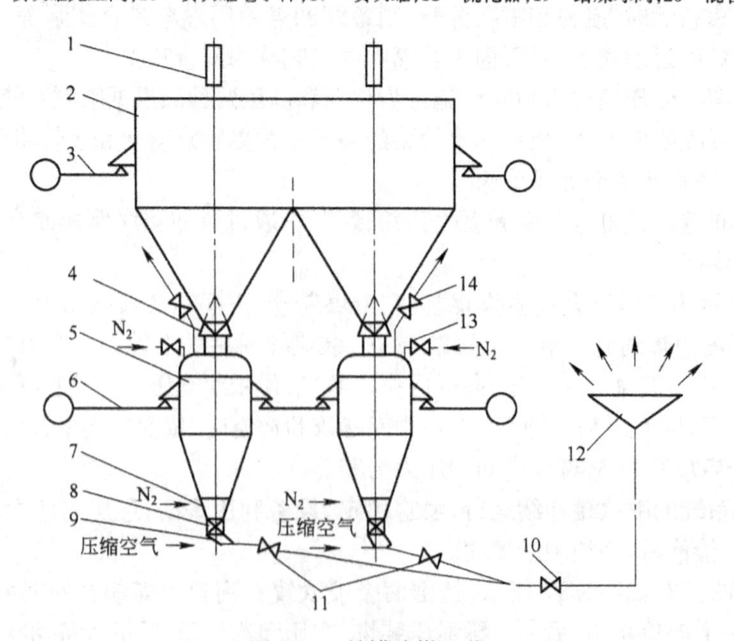

图 8-12　并罐喷煤工艺

1—塞头阀；2—煤粉仓；3—煤粉仓电子秤；4—软连接；5—喷吹罐；6—喷吹罐电子秤；7—流化器；8—下煤阀；9—混合器；10—安全阀；11—切断阀；12—分配器；13—充压阀；14—放散阀

8.4.1.2 多管路喷吹和单管路喷吹

多管路喷吹是指喷吹罐直接与同风口数相等的支管相连接而形成的喷吹系统。一般一根支管连接一个风口。其主要特点是：

(1) 每根支管均可装煤粉流量计，用以自动测量和调节每个风口的喷煤量，有利于实现高炉均匀喷吹和大喷吹量的操作调节。

(2) 喷吹距离受到限制，一般要求不超过200～300 m。这是因为多管式的管径小，阻力损失大，过长的喷吹距离将导致系统压力的增加，从而使压力超过喷吹罐的极限。

(3) 多管式流量计数目多，仪表和控制系统复杂，投资亦较大。

(4) 需要转向的阀门太多，不适宜于并列式。

单管路喷吹是指每个喷吹罐内接出一根总管，总管经设在高炉附近的煤粉分配器分成若干根支管，每根支管分别接到每个风口上。其主要特点是：

(1) 分配器后的支管一般不装流量计，通过各风口的煤粉分配关系在安装试车时一次调整完毕，因此不能进行生产过程中的自动调节。

(2) 系统的阻力较小，喷吹距离可达600 m。

(3) 支管不必安装流量计，控制系统相对简化，投资较少。

(4) 对喷吹罐的安装形式无特殊要求，既适用于并罐式，又可用于串罐式。

(5) 安全可靠性高，对单管路喷吹形式，只要高炉有一个风口喷煤，喷吹罐下部则不会产生煤粉积存。

8.4.1.3 浓相输送与稀相输送

煤粉输送需要消耗一定量的压缩空气(或压缩氮气)。浓相输送与稀相输送之间没有非常严格的界限，通常情况下，当输送浓度小于30 kg(粉)/kg(气)时，称为稀相输送；当输送浓度大于30 kg(粉)/kg(气)时，称为浓相输送。

稀相输送由于固气比低，输送气量消耗大，不但影响成本，而且大量冷气流进入高炉，导致风口理论燃烧温度的降低，大喷吹量时会给高炉带来不利影响。稀相输送由于输送速度高，对输煤管路特别是管路转折部位磨损严重，容易造成管路破损，而且对风口磨损也较为严重。

浓相输送完全克服了稀相输送的上述缺点，输送效率高，气体消耗量少，对高炉风口理论燃烧温度的影响较稀相输送小。由于输送浓度高，输送速度低，对输煤管路特别是管路转折部位磨损小。浓相输送的缺点是容易造成输煤管路的堵塞，不适合长距离的煤粉输送。

8.4.2 主要设备

8.4.2.1 混合器

混合器是将输送气体与煤粉混合，并使煤粉从仓式泵或喷吹罐启动的设备。它是利用从喷嘴喷射出高速气流所产生的相对负压对煤粉进行吸附、混匀和启动的，喷嘴周围产生的相对负压的大小与喷嘴直径、气流速度和喷嘴的位置有关。混合器的喷嘴位置可以前后调节，调节效果极为明显，喷嘴位置稍前或稍后都会引起相对负压不足而出现空喷——只喷空气不带煤粉。

现在使用的混合器有：最简易的引射混合器、流化混合器(也叫沸腾式混合器)和流化罐混合器。目前，使用较多的是沸腾式混合器，其结构示意图如图8-13所示。其特点是壳体底部设有气室,气室上面为沸腾板,通过沸腾板的压缩空气能提高气、粉混合效果,增大煤粉的启动动能。

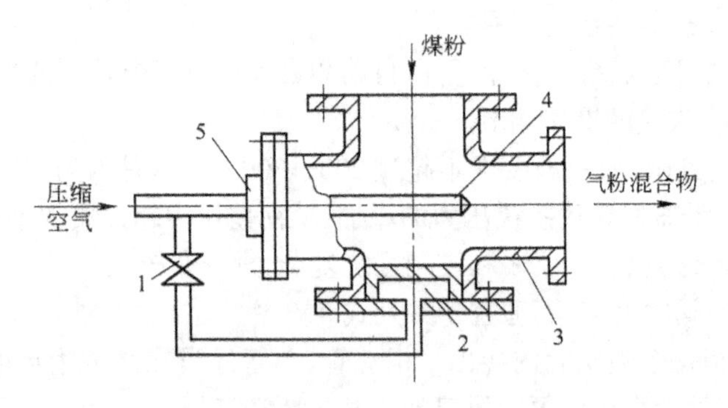

图 8-13　沸腾式混合器

1—压缩空气阀门;2—气室;3—壳体;4—喷嘴;5—调节帽

有的混合器上端设有可以控制煤粉量的调节器,调节器的开度可以通过气粉混合比的大小自动调节。

8.4.2.2　螺旋输送机

螺旋输送机结构如图 8-14 所示。它由进料口、螺杆和混合室三部分组成。煤粉由煤粉仓底部通过阀门进入螺旋输送机的煤粉入口,再由旋转的螺杆将煤粉压入混合室,借助通入混合室的压缩空气将煤粉送出。螺旋叶片的螺距是逐渐变小的,煤粉在推进的过程中逐渐被压紧。在混合室前设有单向阀压盖,煤粉被螺杆压缩后像煤粉塞一样塞入混合室,这样,可阻止压缩气体倒流进入料口。当螺旋没有煤粉供给时,单阀的压盖在压重作用下自行关闭。

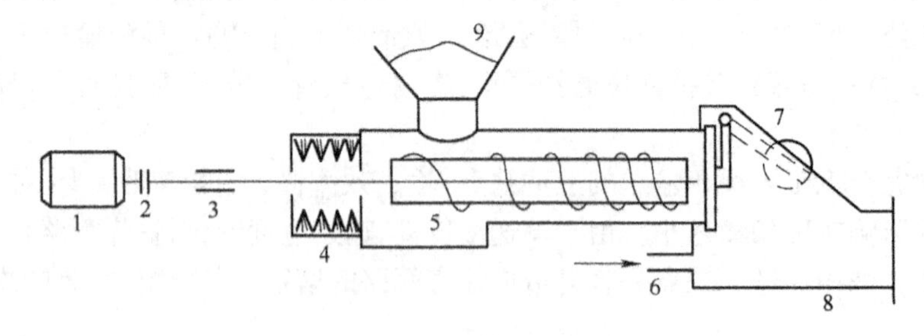

图 8-14　螺旋输送机

1—电动机;2—联轴杆;3—轴承座;4—密封装置;5—螺旋杆;
6—压缩空气入口;7—单向阀;8—混合室;9—煤粉仓

螺旋输送机常用于常压高炉的喷吹,在其后边连接瓶式分配器就可以直接将煤粉送到风口。在制粉车间与喷吹装置距离较远时,它也是用管道输送煤粉的主要设备。

8.4.2.3　仓式泵

仓式泵有下出料和上出料两种。

下出料仓式泵结构见图 8-15,大体与喷吹罐类似,只是仓体粗胖些。仓体上设流化装置、充压阀、放散阀、防爆装置、电子秤等装置。仓下接一混合器，混合器是仓式泵出口。其输煤能力大小与仓式泵出口压力、混合器喷嘴长度、喷射气体速度等有关，仓式泵压力愈高，喷射气体速度愈大，则输出煤粉量越多。

上出料仓式泵结构见图8-16，为一体积较大的流化罐。仓体下部有一流化室，设流化床，出料管垂直流化床向上引出，其距离可以按照输送煤粉量和固气比调节。仓内煤粉被流化后，有出料管输出并进入输煤管道，输出煤粉量和浓度可以通过仓内压力和流化速度来调整。在输送管出口设二次风以增加输粉能力和扫清输粉管道积粉。

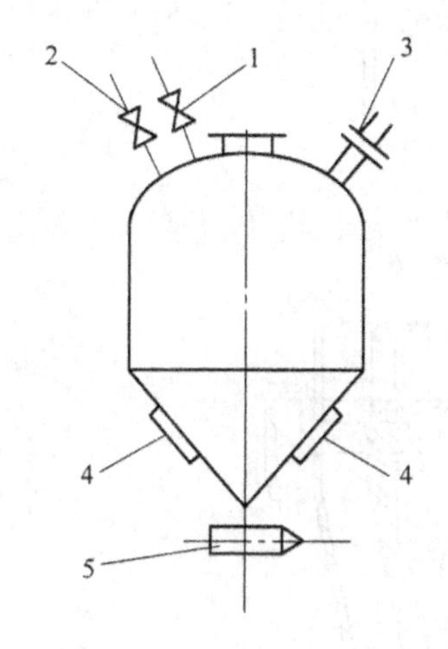

图8-15 下出料仓式泵
1—放散阀；2—充压阀；3—防爆装置；
4—流化装置；5—混合器

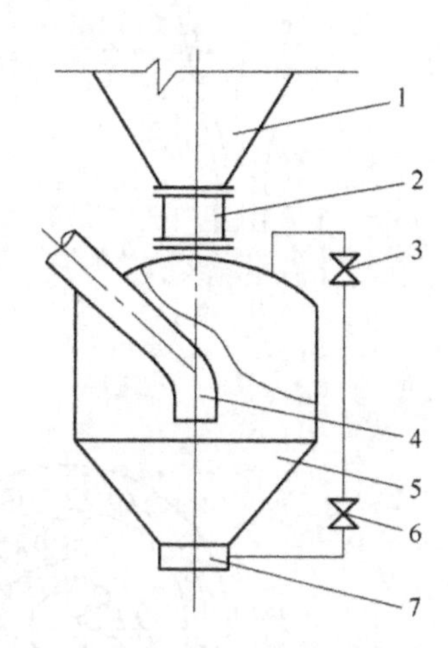

图8-16 上出料仓式泵
1—煤粉仓；2—钟阀；3—均匀阀；4—出料管；
5—仓体；6—充压阀；7—流化室

仓式泵无机械传动，工作时噪声小，输送能力大，能耗较小，但体积较大，多适用于高压操作的高炉。

8.4.2.4 分配器

单管路喷吹必须设置分配器。煤粉由设在喷吹罐下部的混合器供给，经喷吹总管送入分配器，在分配器四周均匀布置了若干个喷吹支管，喷吹支管数目与高炉风口数相同，煤粉经喷吹支管和喷枪喷入高炉。目前使用效果较好的分配器有瓶式、盘式、锥式以及球式等几种。图8-17为瓶式、盘式和锥式分配器的结构示意图。

瓶式分配器结构简单，造价较低，喷吹介质和煤粉在分配器内产生涡流，阻力大，易积粉，已被其他形式分配器逐渐取代。

锥式和盘式克服了上述瓶式的缺点，喷吹介质和煤粉沿固定流向出入，所以阻力小，分配煤量均匀且不积粉，内壁喷涂耐磨材质，寿命长，已被广泛采用。

分配器出口煤粉流量受喷煤支管长度的影响。一座高炉使用两个分配器比使用一个分配器好，对称分布在高炉两侧，这样可保证分配器后喷吹支管的长度大致相等，从而使喷吹支管的阻力损失近似。

瓶式、盘式和锥式分配器对喷煤主管进入分配器的垂直段高度有一定要求，一般要求大于3.5 m。球式分配器克服了其他分配器所要求垂直安装的高度问题，并且适合于浓相输送。

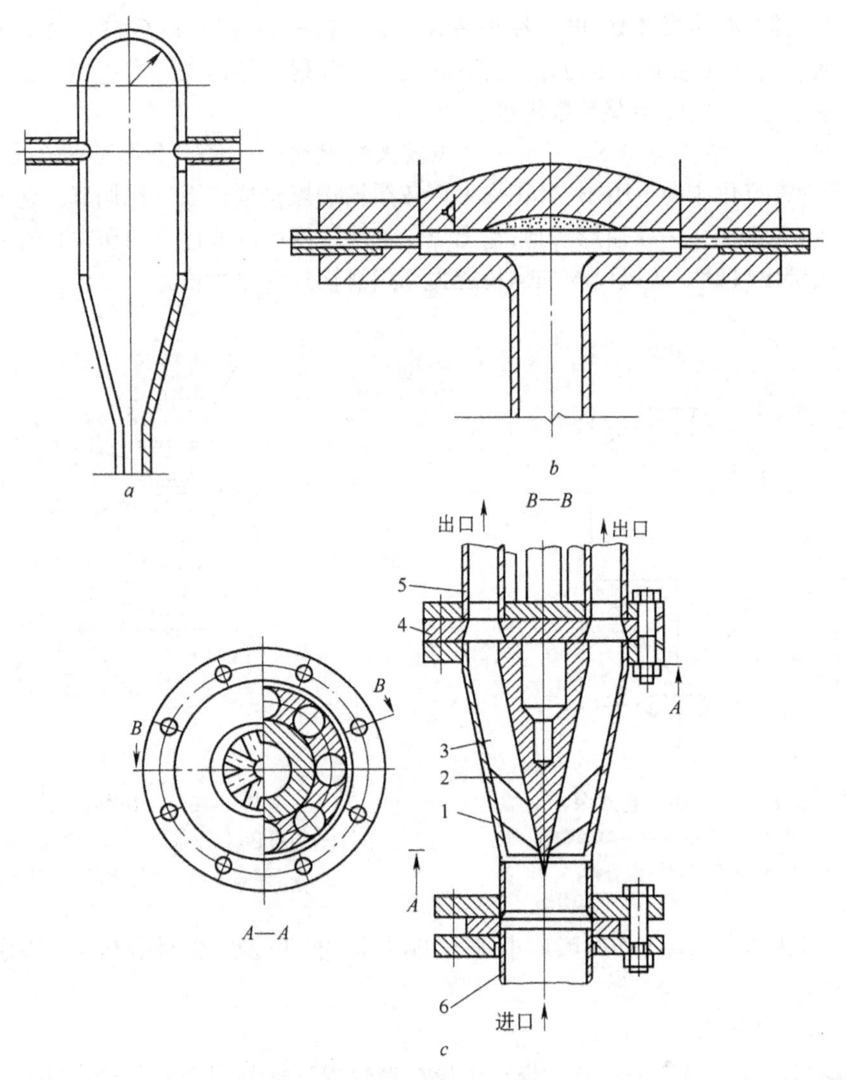

图 8-17 分配器结构示意图

a—瓶式；*b*—盘式；*c*—锥式

1—分配器外壳；2—中央锥体；3—煤粉分配刀；4—中间法兰；5—喷煤支管；6—喷煤主管

8.4.2.5 喷煤枪

喷煤枪为内径 12～15 mm 的耐热合金钢管，以 13°～15°的角度斜插在直吹管上，如图 8-18 所示。喷枪插入位置应保证煤粉流股与风口不摩擦，否则易损坏风口。插入后，插座后用旋转的压紧机构固定，前后位置可以调节，在短期停喷时，不必拔出喷煤枪，只是空吹压缩空气。如需要拔出时，靠固定在插座上的球形逆止阀将喷吹口自动关闭。

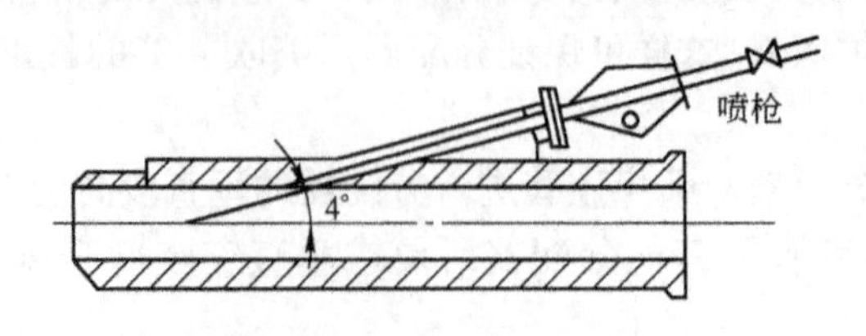

图 8-18 喷煤枪及插入装置

8.5 计量控制与安全

高炉喷煤系统是在一个密闭系统中进行和完成的。为避免煤粉,尤其是烟煤粉的自燃与爆炸,保障人身及设备的安全,必须借助仪器仪表来监测整个工艺过程,对整个喷煤工艺过程进行有效的控制。同时也使整个生产过程达到优质、高产和降耗的目的。监测计量水平的高低在很大程度上反映了喷煤系统的先进程度。

8.5.1 计量与控制

喷煤装置计量的参数主要有:气固相流体的流量、相关部分的压力、各部分的温度、氧含量、CO浓度、煤粉的重量等。对重要参数,可用电子电位差计或其他仪器显示并记录,便于对生产过程全面系统分析,或设计成自动调节系统,确保各种参数符合工艺要求。有的配有参数越限报警,用声、光来引起操作人员的注意,有的仪器还和电器操作相连锁。

8.5.1.1 喷煤系统的温度监测

温度监测靠测温元件及相关仪表完成。测温元件主要有热电偶、热电阻、半导体热敏器件等。

磨煤机出口处的干燥气体温度和煤粉温度都有规定的上限值,要求温度不得高于上限且无升温趋势,否则,一旦煤粉温度高于上限值,同时氧含量及煤粉浓度又满足爆炸条件就会发生爆炸。

在整个喷煤系统还有许多其他温度监测装置,如袋式收粉器中的测温装置和润滑油路的测温装置等。温度测量装置往往还具有控制能力,可与执行机构连接,在一定温度范围内调控温度,使之符合技术要求。

8.5.1.2 喷煤系统的压力监测

压力监测对保证系统的安全非常重要。完善的喷煤系统在其各相关部位几乎都有压力测控装置。喷吹罐的压力对喷煤量来说是一个重要参数。罐压应随罐内粉位的变化而改变,以保证喷煤量稳定。罐内压力控制是补压管充入补充气完成的。

8.5.1.3 喷煤系统的气氛监测

喷煤系统的气氛监测主要是指CO及氧的浓度监测。

煤粉仓等部位的CO浓度代表了煤粉自燃或爆炸的可能性。一旦发现CO浓度升高,则表明系统处于危险之中。制粉系统中气相氧浓度是一个必须严格控制的工艺参数,因为煤粉爆炸的重要条件之一就是气相氧含量达到一定水平。一般气相氧含量应控制在10%～15%以下。当氧含量一旦超限,即打开氮气或其他含氧低的气体充气阀门,冲淡氧气以防爆炸发生。气相氧浓度的监测可用各种定氧仪来完成。

8.5.1.4 喷吹系统的气体流量监测

喷吹系统的气体主要有压缩空气、氮气、蒸汽、氧气(富氧喷吹)、热烟气等。

流量测量可用一般的气体流量计,如差压式流量计(流量孔板、流量喷管、流量管等)。

8.5.1.5 喷吹罐煤粉的计量和调节喷粉量

煤粉计量是高炉操作人员掌握和了解喷吹效果,并根据炉况变化实施调节的主要依据。目前煤粉计量有两大类即喷吹罐计量和单支管计量。喷吹罐计量是高炉实现喷煤自动化的前提。单支管计量技术是实现风口均匀喷吹或根据炉况变化实施自动调节的重要保证。

并罐式喷吹罐的煤粉计量较简单。利用粉仓秤称量,粉仓秤位于煤粉仓上部。煤粉仓与喷吹罐间采用无重力传递的常压软连接。喷吹罐的称量是准确的,即使罐内不能保持常压,也可用压力补偿的办法对称量结果进行校正。

重叠罐喷吹的计量相对复杂得多,其中最大的问题是上下罐内的压力差和罐内外压力差会导致计量误差,在计量时需要进行补偿,否则不能实现连续计量。

调节喷煤量是通过对喷吹罐压力、混合器喷嘴压力、喷吹支管压力、热风压力的关系的掌握,并用喷吹罐压力与热风压力差的自动调节系统来完成的。也可以是总喷吹量的控制系统,采用各风口均匀分配煤粉的方式,以高炉总喷煤量为设定值进行工作;或单个风口喷煤量控制,即分别设定每个风口的煤量,喷吹总量为各个风口喷煤量的总和。

8.5.2 安全措施

煤粉是易燃易爆物质,在密封容器中存贮煤粉有可能自燃和爆炸。煤粉的自燃是通过自身堆积聚热而着火,煤粉的爆炸是指一种爆炸性粉尘,在密封容器中,当达到一定浓度,有氧气存在的情况下,遇到高温或明火,则马上发生爆炸。煤尘的爆炸是一种瞬间的物理化学变化过程,它是在外来能量(如煤尘自燃)的激发下 ,产生化学性质十分活跃,而寿命又十分短促的活性分子和自由基连续反应的结果,本质上是一种剧烈的燃烧反应。煤粉爆炸轻则影响生产,重则设备受到破坏,威胁人身安全。因此,喷煤系统在生产操作过程中,防止煤粉爆炸十分重要。

8.5.2.1 煤粉爆炸的基本条件

煤粉爆炸的基本条件是:

(1) 煤粉温度达到着火点。烟煤煤粉长期沉积后的逐步氧化、煤粉运输中摩擦升温、静电火花以及外来火源都可提供煤尘的引爆能量。

(2) 一定的煤粉悬浮浓度。煤粉分散形成悬浮状态,并在系统介质中达到一定的煤粉浓度,才有可能爆炸,高于或低于此值均无爆炸可能。爆炸浓度取决于煤粉的化学性质、煤粉粒度组成以及介质氧含量等。煤粉在收集、输送、倒罐装料等过程中都将不同程度地被输送介质所分散,而在局部空间以煤粉云状态悬浮着,煤粉浓度一般无法控制。

(3) 系统氧浓度的失控。负压制粉时系统漏风,干燥介质冷风兑入量,布袋脉冲气源不纯,喷吹罐不正常补压操作等,都有可能使系统氧浓度失控,从而对煤尘的爆燃提供条件。对不同的工艺条件和不同煤种的喷吹,系统安全的临界氧浓度必须在模拟生产工况条件下通过试验来确立。一般该浓度在10%~12%以下。

8.5.2.2 喷吹过程中煤尘爆炸的防护

根据国内外的成功经验,目前高炉喷吹烟煤的安全防爆系统概括起来可分为以下两大类:

一类是采用惰性气氛防爆。在制粉系统用热风炉废气和燃烧炉烟气作为惰化气和干燥介质,在输粉和喷粉系统充氮气,使系统中气氛的含氧浓度维持在安全值(8%~12%)以下。通过监测仪表和自动化装置,控制温度、压力、氧浓度和CO浓度等重要工艺参数,以保证全过程在惰性气氛下工作,从而确保系统的防火防爆。这类防爆技术具有积极的保护和预防效果,对烟煤的自燃有抑制作用,能有效地控制煤粉火焰的传播,消除产生爆炸的可能性,但要求备用足够的氮气和方便采用的热风炉废气。

另一类是在制粉系统采用化学药剂灭火,采取抑爆措施,在喷吹系统采用连续惰化与抑爆相结合的措施。即在制粉系统采用敏感元件和高速喷射化学灭火剂等抑爆装置,在粉仓和喷煤罐则采用抑爆与氮气相结合的措施。这类方法的优点是一旦发生着火和爆炸,能快速自身灭火和阻爆,但对检测元件要求极高。

从发展趋势看,国外大型高炉喷吹烟煤多数采用了第一类防爆系统。实际上,在喷煤安全防爆方面还有许多方面可以考虑,如简化喷煤工艺流程、取消旋风收粉器采用一级收粉、采用单支管加分配器喷吹等等。我国高炉喷煤应遵循防治结合、以防为主的技术原则,即一是惰化,充 N_2,控制系统 O_2 浓度和 CO 浓度;二是消除设备、管道、厂房等处的积粉,避免自燃;三是控制温度,杜绝一切火源和静电火花;四是设备管道应有足够强度,并合理设置泄压装置;五是采取严格的操作监控措施。

8.6 喷煤技术的发展

高炉强化对喷煤的要求愈来愈高,如何有效地降低焦比,增加喷煤量,是衡量高炉生产技术水平的一项重要标志。随着喷煤技术的提高,高炉的煤比从最初的每吨铁几十千克,发展到一百多千克,乃至现在的二百多千克。有的高炉煤比已达近 300 kg/t,焦比降至 250 kg/t以下,效果显著。因此,喷煤系统必须朝高产、低耗、高效、安全及自动化等方向发展,不断技术更新,才能满足高炉的要求。

8.6.1 多品种喷吹

喷吹烟煤或烟煤与无烟煤混合喷吹。烟煤储量较多,分布较广,保证了充足的喷煤资源。烟煤挥发分高,燃烧性能好,氢含量高,有利于高炉顺行,并且煤质软,易磨碎,制粉能耗低。但是喷吹烟煤时,特别是喷吹高挥发分、强爆炸性烟煤时,安全性差,易爆易燃,必须采取相应的安全保护措施。目前我国部分高炉采用烟煤和无烟煤混合喷吹技术取得了良好的效果,表现为燃烧率明显提高,置换比上升。

8.6.2 工艺和设备的改进

工艺和设备的改进主要包括:

(1) 简化工艺,减少投资,降低能耗,增加系统安全。如用热风炉废气代替燃烧炉热风。制粉时取消旋风收尘器,只采用磨煤机到布袋除尘的短流程工艺。喷吹时,取消喷吹站,直接向高炉喷吹等。

(2) 改进设备,提高煤粉的质量,尽量缩小煤粉粒度,小于 0.088 mm 的应达 85%以上。如改进粗粉分离器的结构,内部加回粉锁气器,提高分离效率,用中速磨代替球磨机等。

(3) 采用浓相输送,既降低设备费用及能量消耗,又有利于改善管道内气固相的均匀分布,有利于提高煤粉的计量精确度。

(4) 用高风温、富氧与喷煤粉配合,多风口均匀喷吹。

8.6.3 控制系统自动化

随着喷吹量的增加,喷煤系统的设备启动频率增高,操作间隙时间减少,喷吹周期缩短。手动操作已不能适应生产要求,尤其是当高炉喷吹烟煤或采用多种煤配煤混合喷吹时,高炉喷吹系统广泛采用了计算机控制和自动操作。

8.7　其他燃料的喷吹

8.7.1　喷吹重油

油罐车将重油运到油站卸油，采用低压大流量的齿轮泵，将重油通过粗滤网送到储油罐，其间再过滤 1~2 次，然后输到高炉炉台送油环管再分送到各风口，喷入高炉炉缸。

8.7.2　喷吹焦油

喷吹焦油的流程与喷重油的流程基本相同。但由于焦油凝固点高、黏度大、密度大，要求系统温度高，油罐温度在(100±5)℃左右。高炉的焦油围管温度应再高一些，喷嘴的直径也要大一点(如某高炉喷吹重油时喷嘴直径为 4 mm，而在喷焦油时则增至 6 mm)。喷吹沥青时温度应更高一些。

8.7.3　喷吹天然气

天然气送到总配气站，再输送到铁厂调压站，压力调整到 0.25 MPa 左右，再由流量自动调节阀调到高炉所需的流量，经围管、支管、风口喷入炉内。总管上装有自动切断阀，当天然气压力低于 0.18 MPa 或热风压力低于 0.07 MPa 时，自动切断天然气并通入蒸汽。

8.7.4　喷吹焦炉煤气

焦炉煤气由煤气加压机加压送到高炉旁，经风口端的喷嘴喷入炉内。气压机出口压力为 0.3~0.6 MPa，到达风口平台时应比热风压力高 0.1 MPa 左右，以保证有较大的速度喷入炉内，从而加强与鼓风的混合和充分燃烧。气压机后设有储气罐以稳定煤气压力。

随着高炉喷吹的发展以及资源的紧张，有必要寻找新的喷吹燃料，除采用扩大喷煤品种外，废旧塑料等可燃性物质用于高炉喷吹已处于研究和实践中。塑料是碳氢组成的有机物，既能燃烧又能裂解出 CO 和 H_2 等还原气体。废旧塑料经适当的处理后喷入高炉，一方面能替代一定量的喷吹燃料，另一方面又能废物利用，减少污染。当然，新的喷吹燃料应具有易得、价格便宜、便于组织和加工、含硫等杂质较少等特点。

1. 简述高炉喷吹燃料的种类及对喷吹燃料的要求。
2. 高炉喷煤工艺流程由哪些系统组成？如何分类？
3. 简述喷煤系统的供气(汽)种类和作用。
4. 制粉的任务是什么？由哪几部分组成？用哪些设备来完成？
5. 分别简述球磨机、中速磨的结构与特点。

6. 干燥气在制粉过程中的作用是什么？常使用哪些干燥气？
7. 简述螺旋输送机和仓式泵的结构与特点。
8. 喷吹系统有哪些设备和装置？
9. 分别叙述并罐式喷吹、串罐式喷吹装置的优缺点。
10. 喷吹煤粉时，煤尘发生爆炸的基本条件是什么？
11. 简述喷煤防爆抑爆的措施。
12. 喷吹煤粉有哪些新技术？
13. 除煤粉外，高炉还可喷哪些燃料？

9　渣铁处理系统

高炉冶炼中有大量高温液态的生铁和炉渣由高炉下部的铁口和渣口放出。及时、合理地处理好这些生铁和炉渣是保证高炉正常生产的重要环节。为了搞好这项工作,必须有完好的出铁、出渣设施及运输能力。

9.1　风口平台及出铁场设计

9.1.1　风口平台及出铁场

在高炉下部,沿高炉炉缸风口前设置的工作平台为风口平台。为了操作方便,风口平台一般比风口中心线低 1150～1250 mm,应该平坦并且还要留有排水坡度,其操作面积随炉容大小而异。操作人员在这里可以通过风口观察炉况、更换风口、检查冷却设备、操纵一些阀门等。

出铁场是布置铁沟、安装炉前设备、进行出铁放渣操作的炉前工作平台。出铁场和操作平台上设置有以下设备:渣铁处理设备、主沟铁沟等修理更换设备、能源管道(水、煤气、氧气、压缩空气)、风口装置和更换风口的设备、炉体冷却系统和燃料喷吹系统的设备、起重设备、材料和备品备件堆置场、集尘设备、人体降温设备、照明设备以及炉前休息室、操作室、值班室等。在出铁场上把这些布置合理,使用方便,减轻体力劳动,改善环境,保证出铁出渣等操作的顺利进行是设计时必须考虑的事项。为了减轻劳动强度,采用可更换的主沟和铁沟,开口机换杆、泥炮操作、吊车操作采用遥控,铁水罐车自动称量,渣铁口用电视监视等。设置大容量效果好的炉前集尘设备以改善环境,渣铁沟和流嘴加设保护盖,除出铁开始及终了时以外,渣铁是见不到的,改变了炉前的操作状况。

出铁场一般比风口平台约低 1.5 m。出铁场面积的大小,取决于渣铁沟的布置和炉前操作的需要。出铁场长度与铁沟流嘴数目及布置有关,而高度则要保证任何一个铁沟流嘴下沿不低于 4.8 m,以便机车能够通过。根据炉前工作的特点,出铁场在主铁沟区域应保持平坦,其余部分可做成由中心向两侧和由铁口向端部随渣铁沟走向一致的坡度。

出铁场布置形式有以下几种:1 个出铁口 1 个矩形出铁场、双出铁口 1 个矩形出铁场、3 个或 4 个出铁口两个矩形出铁场和 4 个出铁口圆形出铁场,出铁场的布置随具体条件而异。目前 1000～2000 m^3 高炉多数设 2 个出铁口、2000～3000 m^3 高炉设 2～3 个出铁口,对于 4000 m^3 以上的巨型高炉则设 4 个出铁口,轮流使用,基本上连续出铁。

图 9-1 为宝钢 1 号高炉出铁场的平面布置图。宝钢 1 号高炉是 4063 m^3 巨型高炉,出铁场可以处理干渣、水渣两种炉渣,设有两个对称的出铁场,4 个铁口,每个出铁场上设置两个出铁口。出铁场分为主跨和副跨,主跨跨度 28 m,铁沟及摆动溜嘴布置在主跨;副跨跨度 20 m,渣沟、残铁罐设置在副跨。每个出铁口都有两条专用的鱼雷罐车停放线,并且与出铁场垂直,这样可以缩短铁沟长度,减小铁沟维修工作量,减小铁水温度降。

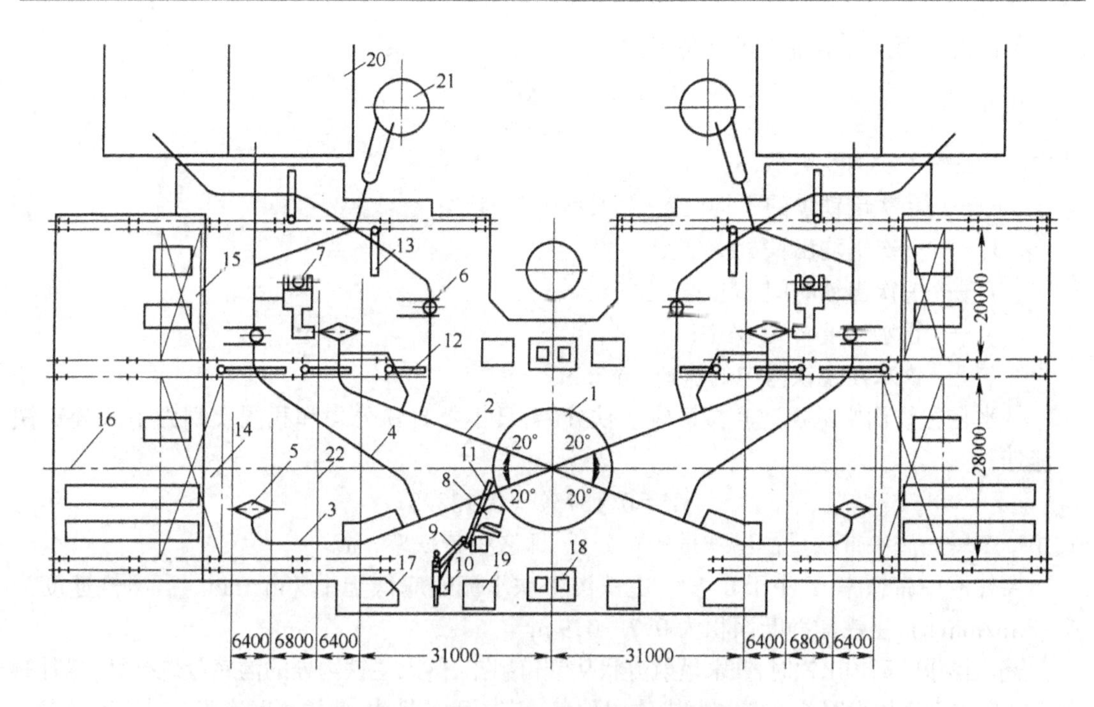

图 9-1 宝钢 1 号高炉出铁场的平面布置

1—高炉;2—活动主铁沟;3—支铁沟;4—渣沟;5—摆动流嘴;6—残铁罐;7—残铁罐倾翻台;
8—泥炮;9—开铁口机;10—换钎机;11—铁口前悬臂吊;12—出铁场间悬臂吊;
13—摆渡悬臂吊;14—主跨吊车;15—副跨吊车;16—主沟、摆动流嘴修补场;
17—泥炮操作室 18—泥炮液压站;19—电磁流量计室;20—干渣坑;
21—水渣粗粒分离槽;22—鱼雷罐车停放线

风口平台和出铁场的结构有两种;一种是实心的,两侧用石块砌筑挡土墙,中间填充卵石和砂子,以渗透表面积水,防止铁水流到潮湿地面上,造成“放炮”现象,这种结构常用于小高炉;另一种是架空的,它是支持在钢筋混凝土柱子上的预制钢筋混凝土板或直接捣制成的钢筋混凝土平台。其下面可做仓库和存放沟泥、炮泥,填充 1.0~1.5 m 厚的砂子。渣铁沟底面与楼板之间,为了绝热和防止渣铁沟下沉,一般要砌耐火砖或红砖基础层,最上面立砌一层红砖或废耐火砖。

9.1.2 主铁沟和撇渣器

9.1.2.1 主铁沟

从高炉出铁口到撇渣器之间的一段铁沟叫主铁沟,其构造是在 80 mm 厚的铸铁槽内,砌一层 115 mm 的黏土砖,上面捣以碳素耐火泥。容积大于 620 m^3 的高炉主铁沟长度为 10~14 m,小高炉为 8~11 m,过短会使渣铁来不及分离。主铁沟的宽度是逐渐扩张的,这样可以减小渣铁流速,有利于渣铁分离,一般铁口附近宽度为 1 m,撇渣器处宽度为 1.4 m 左右。主铁沟的坡度,一般大型高炉为 9%~12%,小型高炉为 8%~10%,坡度过小渣铁流速太慢,延长出铁时间;坡度过大流速太快,降低撇渣器的分离效果。为解决大型高压高炉在剧烈的喷射下,渣铁难分离的问题,主铁沟加长到 15 m,加宽到 1200 mm,深度增大到1200 mm,坡度可以减小到 2%。

主铁沟断面尺寸的确定可参考下式

$$S=\frac{KP}{T\gamma v} \tag{9-1}$$

式中　S——主铁沟断面积，m^2；

K——一次出铁量的不均匀系数，$K\approx0.7\sim1.3$；

P——一次平均出铁量，t/次；

T——一次出铁时间，min；

γ——铁水密度，7.0 t/m^3；

v——铁水在主铁沟中的流速，m/min。

铁水在主铁沟中的流速直接影响渣铁分离，日本新日铁公司和我国宝钢由下式确定铁水流速：

$$Y=0.1375v-0.13375 \tag{9-2}$$

式中　Y——渣中带铁量占出铁量的百分比，即渣中带铁率，%。

要使渣中带铁率 Y 小于 0.1%，主铁沟中铁水流速应低于 1.7 m/min。当出铁速度为 6～8 m/min 时，主铁沟净断面积为 0.7～0.9 m^2。

高压操作的高炉出铁时，铁水呈射流状从铁口射出，落入主铁沟处的沟底最先损坏，修补频繁。为此大型高炉采用贮铁式主铁沟，沟内贮存一定深度的铁水，使铁水射流落入时不直接冲击沟底。此外，贮铁式主铁沟内衬还避免了大幅度急冷急热的温度变化，实践证明，贮铁式主铁沟寿命较干式主铁沟长久。大型高炉主铁沟贮铁深度 450～600 mm，沟顶宽度 1100～1500 mm。

首钢 4 号高炉干式主铁沟与贮铁式主铁沟断面尺寸如图 9-2 所示。

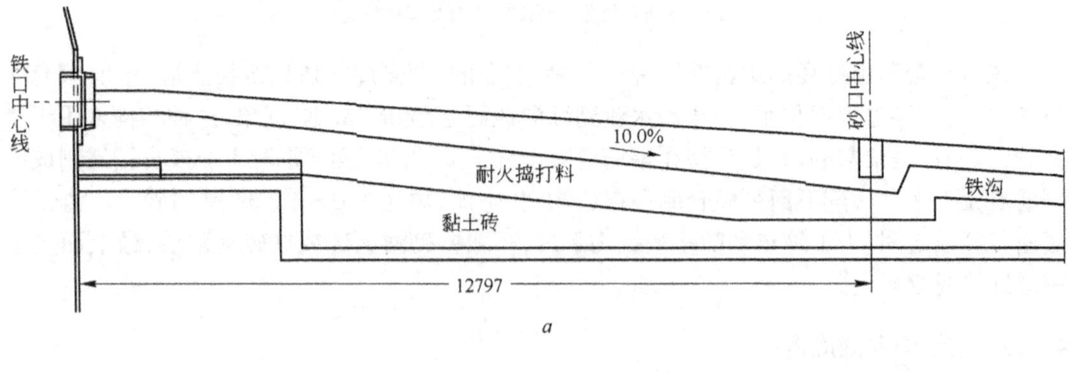

a

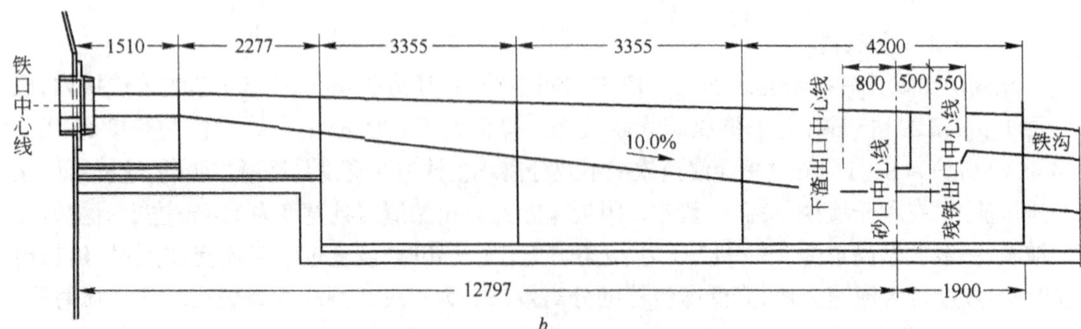

b

图 9-2　主铁沟断面图

a—干式；*b*—贮铁式

9.1.2.2 撇渣器

撇渣器又称渣铁分离器、砂口或小坑，位于主铁沟端部，如图 9-3 所示。其作用是利用渣铁密度不同，用挡渣板把下渣挡住，只让铁水从下面穿过，达到渣铁分离的目的。撇渣器的尺寸与高炉大小、铁水流速有关，鞍钢高炉撇渣器尺寸见表 9-1。近年来对撇渣器进行了不断改进，如用炭捣或炭砖砌筑的撇渣器，寿命可达 1 周至数月。通过适当增大撇渣器内贮存的铁水量，一般在 1 t 以上，上面盖以焦末保温，可以 1 周至数周放一次残铁。

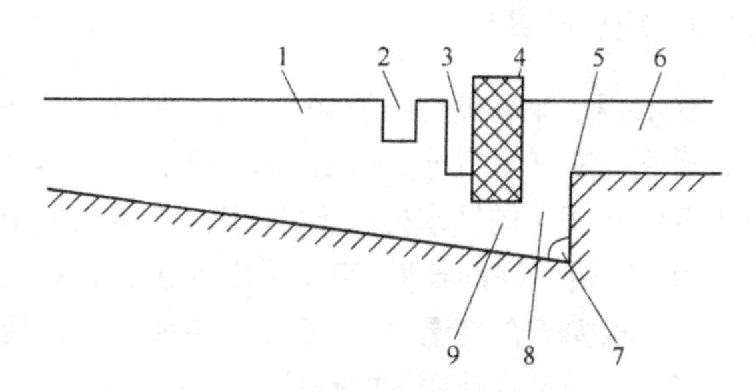

图 9-3 撇渣器示意图

1—主铁沟；2—下渣沟砂坝；3—残铁沟砂坝；4—挡渣板；5—沟头；6—支铁沟；7—残铁孔；8—小井；9—砂口眼

主铁沟和撇渣器的清理与修补工作是在高温下进行的，劳动条件十分恶劣，工作非常艰巨，往往由于修理时间长而影响正点出铁。因此，目前大中型高炉多做成活动主铁沟和活动撇渣器，可以在炉前平台上冷态下修好，定期更换。更换时分别将它们整体吊走，换以新做好的主铁沟和撇渣器。首钢原 4 号高炉活动撇渣器结构见图 9-4。

表 9-1 鞍钢高炉撇渣器尺寸

高炉容积 /m³	通道 宽×高 /mm×mm	小坑高 /mm	小坑下口 长×宽 /mm×mm	小坑上口 长×宽 /mm×mm	第一渣坝底 高于支沟 /mm	第二渣坝底 高于支沟 /mm
600～1050	350×180	500～600	350×350	450×450	50～100	0～50
>1600	400×200	600～700	400×400	500×500	100～200	50

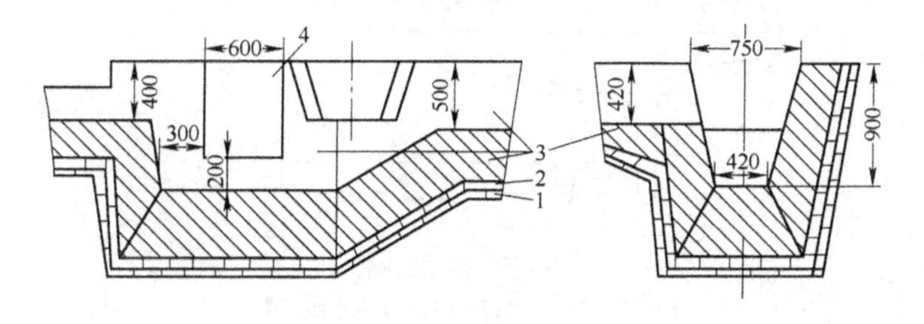

图 9-4 活动撇渣器结构

1—35 mm 厚耐火砖；2—75 mm 厚耐火砖；3—白云石预制块；4—捣制料

9.1.2.3 支铁沟和渣沟

支铁沟是从撇渣器后至铁水摆动流槽或铁水流嘴的铁水沟。大型高炉支铁沟的结构与主铁沟相同，坡度一般为 5%～6%，在流嘴处可达 10%。

渣沟的结构是在 80 mm 厚的铸铁槽内捣一层垫沟料，铺上河砂即可，不必砌砖衬，这是因为渣液遇冷会自动结壳。渣沟的坡度在渣口附近较大，约为 20%～30%，流嘴处为 10%，其他地方为 6%。下渣沟的结构与渣沟结构相同。为了控制渣、铁流入指定流嘴，有渣、铁闸门控制。

9.1.3　摆动流嘴

铁水摆动流嘴设在出铁场尽头,安装在出铁场铁水沟下面,其作用是把经铁沟流出的铁水转换到左右任意方向,注入出铁场平台下的铁水罐车中。和以往把铁水经铁沟、流嘴直接流入各铁水罐车的铁水处理方法相比,摆动流嘴具有下列优点:

(1) 缩短了铁沟长度,简化了出铁场布置;

(2) 减少了在高温、粉尘条件下转换铁水挡板的作业;

(3) 减轻了修补铁沟的作业;

(4) 提高了炉前铁水运输能力,使高炉车间和铁路布置更为简化。

图 9-5 为摆动流嘴的简单结构图。因摆动流嘴的主体是嵌入耳轴式的,并用耳轴传动,所以修理时只要拆下流嘴主体就能在沟槽修理场修理。驱动装置是风动机,在不能供给压缩空气的紧急情况下,可改为电动或手动。在采用摆动流嘴时,需要有两个铁水罐车。

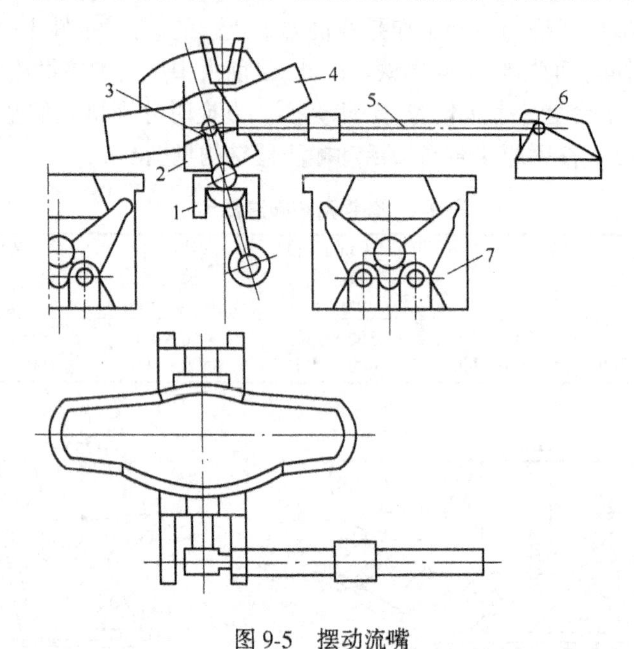

图 9-5　摆动流嘴

1—支架;2—摇台;3—摇臂;4—摆动流嘴;
5—曲柄-连杆传动装置;6—驱动装置;7—铁水罐车

9.1.4　铁沟材质及浇注工艺

铁沟的材质主要有炭素捣打料和浇注料。由于后者寿命长,有利于减轻劳动强度和降低成本,其使用的范围正逐步扩大。以首钢为例:现在高炉主铁沟、支铁沟、撇渣器、摆动流嘴所用沟料是同样的浇注料,其主铁沟的过铁量达到 10 万 t 以上,其成分主要由刚玉、碳化硅、焦粉、矾土水泥、硅粉和添加剂组成。

根据高炉的生产要求,铁沟的浇注有冷浇与热浇之分。有三个铁口的高炉因施工时间较长,可采取冷浇方式,有两个铁口的高炉因施工时间短,只能进行热浇,相比之下,热浇时的劳动强度大于冷浇方式。它们的施工工艺是一样的:(1)浇注前必须将旧料铲除,积渣积铁起净,清理干净不能有渣土;(2)模具定位牢固;(3)混炼浇注料,先干混 2 min,加水后混炼 6 min,水量 6%~7%;(4)对称布料,按一个方向振捣,时间以表面翻浆为宜,拔出振捣棒要慢,防止产生空间;(5)浇注料批间隔不大于 30 min;(6)浇注料完全凝固后拔模;(7)检查合格后盖盖;(8)按养生曲线加火烤干(热浇无养生曲线,直接烘烤)。

有一个铁口的高炉,由于施工时间更短,只能使用炭素捣打料,为了减少烘烤时间,在料中加入了树脂以替代加水。其主要成分是焦粉、黏土、树脂等。

9.2 炉前主要设备

炉前设备主要有开铁口机、堵铁口泥炮、堵渣机、换风口机、炉前吊车等。

9.2.1 开铁口机

开铁口机就是高炉出铁时打开出铁口的设备,按其传动方式可分为电动、气动、液压和气液复合传动 4 种,按其动作原理分为钻孔式和冲钻式两种。中小高炉使用的是电动钻孔式开口机,大中型高炉采用全气动、全液压、气液复合传动冲钻式开口机。为了保证炉前操作人员的安全,现代高炉打开铁口的操作都是机械化、远距离进行的。

开铁口机必须满足以下要求:开铁口时不得破坏泥套和覆盖在铁口区域炉缸内壁上的泥包;能远距离操作,工作安全可靠;外形尺寸应尽可能小,并当打开出铁口后能很快撤离出铁口;开出的出铁口应为具有一定倾斜角度、满足出铁要求的直线孔道。

9.2.1.1 钻孔式开铁口机

钻孔式开铁口机结构如图 9-6 所示,它由吊挂开口机的走行梁、旋转机构和送进机构等三部分组成。旋转机构如图 9-7 所示。钻孔式开铁口机的特点是结构简单,制造安装方便,因而被中小高炉广泛采用。其主要缺点是钻杆在电动机驱动下只做旋转运动,而不能做冲击运动,当钻头快要钻到终点时,需要退出钻杆,用人工捅开铁口,这样不安全并且也容易烧坏钻头。这种开铁口机在钻开铁口过程中,由于是无吹风钻孔,钻屑不能自动排除,需要退出钻杆后再用压缩空气吹出,降低了工作效率。为了克服上述缺点,目前已将这种开铁口机改为带吹风结构的钻孔式开铁口机。带吹风结构的钻孔式开铁口机,钻杆、钻头是空心的,从中心部分鼓入压缩空气,这样能及时吹出钻屑,使钻孔作业顺利进行,并且钻头在钻进过程中得以冷却,还可根据钻屑颜色来判断钻进深度,防止钻透铁口。带吹风结构的钻孔式开铁口机工作效率高,安全可靠,结构紧凑,因此得到广泛应用。

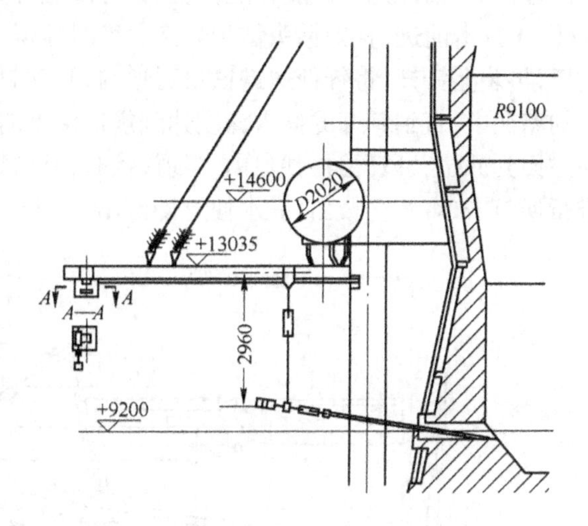

图 9-6 钻孔式开铁口机

电动钻孔式开铁口机悬挂在简易钢梁上,一般靠人工对位,钻机的进退靠电动卷扬机通

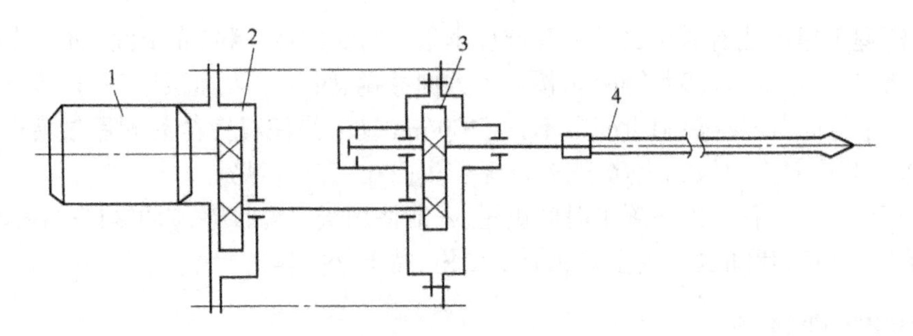

图 9-7　开铁口机旋转机构示意图

1—电动机;2、3—齿轮减速机;4—钻杆

过钢绳牵引。钻出的铁口孔道是一条弓形的倾斜孔道,电动开口机悬挂电缆容易被烧坏,整体结构的强度和刚度均较差,不能适应无水高强度炮泥。

9.2.1.2　冲钻式开铁口机

冲钻式开铁口机用压缩空气作为动力,其钻头以冲击运动为主,同时通过旋转机构使钻头产生旋转运动,即钻头既可以进行冲击运动,又可以进行旋转运动。

图 9-8 是宝钢 1 号高炉全气动冲钻式开铁口机,由钻机机构、导轨和送进机构、升降装置、安全钩装置、旋转机构、转臂机构等 6 部分组成,其主要技术性能见表 9-2。开铁口时,先安装好带钻头的钻杆。通过转臂机构、升降装置和送进机构,使开口机构处于工作位置。开铁口过程中,钻杆先只做旋转运动,当钻杆以旋转方式钻到一定深度时,开动正打击机,钻头旋转,正打击前进,直到钻头钻到规定深度时才退出钻杆,并利用开口机上的换钎装置卸下钻杆,再装上钎杆,将钎杆送进铁口通道内,开动打击机,进行正打击,钎杆被打入到铁口前端的堵泥中,直到钎杆的插入深度达到规定深度时停止打击,并松开钎杆连接机构,开口机便退回到原位,钎杆留在铁口内。到放铁时,开口机开到工作位置,钳住插在铁口中的钎杆,进行逆打击,将钎杆拔出,铁水便立即流出。

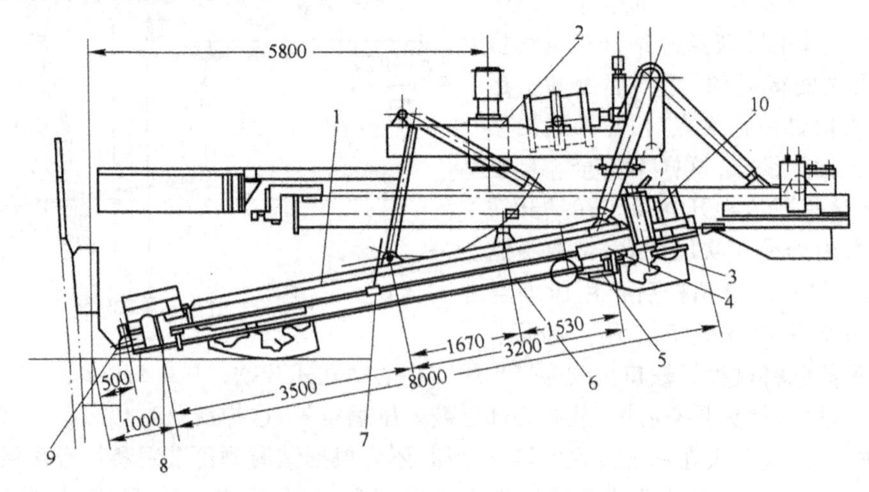

图 9-8　宝钢用全气动冲钻式开铁口机

1—导轨;2—升降装置;3—旋转正打击机;4—滑台;5—反打击机;6—钎杆;

7—钎杆吊挂装置;8—对中装置;9—挂钩;10—送进机构

表 9-2 宝钢全气动开口机的技术性能

钻杆行程/mm	5500	逆冲打频率/Hz	27.5
开口深度/mm	4000	转臂旋转角度/(°)	145～155
钻头直径/mm	40～58	转臂旋转时间/s	35～55
钢钎直径/mm	40～60	轨梁提升时间/s	10～15
钻杆转速/r·min^{-1}	1500(max)	压缩空气工作压力/MPa	0.5～0.7
正冲打频率/MHz	25.8		

冲钻式开口机的特点是:具有钻、冲、吹扫功能;钻出的铁口通道接近于直线,可减少泥炮的推泥阻力,开铁口速度快,时间短,适用于无水炮泥;自动化程度高,大型高炉多采用这种开铁口机。

9.2.2 堵铁口泥炮

高炉出铁后,必须用耐火材料(炮泥)将铁口迅速堵住,堵铁口的专用设备称为泥炮。对泥炮的要求是:泥炮工作缸应具备足够的容量,能供给需要的堵铁口泥量,有效地堵塞出铁口通道和修补炉缸前墙,使前墙厚度达到所要求的出铁口深度;活塞应有足够的推力,不仅要克服全风条件下炉缸内压力,而且要克服较密实的堵铁口泥的最大运动阻力,将堵铁口泥分布在炉缸内壁上;工作可靠,能适应高炉炉前高温、多粉尘、多烟气的恶劣环境;结构紧凑,高度矮小;维修方便。

按驱动方式可将泥炮分为汽动泥炮、电动泥炮和液压泥炮 3 种。汽动泥炮采用蒸汽驱动,由于泥缸容积小,活塞推力不足,已被淘汰。随着高炉容积的大型化和无水炮泥的使用,要求泥炮的推力越来越大,电动泥炮已难以满足现代大型高炉的要求,只能用于中、小型常压高炉。现代大型高炉多采用液压矮泥炮。

9.2.2.1 电动泥炮

电动泥炮主要由打泥机构、压紧机构、锁炮机构和转炮机构组成。

电动泥炮打泥机构的主要作用是将炮筒中的炮泥按适宜的吐泥速度打入铁口,其结构如图 9-9 所示。当电动机旋转时,通过齿轮减速器带动螺杆回转,螺杆推动螺母和固定在螺母上的活塞前进,将炮筒中的炮泥通过炮嘴打入铁口。

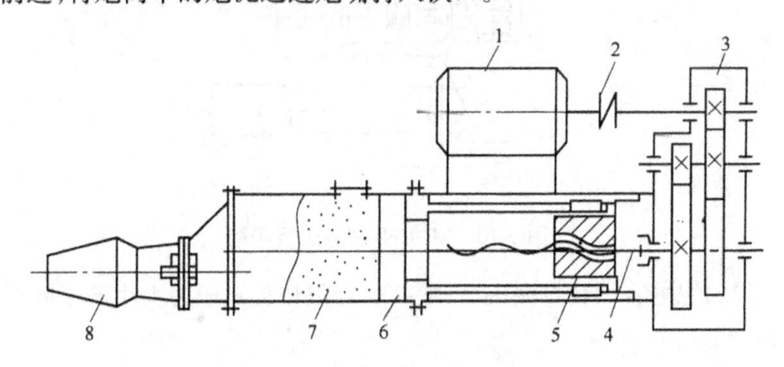

图 9-9 电动泥炮打泥机构

1—电动机;2—联轴器;3—齿轮减速器;4—螺杆;5—螺母;6—活塞;7—炮泥;8—炮嘴

压紧机构的作用是将炮嘴按一定角度封住铁口,并在堵铁口时把泥炮压紧在泥套上。

转炮机构要保证在堵铁口时能够回转到对准铁口的位置,并且在堵完铁口后退回原处,一般可以回转180°。

电动泥炮显然基本上能满足生产要求,但也存在着不少问题。主要是:活塞推力不足,受到传动机构的限制,如果再提高打泥压力,会使炮身装置过于庞大;螺杆与螺母磨损快,维修工作量大;调速不方便,容易出现炮嘴冲击铁口泥套的现象,不利于泥套的维护。液压泥炮克服了上述电动泥炮的缺点。

9.2.2.2　液压泥炮

从20世纪60年代开始,国外逐渐普遍采用矮式液压泥炮。所谓矮式液压泥炮是指泥炮在堵口位置时,均处于风口平台以下,不影响风口平台的完整性。液压泥炮由液压驱动。转炮用液压马达,压炮和打泥用液压缸。液压泥炮具有如下优点:

(1) 推力大,打泥致密,能适应高炉高压操作;

(2) 压紧机构具有稳定的压紧力,使炮嘴与泥套始终压得很紧,不易漏泥;

(3) 体积小,结构紧凑,传动平稳,工作稳定。

但是,液压泥炮对液压元件和液压油要求精度高,必须精心操作和维护,以避免液压油泄漏。

宝钢1号高炉采用的是MHG60型液压矮泥炮,打泥能力6000 kN,工作油压35 MPa,可手动、自动、无线电遥控操作,如图9-10所示。生产实践证明,这种泥炮工作可靠,故障很少,适合于大型高炉。

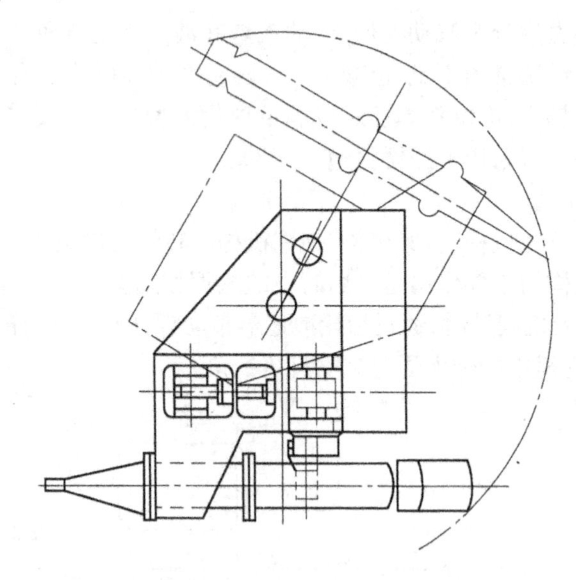

图9-10　MHG60型液压矮泥炮

堵铁口泥炮的泥缸容积和打泥压力,随高炉容积和炉缸压力大小的不同而不同,其主要参数见表9-3。

表9-3　泥炮主要参数

高炉容积/m^3	250	620	1000～1500	2000～2500	4000
高炉风机风压/MPa	0.17	0.25	0.35	0.40	0.45

续表 9-3

泥缸有效容积/m^3	0.1	0.15	0.2	0.25	0.25
泥缸活塞压力/MPa	5.0	7.5	10.0	12.0	16.7
吐泥速度/$m \cdot s^{-1}$	0.2	0.32	0.35	0.2	0.27

9.2.2.3 炮泥的成分及要求

炮泥的性能对于铁口的维护有着非常重要的作用,为维护好铁口,根据铁口的工作条件,炮泥应具备良好的性能。在首钢的条件下,对炮泥的性能要求是:(1)耐火度高;(2)干燥后具有一定的强度和耐磨性;(3)抗渣性能好;(4)在常温下具有一定的可塑性;(5)具有迅速的干燥能力;(6)受热干燥收缩性小,以保证铁口孔道不能形成大的裂纹。

炮泥成分主要是:焦粉、沥青、黏土、绢云母、碳化硅、刚玉等。

各种成分的作用是:

黏土:黏土具有较好的可塑性和黏结性,有较高的耐火度,干燥后具有一定的强度和耐磨性。但是其干燥后收缩大并致密,易产生裂纹,炮泥中的水分不易迅速蒸发。因此炮泥中黏土的配比应适当。

焦粉:焦粉具有较高的抗渣性和耐火度,透气性良好。焦粉能促进炮泥迅速干燥,但其可塑性差。

沥青:高炉炮泥使用的沥青是高温沥青,在炮泥中起黏结作用,也可增加炮泥的可塑性。

刚玉和碳化硅:刚玉和碳化硅是两种高级耐火材料,具有软化温度高(1870℃)、质地密实、高温强度好、耐磨性高、抗渣性能强等优点。

绢云母:绢云母具有中、低温强度好,干燥迅速,烧结性能好等特点,有利于提高铁口孔道的强度,稳定铁水流速。

高炉炮泥一般分为有水炮泥和无水炮泥,有水炮泥是以水为胶结剂,无水炮泥是以油或树脂为胶结剂。

有水炮泥的主要成分为:焦粉、沥青、黏土、绢云母、刚玉、碳化硅、水。有水炮泥的强度比较低,这是由于有水炮泥中的水分遇热蒸发,使得干燥的泥中有许多空隙和裂缝,因此,有水炮泥主要适用于常压高炉或顶压不太大的高炉,它具有开口方便、好保护、易制作等特点,但抗冲刷性能不好。

无水炮泥的主要成分为:焦粉、沥青、黏土、刚玉、绢云母、碳化硅、蒽油(为了加快炮泥的干燥,有的加树脂代替蒽油)。无水炮泥适用于大中型高炉或顶压较高的高炉,这是由于蒽油或树脂中有机挥发物在受热挥发后,剩下的炭形成网状结构,因而,它耐火度高,结合强度大,抗冲刷、抗渣铁性能好,干燥迅速并且收缩性小,不断裂,但开口比较困难,对开口机能力要求比较严格。

9.2.3 堵渣口机

堵渣口机是用来堵塞渣口的设备。对堵渣口机的要求是:工作可靠,能远距离操作;塞头进入渣口的轨迹应近似于一条直线;结构简单、紧凑;能实现自动放渣。

堵渣口机常用铰接的平行四连杆机,如图 9-11 所示。堵渣口机的塞杆和塞头均为空心的,其内通水冷却,塞头堵入渣口,在冷却水的作用下熔渣凝固,起封堵作用。放渣时,堵渣口机塞头离开渣口后,人工用钢钎捅开渣壳,熔液就会流出。这样操作很不方便,且不安全,因此,这种水冷式的堵渣口机已逐渐淘汰,由吹风式的堵渣口机所代替。

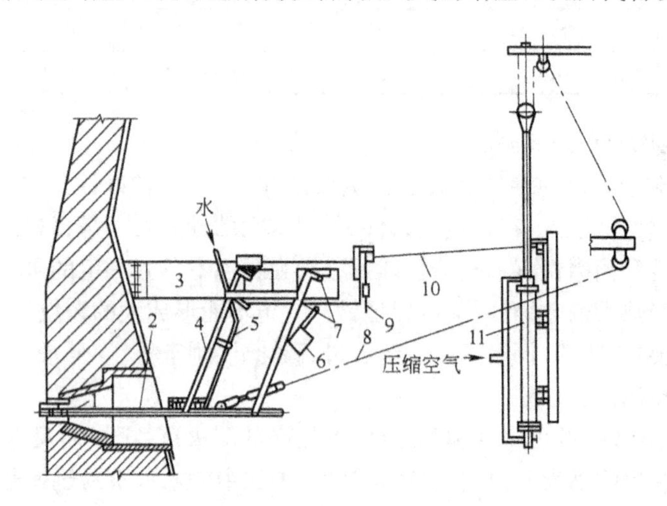

图 9-11　四连杆式堵渣口机

1—塞头;2—塞杆;3—框架;4—平行四连杆;5—塞头冷却水管;6—平衡重锤;
7—固定轴;8—钢绳;9—钩子;10—操纵钩子的钢绳;11—气缸

吹风式堵渣口机,其构造与水冷式堵渣口机相同,只是塞杆变成一个空腔的吹管,在塞头上也钻了孔,中心有一个孔道。堵渣时,高压空气通过孔道吹入高炉炉缸内,由于塞头中心孔在连续不断地吹入压缩空气,这样,渣口就不会结壳。放渣时拔出塞头,熔渣就会自动放出,无需再用人工捅穿渣口,放渣操作方便。塞头内通压缩空气不仅起冷却塞头的作用,而且压缩空气吹入炉内,还能消除渣口周围的死区,延长渣口寿命。

9.2.4　炉前吊车

为了减轻炉前劳动强度,250 m^3 以上的高炉均应设置炉前吊车。炉前吊车主要用于吊运炉前的各种材料,清理渣铁沟,更换主铁沟、撇渣器和检修炉前设备等。炉前吊车一般为桥式吊车,其走行轨道设置在出铁场厂房两侧支柱上。炉前桥式吊车的结构由大车走行机构、小车走行机构、卷扬起重机和辅助卷扬机组成。小型高炉应设置单轨吊车。我国部分高炉炉前吊车性能见表 9-4。

表 9-4　炉前吊车主要性能参数

高炉容积/m^3	620	1000	1500	2000	2500
吊车吨位/t	10	15/3	20/5	20/5	20/5
吊车跨距/m	19.5	22.5	25.5	25.5	25.5
工作范围	跨铁线	跨铁线	跨渣线、跨铁线	跨渣线、跨铁线	跨渣线、跨铁线

吊车的主要设计参数有吨位、跨距和起升高度。

吊车吨位的确定,要根据炉前最重设备来考虑。吊车跨距有 3 种形式:同时跨渣线与铁线;只跨其中一线;只能在出铁场内运行。一般大型高炉应该考虑跨渣线、铁线。吊车司机室应布置在铁线侧,便于操作。吊车起吊高度应满足最高起升能力。

9.3 铁水处理设备

高炉生产的铁水主要是供给炼钢,同时还要考虑炼钢设备检修等暂时性生产能力配合不上时,将部分铁水铸成铁块;生产的铸造生铁一般要铸成铁块,因此铁水处理设备包括运送铁水的铁水罐车和铸铁机两种。

9.3.1 铁水罐车

铁水罐车是用普通机车牵引的特殊的铁路车辆,由车架和铁水罐组成,铁水罐通过本身的两对枢轴支撑在车架上。另外还设有被吊车吊起的枢轴,供铸铁时翻罐用的双耳和小轴。铁水罐由钢板焊成,罐内砌有耐火砖衬,并在砖衬与罐壳之间填以石棉绝热板。

铁水罐车可以分为两种类型:上部敞开式和混铁炉式,如图 9-12 所示。图 9-12*a* 为上部敞开式铁水罐车,这种铁水罐散热量大,但修理铁水罐比较容易。图 9-12*b* 为混铁炉式铁水罐车,又称鱼雷罐车,它的上部开口小,散热量也小,有的上部可以加盖,但修理罐较困难。由于混铁炉式铁水罐车容量较大,可达到 200~600 t,因此大型高炉上多使用混铁炉式铁水罐车。

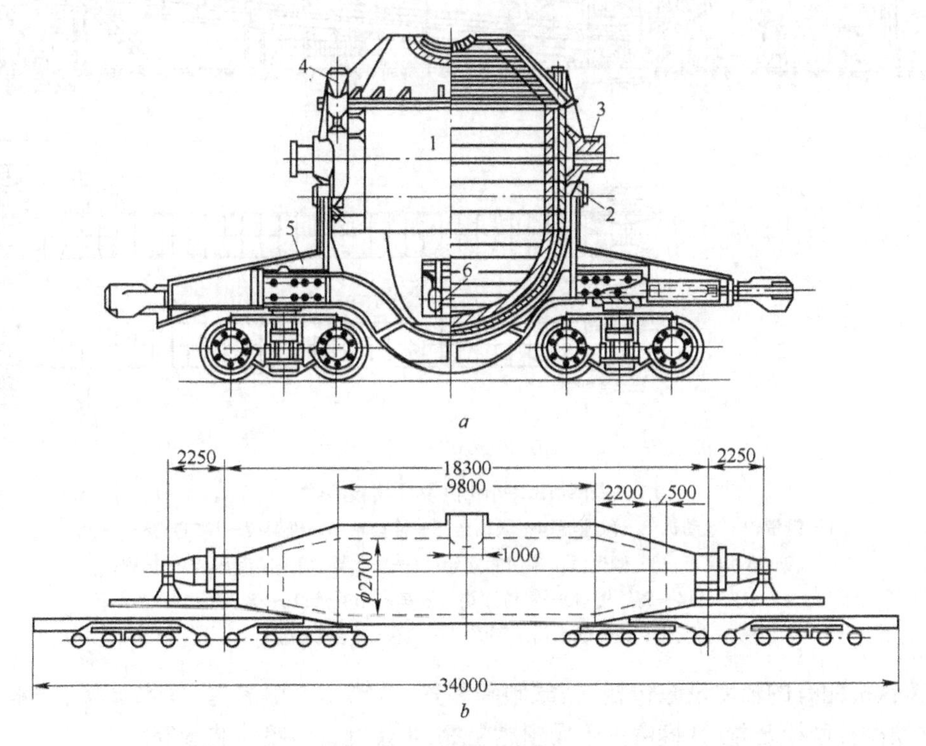

图 9-12 铁水罐车

a—上部敞开式铁水罐车;*b*—420 t 混铁炉式铁水罐车

1—锥形铁水罐;2—枢轴;3—耳轴;4—支承凸爪;5—底盘;6—小轴

9.3.2 铸铁机

铸铁机是把铁水连续铸成铁块的机械化设备。

铸铁机是一台倾斜向上的装有许多铁模和链板的循环链带，如图 9-13 所示，它环绕着高低两端两只星形大齿轮运转。位于高端的星形大齿轮为传动轮，由电动机带动，低端的星形大齿轮为导向轮，其轴承位置可以移动，以便调节链带的松紧度。按滚轮固定的形式，铸铁机可分为两类：一类是滚轮安装在链带两侧，链带运行时，滚轮沿着固定轨道前进，称为滚轮移动式铸铁机；另一类是把滚轮安装在链带下面的固定支座上，支承链带，称为固定滚轮式铸铁机。二者相比，滚轮固定式滚轮轴是固定的，每个环节上有两个铁模，故长度长些，接点大为减小，容易润滑，运行平稳，铁水喷溅少，备件消耗少，但制造维修复杂，需要滚珠轴承等配套件，链板为铸钢件，一次性投资大，运行中链带掉道后不易处理，所以，一般用于大型炼铁厂。滚轮移动式正好相反，容易制造，但运行状况不好，国内多用于中小型炼铁厂。

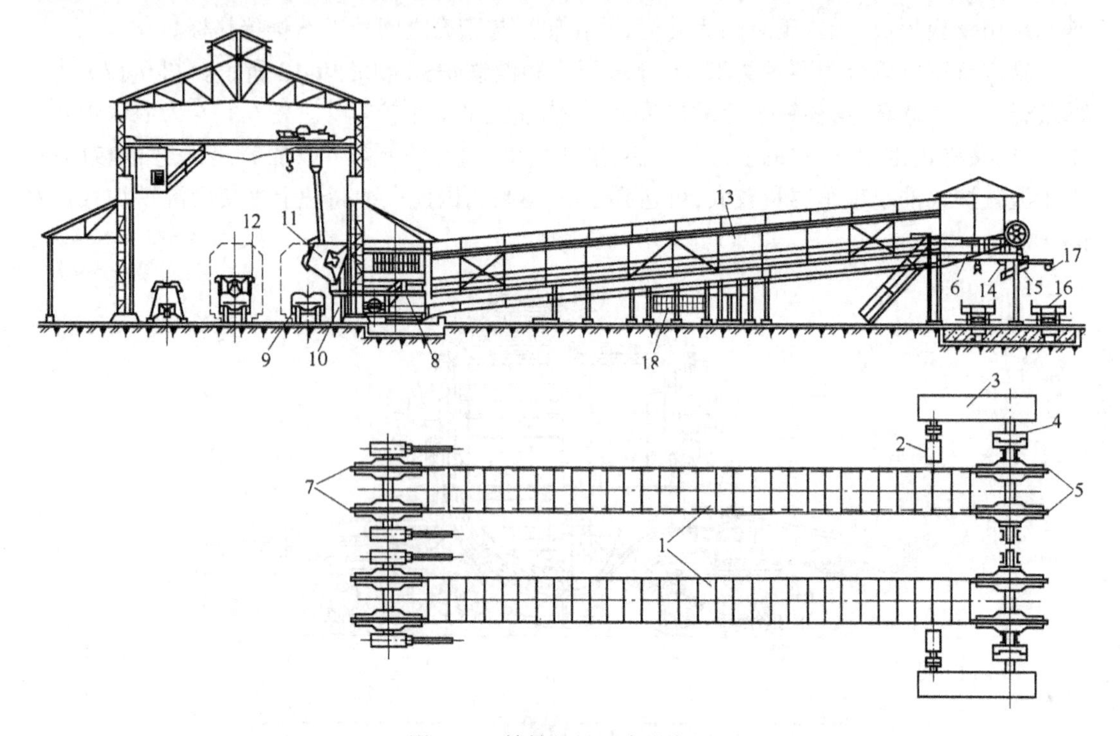

图 9-13　铸铁机及厂房设备图

1—链带；2—电动机；3—减速器；4—联轴器；5—传动轮；6—机架；7—导向轮；8—铸台；
9—铁水罐车；10—倾倒铁水罐用的支架；11—铁水罐；12—倾倒耳；13—长廊；
14—铸铁槽；15—将铸铁块装入车皮用的槽；16—车皮；
17—喷水用的喷嘴；18—喷石灰浆的小室

铸铁机配有的辅助设施包括：铁罐倾翻装置、铁罐车牵引装置、铁水流槽、铁水冷却装置、铁块敲打脱模装置、铁模清扫干燥预热装置、灰浆制备与喷涂装置等。

铸铁时，为了减少铁水飞溅损失，设置前方支柱，它在倾翻铁水罐时用来做铁水罐凸爪的支承点，并使铁水罐的浇注口靠近流铁槽。流铁槽的出口和铁水模之间的距离不应超过 50 mm，流铁槽应将铁水注入铸铁模的整个表面上，这样铸铁模的磨损比较均匀。

装满铁水的铁模在向上运行一段距离后，一般为全长的 1/3，铁水表面冷凝，开始喷水冷却。冷却水吨铁耗量为 1～1.5 t。当链带绕过上端的星形大齿轮时，已经完全凝固的铁块便脱离铁模，沿着铁槽滑落到列车皮上。当链带从铸铁机下面返回时，途中向铁模内喷一层 1～2 mm 厚的石灰与煤泥的混合泥浆，以防止铁块与铁模粘结。

铸铁机的生产能力，取决于链带的速度和倾翻卷扬速度及设备作业率等因素，链带速度一般为 5～15 m/min。过慢会降低生产能力，过快则冷却时间不够，易造成“淌稀”或“中空”现象，使铁损增加，铁块质量变差，同时也加速铸铁机设备零件的磨损。链带速度还应与链带长度综合考虑，链带长度短时不利于冷却，太长会使设备庞大，在铁模的预热等措施跟不上时，模子温度不够，喷浆效果就差，容易粘模。铸铁块一般为 25～35 kg，有的把铸铁机铁模改造成小铁模，铁块重 5 kg 左右，对化铁炉有利。

9.4　炉渣处理设备

高炉炉渣可以作为水泥原料、隔热材料以及其他建筑材料等。高炉渣处理方法有炉渣水淬、放干渣及冲渣棉。目前，国内高炉普遍采用水冲渣处理方法，特殊情况的采用干渣生产，在炉前直接进行冲渣棉的高炉很少。

9.4.1　水淬渣生产

水淬渣按过滤方式的不同可分为以下几种方式：

(1) 过滤池过滤。有代表性的有 OCP 法和我国大部分高炉都采用的改进型 OCP 法，即沉渣池法或沉渣池加底过滤池法。

(2) 脱水槽脱水。有代表性的是 RASA 法、永田法。

(3) 机械脱水。有代表性的是螺旋法、INBA 法、图拉法。

9.4.1.1　底滤法水淬渣(OCP)

底滤法水淬渣是在高炉熔渣沟端部的冲渣点处，用具有一定压力和流量的水将熔渣冲击而水淬。水淬后的炉渣通过冲渣沟随水流入过滤池，沉淀、过滤后的水淬渣，用电动抓斗机从过滤池中取出，作为成品水渣外运。沉渣池——底滤法处理高炉熔渣的工艺流程如图 9-14 所示。

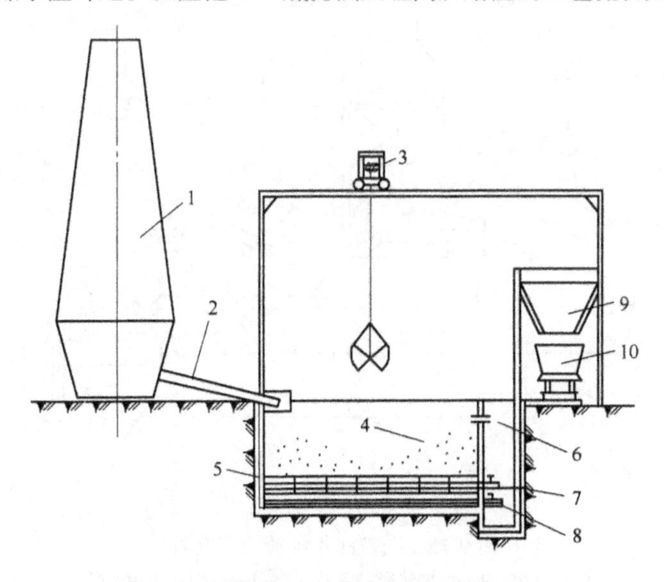

图 9-14　底滤法处理高炉熔渣的工艺流程

1—高炉；2—熔渣沟和水冲渣槽；3—抓斗起重机；4—水渣堆；5—保护钢轨；6—溢流水口；7—冲洗空气进口；8—排出水口；9—贮渣仓；10—运渣车

冲渣点处喷水嘴的安装位置应与熔渣沟和冲渣沟位置相适应，要求熔渣沟、喷水嘴和冲渣沟三者的中心线在一条垂直线上，喷水嘴的倾斜角度应与冲渣沟坡度一致，补充水的喷嘴设置在主喷水嘴的上方，主喷水嘴喷出的水流呈带状，水带宽度大于熔渣流股的宽度。喷水嘴一般用钢管制成，出水口为扁状或锥状，以增加喷出水的速度。

冲渣沟一般采用U形断面，在靠近喷嘴10～15 m段最好采用钢结构或铸铁结构槽，其余部分可以采用钢筋混凝土结构或砖石结构。冲渣沟的坡度一般不小于3.5%，进入渣池前5～10 m段，坡度应减小到1%～2%，以降低水渣流速，有利于水渣沉淀。

冲渣点处的水量和水压必须满足熔渣粒化和运输的要求。水压过低，水量过小，熔渣无法粒化而形成大块，冲不动，堆积起来难以排除。更为严重的是熔渣不能迅速冷却，内部产生蒸汽，容易造成“打炮”事故。冲渣水压一般应大于0.2～0.4 MPa，渣、水重量比为1∶8～1∶10，冲渣沟的渣水充满度为30%左右。

水温对冲渣也有影响，水温高容易产生渣棉和泡沫渣。为防止爆炸，要求上、下渣不能大量带铁。

高炉车间有两座以上的高炉时，一般采取两座高炉共用一个冲渣系统。冲渣沟布置于高炉的一侧，并尽可能缩短渣沟，增大坡度，减少拐弯。

9.4.1.2　图拉法水淬渣

图拉法水淬渣工艺的原理是用高速旋转的机械粒化轮配合低转速脱水转鼓处理熔渣，工艺设备简单，耗水量小，渣水比为1∶1，运行费用低，可以处理铁含量小于40%的熔渣，不需要设干渣坑，占地面积小。唐钢2560 m^3高炉、济钢1750 m^3高炉炉渣处理系统采用了该工艺。

图拉法水淬渣的工艺流程如图9-15所示。高炉出铁时，熔渣经渣沟流到粒化器中，被

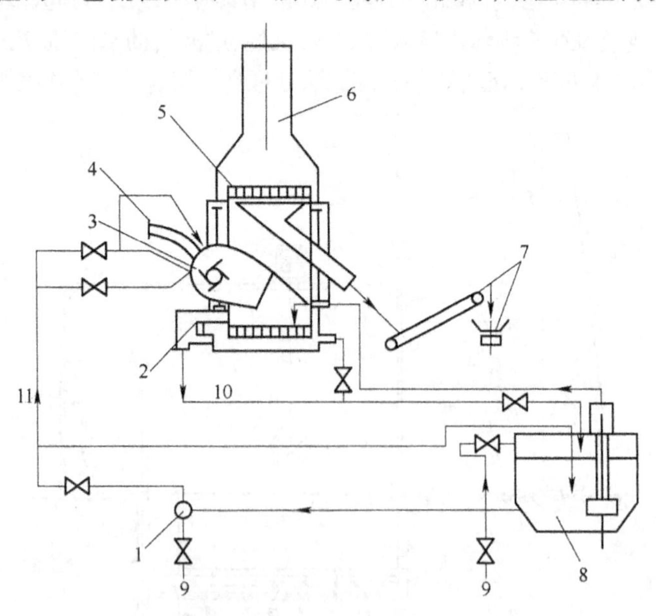

图9-15　图拉法水淬渣工艺流程

1—粒化泵；2—溢流装置；3—粒化器；4—渣沟；5—脱水器；
6—烟囱；7—皮带运输机；8—循环水罐；9—新水；
10—循环水；11—用于粒化的水

高速旋转的水冷粒化轮击碎,同时,从四周向碎渣喷水,经急冷后渣粒和水沿护罩流入脱水器中,被装有筛板的脱水转筒过滤并提升,转到最高点落入漏斗,滑入皮带机上被运走。滤出的水在脱水器外壳下部,经溢流装置流入循环水罐中,补充新水后,由粒化泵(主循环泵)抽出进入下次循环。循环水罐中的沉渣由气力提升机提升至脱水器再次过滤,渣粒化过程中产生的大量蒸汽经烟囱排入大气。在生产中,可随时自动或手动调整粒化轮、脱水转筒和溢流装置的工作状态来控制成品渣的质量和温度。成品渣的温度为95℃左右,利用此余热可以蒸发成品渣中的水分,生产实践证明可以将水分降到10%以下。

9.4.1.3 INBA法

INBA法是由卢森堡PW公司开发的一种炉渣处理工艺,其工艺流程如图9-16所示。从渣沟流出的熔渣经冲渣箱进行粒化,粒渣和水经水渣沟流入渣槽,蒸汽由烟囱排出,水渣自然流入设在过滤滚筒下面的分配器内。分配器沿整个滚筒长度方向布置,能均匀地把水渣分配到过滤滚筒内。水渣随滚筒旋转由搅动叶片带到上方时,脱水后的粒渣滑落在伸进滚筒上部的排料胶带机上,然后由输送胶带机运至粒渣槽或堆场。滤出的水,经集水斗、热水池、热水泵站送至冷却塔冷却后进入冷却水池,冷却后的冲渣水经粒化泵站送往水渣冲制箱循环使用。

设置在过滤筒外面的滤网孔径较小,使较细的粒渣附着在滤网上也起过滤作用。为了清扫搅动叶片上积存的粒渣,防止滤网堵塞,在过滤滚筒外侧的不同位置,设置了压缩空气吹扫点和清洗水喷洗点。脱水部分结构见图9-17。

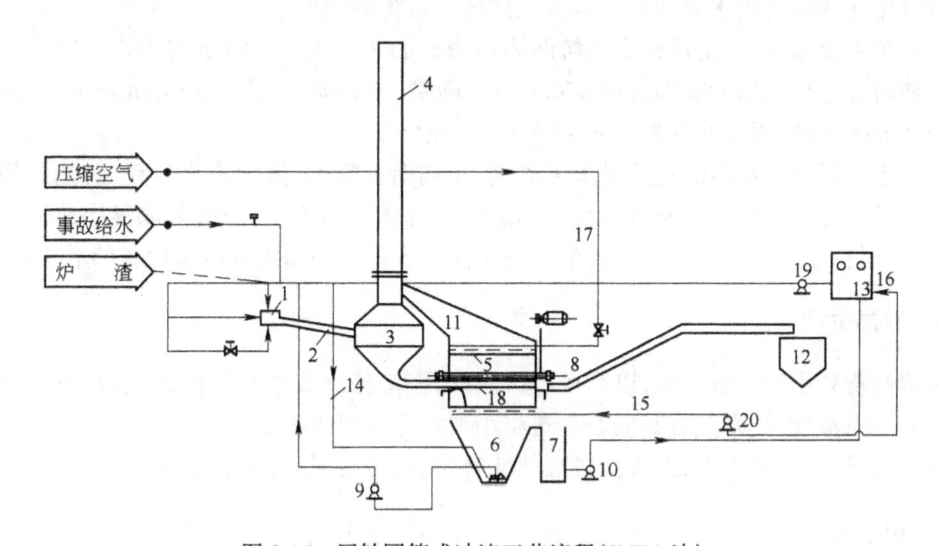

图9-16 回转圆筒式冲渣工艺流程(INBA法)

1—冲渣箱;2—水渣沟;3—水渣槽;4—烟囱;5—滚筒过滤;6—集水斗;7—热水池;8—排料胶带机;9—底流泵;10—热水泵;11—盖;12—成品槽;13—冷却塔;14—搅拌水;15—洗净水;16—补给水;17—洗净空气;18—分配器;19—粒化泵;20—清洗泵

INBA法的优点是可以连续滤水,环境好,占地少,工艺布置灵活,吨渣电耗低,循环水中悬浮物含量少,泵、阀门和管道的寿命长。

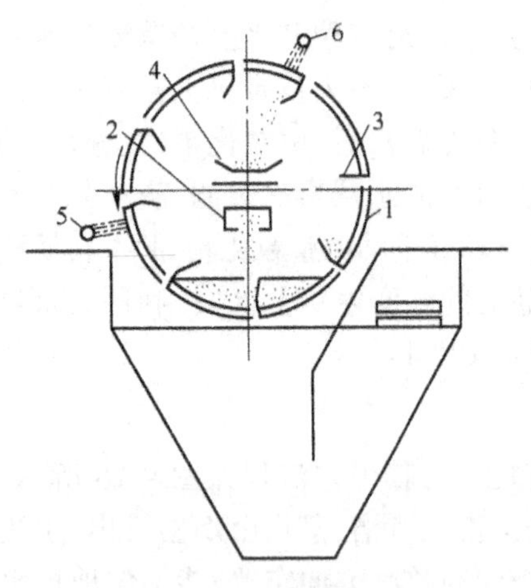

图 9-17 INBA 法脱水部分结构
1—过滤滚筒；2—分配器；3—搅动叶片；
4—排料皮带；5—清洗水；6—压缩空气

INBA 法在我国许多高炉上使用。武钢 3200 m^3 高炉采用两台 PW 型 INBA 炉渣粒化设备。脱水过滤滚筒直径 5 m，长 6 m，转速 0.3～1.2 r/min，最大处理能力为 8 t/min，最大耗水量 500 m^3/h，水压 0.3 MPa，耗压缩空气 800 m^3/h，压力 0.8 MPa，最大作业率 97%，处理后水渣含水率 15%～20%，冲渣水闭路循环使用。

9.4.2 干渣生产

干渣坑作为炉渣处理的备用手段，用于处理开炉初期炉渣、炉况失常时渣中带铁的炉渣以及在水冲渣系统事故检修时的炉渣。

干渣坑的三面均设有钢筋混凝土挡墙，另一面为清理用挖掘机的进出端。为防止喷水冷却时坑内的水蒸气进入出铁场厂房内，靠出铁场的挡墙应尽可能高些。为使冷却水易于渗透，坑底为 120 mm厚的钢筋混凝土板，板上铺 1200～1500 mm 厚的卵石层。考虑到冷却水的排集，干渣坑的坑底纵向做成 1∶50 的坡度，横向从中间向两侧为 1∶30 的坡度。底板上横向铺设三排 ϕ300 mm 的钢筋混凝土排水管，排水管朝上的 240°范围内设有冷却水渗入孔，冷却水经排水管及坑底两侧的集水井和排水沟流入循环水系统的回水池。

干渣采用喷水冷却，由设在干渣坑两侧挡墙上的喷水头向干渣坑内喷水。宝钢 1 号高炉的干渣坑在进出铁场的头部采用 ϕ32 mm 的喷嘴，中间部分采用 ϕ25 mm 喷嘴，尾部采用双层 ϕ25 mm 喷嘴，喷嘴间距为 2 m，耗水量为3 m^3/t。

干渣生产时将高炉熔渣直接排入干渣坑，在渣面上喷水，使炉渣充分粒化，然后用挖掘机将干渣挖掘运走。为使渣能迅速粒化和渣中的气体顺利排出，一般采取薄层放渣和多层放渣，要及时打水冷却。干渣坑的容量取决于高炉容积大小和挖掘机械设备的形式。

9.4.3 渣棉生产

在渣流嘴处引出一股渣液，以高压蒸汽喷吹，将渣液吹成微小飞散的颗粒，每一个小颗粒都牵有一条渣丝，用网笼将其捕获后再将小颗粒筛掉即成渣棉。

渣棉容重小，热导率低，耐火度较高，800℃左右，可做隔热、隔音材料。

9.4.4 膨渣生产

膨胀的高炉渣渣珠，简称膨渣。它具有质轻、强度高、保温性能良好等特点，是理想的建筑材料，目前已用于高层建筑。

膨渣生产工艺见图 9-18。高炉渣由渣罐倒入或直接流入接渣槽，由接渣槽流入膨胀槽，在接渣槽和膨胀槽之间设有高压水喷嘴，熔渣被高压水喷射、混合后立即膨胀，沿膨胀槽向下流到滚筒上，滚筒以一定速度旋转，使膨胀渣破碎并以一定角度抛出，在空中快速冷却然后落入集渣坑中，再用抓斗抓至堆料场堆放或装车运走。

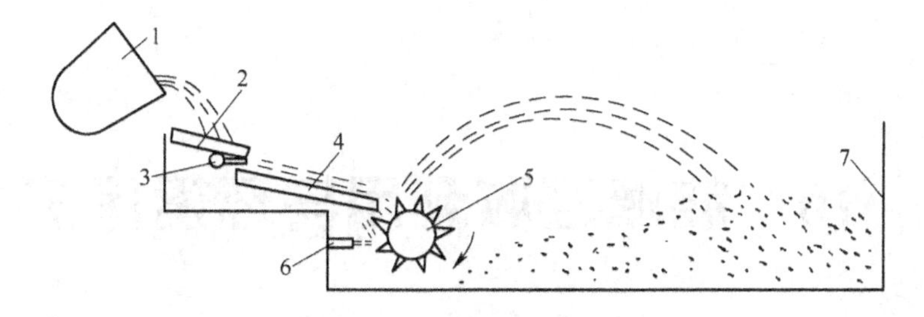

图 9-18 膨渣生产工艺

1—渣罐；2—接渣槽；3—高压喷水管；4—膨胀槽；
5—滚筒；6—冷却水管；7—集渣坑

生产膨渣，要尽量减少渣棉生成量，而膨胀槽和滚筒的距离对渣棉的产生有重要影响，如果距离近则会排出一股风，容易将熔渣吹成渣棉，所以距离要远些，以减小这股风力，减少渣棉量。

1. 出铁场和操作平台上设置有哪些设备？
2. 什么叫主铁沟？怎样确定主铁沟的长度与坡度？贮铁式主铁沟有何优点？
3. 什么叫撇渣器？怎样确定它的尺寸？
4. 对开铁口机、泥炮有何要求？
5. 什么叫摆动流嘴？它有哪些优点？
6. 对堵口用炮泥有什么要求？它由哪些原料组成？
7. 炉前水冲渣主要使用哪几种方法？炉前水冲渣有哪些工艺要求？

10　能源回收利用与环境保护

10.1　高炉炉顶余压发电

为了回收高炉煤气的物理能，在高炉煤气系统设置透平发电机组（简称 TRT），与调压阀组并联，利用煤气的压力能和热能发电。一般情况下，高炉车间的余压发电能满足高炉车间自身用电量（高炉鼓风机电耗除外）。

高炉透平发电机有 3 种形式：轴流向心式、轴流冲动式和轴流反动式。其中轴流反动式透平机质量小、效率高，宝钢 1 号高炉 TRT 采用此种形式。

从透平机的能力和对炉顶压力控制两方面考虑，炉顶余压透平回收方式有以下 3 种（图 10-1）：

(1) 部分回收方式。设计通过透平机的最大煤气量小于高炉产生的煤气量。高炉正常生产情况下，通过透平机的煤气量保持不变，炉顶煤气压力由调压阀组控制，见图 10-1*a*。

(2) 全部回收方式。设计通过透平机的最大煤气量大于高炉产生的煤气量，炉顶煤气压力由透平机调速阀或静叶自动调节控制，见图 10-1*b*。

(3) 平均回收方式。设计通过透平机的最大煤气量为高炉产生煤气量波动幅度的平均值。炉顶煤气压力由调压阀组和透平机分别控制，当高炉煤气量小于透平机设计流量时，由透平机控制；当高炉煤气量大于透平机设计流量时，由调压阀组控制，见图 10-1*c*。

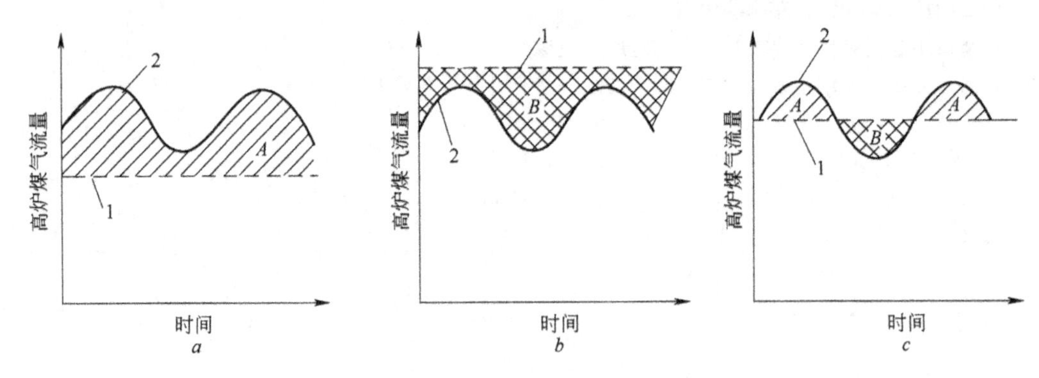

图 10-1　炉顶余压透平回收方式

1—透平机最大设计流量；2—高炉产生的煤气量

A—由调压阀组控制煤气流量；*B*—由透平机控制煤气流量

平均回收方式的发电能力较高，设备投资低，投资回收期最短，而且又能保证高炉炉顶压力的稳定。宝钢 1 号高炉 TRT 采用平均回收方式，工艺设计参数如下：

通过最大煤气量	670000 m^3/h
入口管交接点煤气压力	0.22 MPa（表压）

出口管交接点煤气压力	0.13 MPa（表压）
入口煤气温度	55℃
高炉煤气相对湿度	100%
煤气中机械水含量	$<7\ g/m^3$
入口煤气含尘量	$<10\ mg/m^3$
出口煤气含尘量	$<3\ mg/m^3$
额定发电能力	17440 kW

TRT 煤气入口从二级文氏管后的煤气管道接出，TRT 煤气出口管道与调压阀组后的高炉煤气主管相连，其平面布置见图 10-2。在 TRT 的入口煤气管道上，依次设有入口电动蝶阀、眼镜阀、紧急切断阀、调速阀等，在 TRT 的出口煤气管道上，依次设有 NK 阀及除雾器。

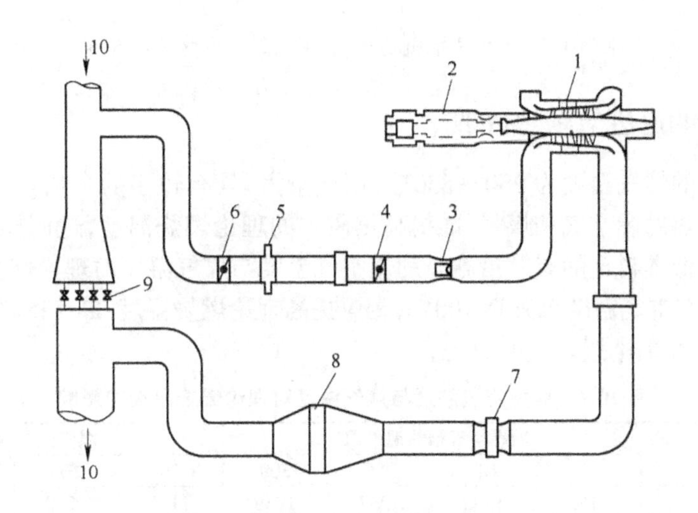

图 10-2 宝钢 TRT 高炉煤气系统

1—透平机；2—发电机；3—调速阀；4—紧急切断阀；5—眼镜阀；6—入口蝶阀；7—NK 阀；8—除雾器；9—减压阀组；10—高炉煤气

眼镜阀的作用是在透平机停止运行时完全切断高炉煤气。当 TRT 需要与煤气系统切断时，首先关闭入口电动蝶阀，降低眼镜阀前后的压差，这样有利于眼镜阀的关闭。紧急切断阀用于在 TRT 系统出现故障时迅速切断高炉煤气，是保证高炉生产的重要设备。此外，在紧急切断阀的旁边管道上设置一个电动蝶阀作为均压阀，在开启紧急切断阀前，先打开均压阀，使紧急切断阀在均压状态下开启。在紧急切断阀后设置调速阀，用于控制炉顶压力，调速阀的动作由电气调节器控制。这样，既能保持透平机最高的发电效率，又不影响高炉炉顶压力的稳定。

TRT 设施与高炉煤气净化系统有密切关系，因此，在平面布置时应尽量缩短两者间距。

煤气透平机回收功率由煤气流量、煤气入口温度、入口压力和出口压力来确定，回收功率估算值可从图 10-3 中得知。图中的曲线是当入口温度为一定值时得出的，入口温度变化时，输出功率和透平入口煤气的绝对温度成比例地增减。

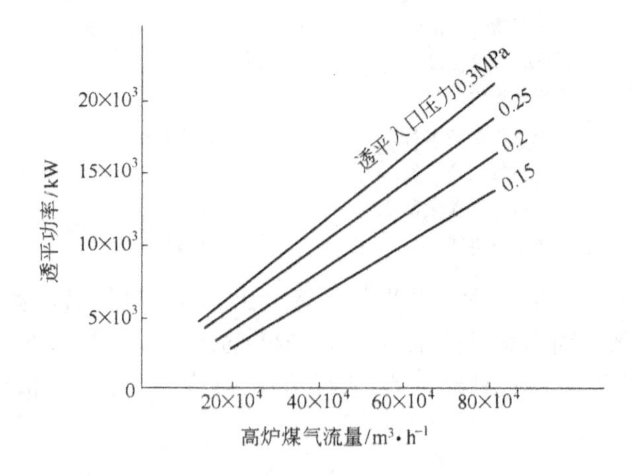

图 10-3　煤气透平机功率(透平入口温度为 55℃时)

10.2　热风炉烟道废气余热回收

高炉热风炉的烟气温度为 250～350℃,烟气量大,具有较多的余热。利用高炉热风炉废气的热量来预热助燃空气和煤气,能提高热风炉的理论燃烧温度,进而提高风温,是增加高炉喷煤量和降低燃料比的有效措施。助燃空气温度与煤气温度对理论燃烧温度的影响如表 10-1 所示,助燃空气温度每升高 100℃,相应提高理论燃烧温度 30～35℃;煤气温度每升高 100℃,相应提高理论燃烧温度 50℃。

表 10-1　助燃空气温度与煤气温度对理论燃烧温度的影响

煤气低发热值/kJ·m⁻³	助燃空气预热温度/℃				煤气预热温度/℃			
	20	100	200	300	20	100	200	300
2931	1185	1208	1237	1266	1185	1219	1270	1322
3349	1294	1319	1351	1385	1294	1325	1373	1422
3768	1394	1421	1456	1491	1394	1424	1469	1515

目前常用的余热回收装置有热管式换热器和热媒式换热器两种。

10.2.1　热管式换热器

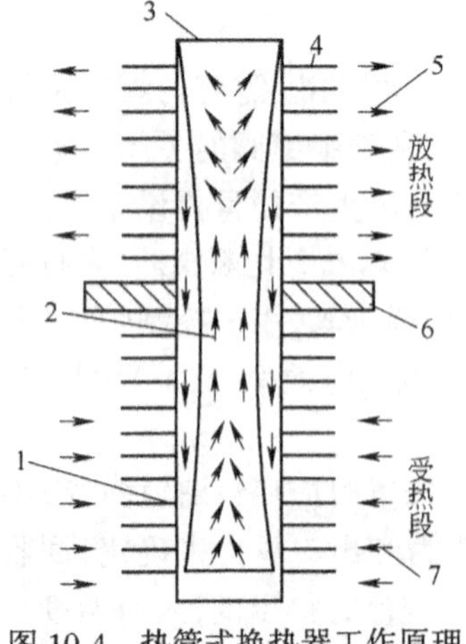

图 10-4　热管式换热器工作原理

1—液体(工质);2—蒸汽(工质);3—热管;4—翅片;5—低温流体;6—隔板;7—高温流体

热管式换热器的工作原理如图 10-4 所示。它是把带有翅片的金属管密封抽成真空后,灌入热媒体,热管式换热器的受热端置于热风炉烟道废气管路系统内,冷凝端置于助燃空气或煤气管路系统内。热媒体在受热端吸热蒸发,温差产生的压差使蒸汽流向冷凝端,热媒体在冷凝端放出潜热传给管外冷源——助燃空气或煤气,蒸汽又凝结成液体,在重力作用下又流回受热端。如此反复循环,热量不断地从受热端传入冷凝端,达到换热目的。

热管式换热器在结构上可分为整体式热管换热器和分离式热管换热器。

10.2.1.1 整体式热管换热器

整体式热管换热器回收热风炉烟道废气余热的基本工艺流程如图 10-5 所示。整体式热管换热器等温性能好,可回收热风炉烟道废气的低温余热,易密封,可预热助燃空气和煤气,结构简单。但是,大直径的助燃空气管道和煤气管道往返较多,增加了投资,工作温度受热媒体的限制,并且管道容易破裂。

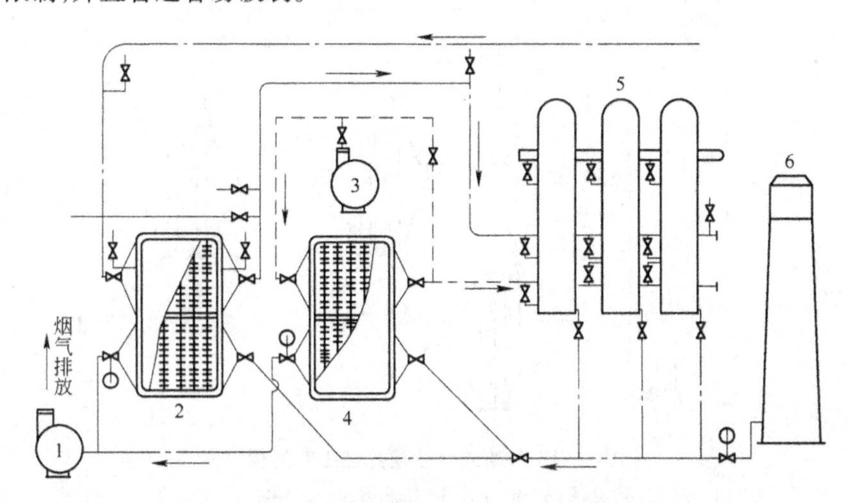

图 10-5 整体式热管换热器工艺流程

1—引风机;2—煤气换热器;3—助燃风机;4—空气换热器;5—热风炉;6—烟囱

10.2.1.2 分离式热管换热器

分离式热管换热器的工作原理如图 10-6 所示,与整体式热管换热器的区别在于分离式热管的受热端和冷凝端置于不同的换热器内,受热端和冷凝端之间用蒸汽连接管与液体连接管相连,热媒体在受热端被热风炉烟道废气加热成蒸汽,通过蒸汽连接管送到冷凝端。蒸汽在冷凝端被煤气或助燃空气冷却后凝结成液体,冷凝液通过液体连接管返回到受热端,液体的返回是由受热端与冷凝端位置的高差实现的,如此不断循环,实现热量的连续传递。在热管的冷凝端,还有不凝性气体分离装置,产生的不凝性气体可随时排放。

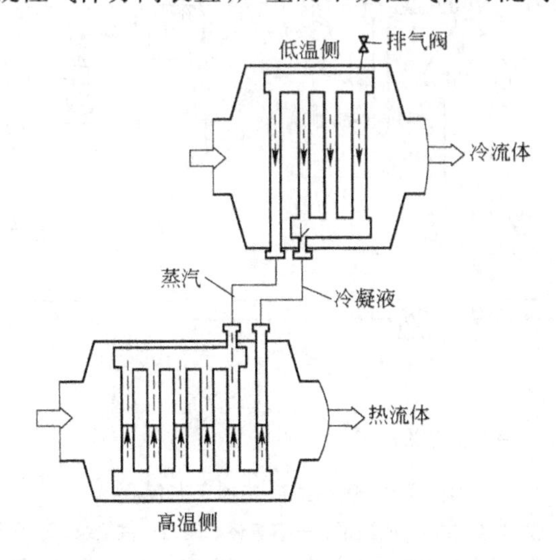

图 10-6 分离式热管换热器的工作原理

分离式热管换热器的典型流程如图 10-7 所示。这种换热器设备制造比较容易，易于大型化，高架布置，占地面积小，布置灵活。其缺点是热管受热端和冷凝端的分离距离和高差有一定限制。

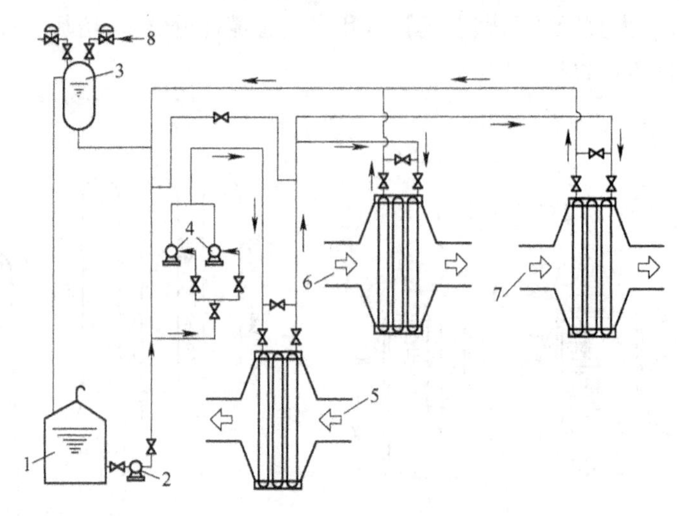

图 10-7　分离式热管换热器工艺流程

1—热媒体贮存罐；2—供给泵；3—膨胀罐；4—循环泵；5—热风炉烟道废气；6—助燃空气；7—煤气；8—氮气

10.2.2　热媒式换热器

热媒式换热器的工艺流程如图 10-8 所示，主要设备包括烟气换热器、助燃空气换热器、煤气换热器、循环泵、热媒体贮罐、膨胀罐、供给泵等。

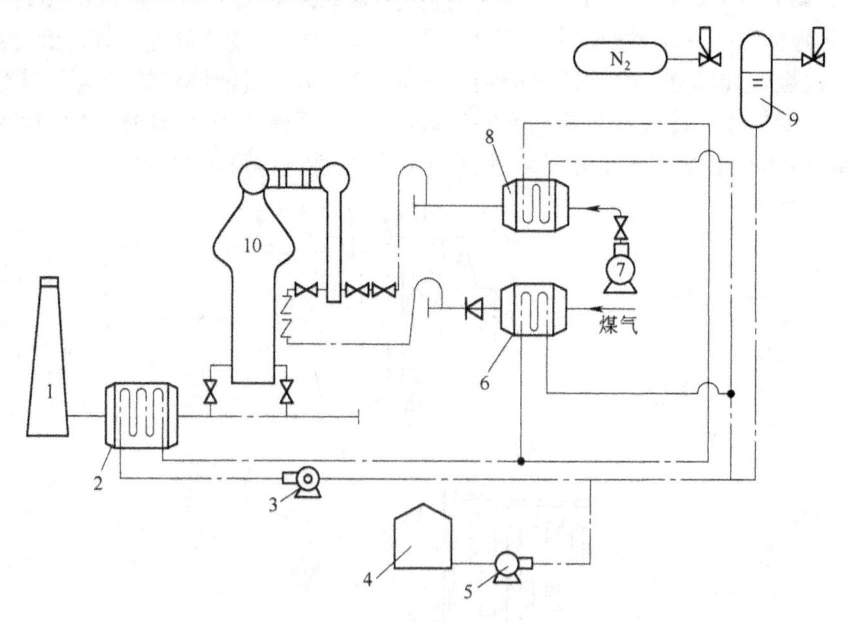

图 10-8　热媒式换热器工艺流程

1—烟囱；2—烟气换热器；3—循环泵；4—热媒体贮罐；5—供给泵；6—煤气换热器；7—助燃风机；8—助燃空气换热器；9—膨胀罐；10—外燃式热风炉

热媒式换热器的工作原理是:热媒体在循环泵的强制驱动下流入烟气换热器中的钢管内而被热风炉烟道废气加热,冷却后的热风炉烟道废气通过烟囱排入大气,加热后的热媒体流入助燃空气换热器和煤气换热器的钢管内,将热量传递给助燃空气和煤气,加热后的助燃空气和煤气送入热风炉内燃烧,冷却后的热媒体经过循环泵再次送入烟气换热器内加热,如此循环。

热媒体的种类很多,常用的有水、油、导热姆等。在使用时一般要考虑热媒体的安全性,如:有无毒性、是否和管壁反应分解、有无碳化沉积现象等。

热媒式换热器的优点是:

(1) 热媒体采用导热油,具有较高温度下的热稳定性,可长期连续使用。

(2) 受热侧、放热侧分离设置,不会因漏气造成预热煤气不安全的问题,可同时预热空气和煤气。热效率高,气密性好,可以通过调节热媒体的流量来调节预热助燃空气和预热煤气之间的热量。

(3) 工艺可分散布置,适应于热风炉区场地狭窄的技术改造。

(4) 换热器小而轻,便于安装和更换,维护简便。

其缺点主要是清灰较困难,应适当加大翅片和翅片管间距,以便清扫和减少阻力,对加压循环泵的要求比较高。

10.3 粉尘污染的控制

10.3.1 炼铁厂的粉尘来源及特性

高炉炼铁的粉尘主要来自于出铁场和原料系统。

出铁场产生的污染物是高炉在出铁、出渣时产生的烟尘和高温铁水、熔渣接触其他可燃物产生的烟尘。高炉每生产 1 t 生铁,在出铁厂平均散发出 2.5 kg 烟尘,其中正常出铁时,铁水沟、渣沟、撇渣器、摆动流嘴和铁水罐等各点产生的烟尘属于一次烟尘,占全部烟尘量的 86%。在开、堵铁口时产生的烟尘属于二次烟尘,占 14%。国家环保要求 1000 m^3 级以上高炉的出铁厂应设置一次烟尘和二次烟尘的净化设施,而小于 1000 m^3 级的高炉应设置一次烟尘净化设施。出铁场烟气温度较高,一般为 70～200℃,烟尘粒度一般在 10 μm 以下的占 50%～60%,烟尘中 Fe_2O_3 含量为 69.4%,SiO_2 含量为 10.97%,碳含量为 15.49%,其他 Al_2O_3、CaO、MgO 等含量都很少,碳含量较高是由于出铁过程中铁水冷却,从表面析出石墨碳之故。

高炉原料系统产生粉尘的地方主要有槽上的卸料、皮带机的转运和槽下筛分,原燃料装入料车、集料斗等,粉尘浓度大致为 5～8 g/m^3。国家标准要求矿槽上下都采用皮带机,所有转运站、槽上受料口及槽下筛分设施都应设有除尘净化装置,用皮带机向炉顶上料时应设置单独的除尘装置。要求所有除尘后排放的气体含尘量小于 100 mg/m^3,而工作环境空气中的含尘量降到 10 mg/m^3。各产尘点产尘量的大小与物料的品种、原燃料中粉末含量多少有关,通常烧结矿的产尘量较大。粉尘成分主要为 Fe_2O_3、C、SiO_2、CaO 和 MgO 等。

10.3.2 粉尘污染的控制方法

目前出铁场的一次烟尘捕集治理,主要采用在产生烟尘的部位(出铁口、铁沟、渣沟、撇渣器、摆动流嘴和铁水罐)设防尘罩,然后用风机抽走烟尘,烟尘通过除尘管道进入布袋除尘器或电除尘器进行净化,净化后气体的含尘量小于 50 mg/m^3 排入大气。

二次除尘系统是较困难的问题,现在有 3 种治理装置:一是自然抽风气帘式,即把整个房顶看成一个通风罩,在周围设有通风气帘抽风防尘,日本各厂大都采用这种方案;二是垂幕式,由活动垂幕组成的抽风通道将粉尘抽走到除尘器除尘,宝钢 1 号高炉采用此方式;三是在各出铁口产尘点分散设密封罩分散捕集,统一抽风除尘,鞍钢 10 号高炉采用这种形式。

原料系统的粉尘治理一般都采用抽风罩、密封罩或两者结合使用,将带粉尘的空气经管道抽到除尘器净化,净化后的空气经烟囱排入大气。

10.4　煤气洗涤污水处理

高炉煤气洗涤污水中含有大量的悬浮物和氰化物、酚等有毒物质,直接排放既浪费水资源又污染环境,危害人的身体健康。尽管多数厂采用了闭路循环系统,减少了直接排放,但仍须对煤气洗涤污水进行必要的处理后,才能保证闭路循环系统正常运行。

10.4.1　悬浮物的处理

高炉煤气洗涤水中的悬浮物,主要是铁矿粉和焦炭粉,粒度较小,含量较高,达 400～3000 mg/L,其含量大于我国废水外排的最高标准 500 mg/L ,因此,必须采取沉淀、浓缩和过滤煤气洗涤水等措施减少其含量。

煤气洗涤污水处理工艺流程如图 10-9 所示。沉淀是在直径为 30～45 m、中心深度为 3 m的辐射式大池中进行。洗涤污水从流槽送到池中心,澄清的水从池壁溢流入圆周水槽内流走,有时加入化学混凝剂(如明矾等)帮助悬浮物沉淀,使清水中悬浮物降至 10～20 mg/L。沉淀池底为锥形,以池中心为轴,带有刮板的活动桁架由电动机带动沿池边圆形轨道旋转,刮

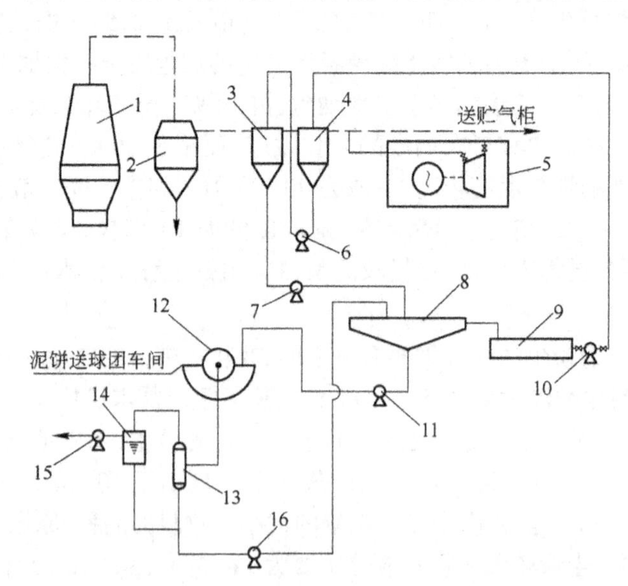

图 10-9　高炉洗涤污水处理流程

1—高炉;2—重力式除尘器;3—一级文氏管;4—二级文氏管;5—余压发电装置;
6、7—提升用泵;8—浓缩器;9—集水井;10—循环水泵;11—泥浆泵;
12—真空过滤器;13—滤液罐;14—分离罐;15—真空泵;16—滤液泵

板将沉淀于池底的灰泥送到池中心底部，然后用泥浆泵送出。泥浆浓度约为8%～12%，在中心传动浓缩池中浓缩，一次脱水后，排出的泥浆浓度约为50%。最后，在真空过滤机中进行二次脱水，滤后的高炉灰送往烧结厂。

10.4.2　水的软化处理

煤气中含有 CO_2 和 CaO 粒子，洗涤污水在洗涤过程中，因与煤气接触，CO_2 与 CaO 粒子反应使水的硬度升高，易使洗涤水循环系统的管路和设备结垢。结垢既会影响设备的正常运行，又会影响洗涤效果。循环洗涤一次，暂时硬度可升高1～3度。因此，洗涤污水的软化处理是实行闭路循环的必要措施。

常用加硫酸的办法，使 Ca^{2+}、Mg^{2+} 成为硫酸盐，降低了暂时硬度，避免了洗涤水结垢。经过酸化法处理过的洗涤污水，当 pH≈7 时，可基本上不结垢。另外还有加石灰法，即对已经沉淀过的水，加一定量的石灰，除去相当每次洗气和蒸发浓缩可增加的硬度，软化后水重新回到循环系统。

10.4.3　氰化物的处理

氰化物是剧毒物质，国家规定的排放标准仅允许浓度为0.5 mg/L，而煤气洗涤污水中的氰化物含量可达7～40 mg/L，有的甚至更高。所以，必须进行破坏氰化物的处理。常用碱性氯化法，它利用氯和氰化物既有化合又有分解的能力，在碱性介质内将污水中的氰化物分解成无毒物质和微毒物质，反应式如下：

$$NaCN + Cl_2 \longrightarrow CNCl + NaCl$$

$$CNCl + 2NaOH \longrightarrow NaCNO + NaCl + H_2O$$

$$2NaCNO + 3Cl_2 + 4NaOH \longrightarrow 6NaCl + 2CO_2 + N_2 + H_2O$$

氯化氰是剧毒物质，为避免在处理过程中出现氯化氰，应先加石灰或氢氧化钠，把处理的污水的 pH 值调整到8.5以上，然后再加氯。氰酸盐的毒性较小，只有氰化物的千万分之一，而在继续和氯、氢氧化钠的进一步反应中氰可以完全被破坏。

目前，洗涤污水中的酚等有毒物的去除，在工业上还没有较成熟的方案。为了减少直接排放，降低污染，节约水资源，应大力推广洗涤水的闭路循环系统。某厂采用简单的处理流程，只要经常维持排污量相当于循环水量的3%～5%，即可顺利运行。排污水作高炉冲水渣循环水的补充水，两个系统配合，完全实现闭路循环。

10.5　噪声的消除

噪声发生于各种风机及放风阀、煤气放散阀、高炉炉顶煤气均压放散阀等部位，声音的强弱是用声压的大小来衡量的，声压级以 L_I 表示，它的单位是分贝(dB)。7种噪声等级的分贝值列于表10-2。

表10-2　噪声等级的分贝值

分贝值/dB	0～20	20～40	40～60	60～80	80～100	100～120	120～140
人的感觉	很静	安静	一般	吵闹	很闹	难忍受	很痛苦

炼铁厂用的气体消音器，一种是扩张缓冲式，一种是微孔阻尼式，以及兼备两种的综合式。

扩张缓冲式消音器利用气体在放散管口突然扩张，大大降低其内压，再经缓冲装置徐徐放散，能降低自由放散时的叫嚣声。

微孔阻尼式消音器是利用管道内的微孔隔板，使高压气体在通过时受到阻尼，逐步消耗掉气体的内能，并使气体逐级降压才放散出去。

以上两种消音装置都应放散管壁包裹和填充防振消音材料，以防管道发生振动和共鸣。管壁包裹多用玻璃丝布，填充材料多用玻璃纤维。

1. 炉顶煤气余压发电的意义何在？煤气透平发电的工作原理是什么？
2. 有哪些方法用于预热助燃空气与煤气？
3. 出铁场的烟尘如何治理？
4. 为什么要对煤气洗涤水进行处理？如何实现洗涤水的闭路循环？
5. 炼铁厂常用哪几种气体消音方式？

参 考 文 献

1 丁泽洲.钢铁厂总平面设计.北京:冶金工业出版社,1998
2 王庆春.冶金通用机械与冶炼设备.北京:冶金工业出版社,2004
3 张树勋.钢铁厂设计原理(上册).北京:冶金工业出版社,1994
4 万清国.炼铁设备及车间设计.北京:冶金工业出版社,1991
5 郝素菊,蒋武锋,方觉.高炉炼铁设计原理.北京:冶金工业出版社,2003
6 王筱留修订.高炉生产知识问答(第2版).北京:冶金工业出版社,2004
7 王筱留.钢铁冶金学(炼铁部分)(第2版).北京:冶金工业出版社,2000
8 章天华,鲁世英.炼铁,现代钢铁工业技术.北京:冶金工业出版社,1980
9 赵润恩.炼铁工艺设计原理.北京:冶金工业出版社,1993
10 项钟庸,郭庆弟.蓄热式热风炉.北京:冶金工业出版社,1988
11 成兰伯.高炉炼铁工艺及计算.北京:冶金工业出版社,1994
12 任贵义.炼铁学(下册).北京:冶金工业出版社,1996
13 薛立基,万真雅.钢铁冶金设计原理(上册).重庆:重庆大学出版社,1992
14 刘箐.高炉铜冷却壁的应用及探讨.钢铁研究,2001,(3)
15 王维邦.耐火材料工艺学(第二版).北京:冶金工业出版社,1994
16 周传典.高炉炼铁生产技术手册.北京:冶金工业出版社,2002
17 任开林,薛立基,陈碧琅.宝钢炼铁生产设备.哈尔滨:黑龙江科学技术出版社,北京:冶金工业出版社,1997
18 陈昆南.炼铁设备.北京:兵器工业出版社,2003
19 马竹梧,邱建平,李江.钢铁工业自动化(炼铁卷).北京:冶金工业出版社,2000